De echo

Van dezelfde auteur:

De beeldhouwster
De branding
De donkere kamer
Het heksenmasker
Het ijshuis

Minette Walters

De echo

dB

1999 – De Boekerij – Amsterdam

Oorspronkelijke titel: The Echo (Macmillan)
Vertaling: Irving Pardoen
Omslagontwerp: Studio Eric Wondergem bNO
Omslagfoto: © Arsis

Derde druk

ISBN 90 225 2536 8

Voor Frank en Mary

De echo was op een bepaalde, niet te beschrijven manier haar greep op de dingen gaan ondermijnen... en fluisterde haar toe: 'Medelijden, trouw en moed bestaan wel, maar ze zijn aan elkaar gelijk, evenals smerigheid. Alles bestaat, niets is van waarde.'

E.M. Forster (1879-1970)

Ach roos, je bent ziek!
De onzichtbare worm
die vliegt door de nacht
in de woedende storm

heeft je bed van
dieprode vreugde belaagd,
en het is zijn heimelijke, duistere liefde
die je naar het leven staat.

William Blake (1757-1827)

1

HET WAS DE GEUR DIE MEVROUW POWELL HET EERSTE OPVIEL. EEN WAT zoete geur. Niet erg aangenaam. Ze ving de geur op toen ze haar auto op een warme juni-avond in de garage zette. Eerst dacht ze dat de lucht afkomstig was van de vuilnisbak van de buren, aan de andere kant van het lage muurtje dat diende als erfscheiding, en ondernam geen actie. Maar de volgende ochtend sloeg de geur van verrotting haar al tegemoet toen ze de deur van de garage opendeed en besloot ze, nadat ze de auto op de oprit had gezet, de stapel dozen achter in de garage eens te inspecteren. Ze had totaal niet verwacht een lijk te zullen vinden, maar dacht dat iemand er een vuilniszak had achtergelaten. Ze was dan ook zeer ontdaan toen ze daar, onder de stukken karton in de hoek, een dode man vond, met zijn hoofd op zijn knieën.
De media besteedden veel aandacht aan de zaak, voornamelijk vanwege de plaats waar de dode man gevonden was, in de garage van een duur huis in een dure woonwijk aan de Theems, in de recentelijk voor bewoning geschikt gemaakte oude Docklands van Londen, en omdat de patholoog-anatoom als doodsoorzaak ondervoeding had opgegeven. Dat iemand aan het einde van de twintigste eeuw van ondervoeding kon omkomen in een van de meest welvarende gedeelten van een van de meest welvarende steden ter wereld, was voor de meeste journalisten onweerstaanbaar nieuws, temeer daar ze van de politie vernomen hadden dat hij was overleden naast een enorme vrieskist vol voedsel. De bloedhonden arriveerden in groten getale.
Er wachtte hen echter slechts teleurstelling. Mevrouw Powell had geen zin in allerlei vraaggesprekken en had het huis verlaten, en er was niemand die hun iets kon vertellen over het leven van de dode man, waardoor het verhaal verlevendigd had kunnen worden. Hij was gewoon een van de vele daklozen die de straten van Londen bevolkten, een alcoholist zonder familie of vrienden, die door zijn als gevolg van een aantal veroordelingen wegens kruimeldiefstallen geregistreerde vingerafdrukken bekend bleek te zijn onder de naam Billy Blake. Bij de Londense politie genoot hij enige bekendheid als

straatprediker door zijn gewoonte om als hij dronken was voorbijgangers op agressieve wijze de naderende ondergang van de wereld en totale verdoemenis in het algemeen te verkondigen. Daar niemand van hen echter ooit de moeite had genomen naar zijn onsamenhangende gebral te luisteren, kon de politie ook op grond van zijn predikaties geen nadere informatie over de man verstrekken. Het enige merkwaardige was dat hij bij zijn eerste arrestatie in 1991 had gelogen over zijn leeftijd. In het dossier van de politie stond hij te boek als vijfenzestig, maar de patholoog-anatoom schatte hem in zijn rapport op vijfenveertig.

Mevrouw Powell had met deze bizarre tragedie slechts in zoverre te maken dat zij de eigenares was van de garage waarin Billy gestorven was, maar het beeld van de man bleef haar toch achtervolgen toen ze twee weken later, toen de morbide belangstelling van de pers verdwenen was, weer thuis was. Nadat de lijkschouwer het lichaam had vrijgegeven, had ze het op haar kosten laten cremeren omdat ze het zich toch makkelijk kon veroorloven. Ze was helemaal niet verplicht geweest dit te doen – ook voor dit soort eventualiteiten kende de sociale dienst speciale regelingen – maar ze had zich ertoe verplicht gevoeld tegenover haar ongenode gast. Ze had de op één na goedkoopste optie voor crematie gekozen en vervoegde zich op de afgesproken datum op de afgesproken tijd bij het crematorium. Zoals ze al had verwacht, waren zij en de priester de enige aanwezigen toen de dragers van de uitvaartonderneming vertrokken waren nadat ze de kist op de daartoe bestemde plaats hadden neergezet. Het werd een enigszins aangrijpende dienst, begeleid door ingeblikte muziek. Elvis Presley zong aan het begin 'Amazing Grace', waarna de priester voorging in de dienst en mevrouw Powell het responsorie voor haar rekening nam (terwijl ze zich beiden, onafhankelijk van elkaar, afvroegen of Billy wel ooit christen was geweest). Hierna volgde nog een harmonisch klinkende uitvoering van 'Abide with Me' van een mannenkoor uit Wales terwijl de kist ondertussen langzaam in de richting van de branders rolde, waarna de gordijnen er discreet achter gesloten werden.

Veel meer was er niet te zeggen of te doen geweest, dus gingen mevrouw Powell en de priester, nadat ze elkaar de hand hadden geschud en elkaar hadden bedankt voor hun aanwezigheid, ieder huns weegs. Als onderdeel van het door mevrouw Powell betaalde pakket werd de as van Billy ten slotte nog in een kleine urn verzameld en samen met een plaquette met zijn naam en overlijdensdatum in een uithoek van het crematorium neergezet. Helaas waren beide gegevens on-

juist; de dode heette geen Billy Blake, en de patholoog-anatoom had zich vergist bij het opnemen van de temperatuur en daardoor het tijdstip van overlijden enkele uren te vroeg geschat.
Wie Billy Blake ook geweest mocht zijn, hij stierf op dinsdag 13 juni 1995.

Niemand besteedde enige aandacht aan de twee bezoekers die enkele dagen later bij het crematorium de plaquette met Billy Blakes naam kwamen bekijken. De oudste van de twee wees er met een dikke vinger naar en bromde afkeurend. 'Nou, wat heb ik je gezegd? Gestorven op twaalf juni 1995. Maandag, verdomme. Oké? Heb je nou je zin?'
'We hadden bloemen mee moeten nemen,' zei zijn jonge metgezel met een blik op de vele grafkransen die bij de urnen van andere onlangs gecremeerden waren achtergelaten door bedroefde nabestaanden.
'Dat zou totaal geen nut hebben gehad. Billy is dood, en ik moet het eerste lijk nog tegenkomen dat bloemen op prijs stelt.'
'Ja, maar...'
'Niks te maren,' zei de oude man gedecideerd. 'Ik heb het je al zo vaak gezegd: de klootzak is 'm gepiept.' Hij duwde de jongeman naar voren. 'Kijk en overtuig jezelf; dan gaan we er weer vandoor.' Met een uitdrukking van misnoegen op zijn verweerde gezicht keek hij om zich heen. 'Ik heb niks met dit soort plekken. Het is niet gezond om te veel over de dood na te denken. Die komt toch al veel sneller dan je lief is.'

Mevrouw Powell had haar garage in zes weken tijd drie keer door drie verschillende schoonmaakbedrijven grondig laten schoonmaken, maar toch had ze haar vrieskist van de hand gedaan, deed ze vaker boodschappen en zette ze haar auto tegenwoordig op de oprit in plaats van ín de garage. Haar buurman had er tegen zijn vrouw nog een opmerking over gemaakt en gezegd dat het jammer was dat er geen meneer Powell was. Geen man zou een prima garage ongebruikt laten alleen omdat er een zwerver in was overleden.

(Uittreksel van *Onopgeloste misdrijven uit de twintigste eeuw* door Roger Hyde, Londen, 1994)

Vermiste personen

Het exacte aantal mensen dat ieder jaar in Groot-Brittannië voorgoed de huisdeur achter zich dichttrekt is onbekend, maar als we onder 'vermist' verstaan 'met onbekende verblijfplaats', dan moet dit in de honderdduizenden lopen. Slechts een klein percentage van deze gevallen haalt de krant, en dan gaat het meestal om kinderen die ontvoerd en vervolgens vermoord zijn. Volwassenen die verdwijnen komen maar zelden in het nieuws. De gevallen van vermissing die de afgelopen jaren de aandacht hebben getrokken zijn die van de graaf van Lucan, die op 7 november 1974 verdween uit het huis van de vrouw van wie hij gescheiden leefde, na de brute moord op Sandra Rivett, het kindermeisje, en een poging tot moord op Lady Lucan. Er is nooit meer iets van hem vernomen, en evenmin is zijn lichaam gevonden, maar de reden van zijn verdwijning lijkt duidelijk. Minder verklaarbaar waren de verdwijningen van twee andere 'vermisten', Peter Fenton OBE, een topambtenaar van het ministerie van Buitenlandse Zaken, en James Streeter, een bankier.*

† † †

De zaak van de vermiste diplomaat – Peter Fenton, OBE

De verdwijning van Peter Fenton op de avond van de derde juli 1988, slechts enkele uren voordat het lichaam van zijn vrouw werd aangetroffen in hun woning in Knightsbridge, zorgde voor sensatie in de Britse pers. Het huis bevond zich op nauwelijks meer dan een kilometer afstand van de plaats waar zich veertien jaar tevoren de afschuwelijke tragedie met

* OBE: Officer of the British Empire – een onderscheiding, te vergelijken met een ridderorde

de Lucans had afgespeeld en de overeenkomsten tussen Peter Fenton en Lord 'Lucky' Lucan waren opmerkelijk. De twee mannen bewogen zich in dezelfde kringen en van beiden was bekend dat ze trouwe vrienden hadden die hen graag zouden willen helpen. Van beide mannen werden de auto's aan de Engelse zuidkust aangetroffen, wat aanleiding was voor de veronderstelling dat ze het Kanaal waren overgestoken naar Frankrijk. Er bestond zelfs een krankzinnige overeenkomst in hun uiterlijke verschijning: ze waren beiden lang, donker en – zoals dat heet – niet onaantrekkelijk.
Vergelijking met de zaak-Lucan bleek echter niet op te gaan; de politie onthulde dat ze, na gedetailleerd onderzoek van het huis en het lijk, tot de conclusie was gekomen dat Verity Fenton zelfmoord had gepleegd. Ze had zich op de avond van de eerste juli op zolder aan een dakspant opgehangen terwijl haar man een vijfdaags bezoek aan Washington bracht. Bij reconstructie van het gebeurde was gebleken dat haar man bij terugkeer uit de Verenigde Staten op de middag van de derde juli op het gangtafeltje haar afscheidsbrief had gevonden en toen in huis naar haar op zoek was gegaan. Er lijkt geen twijfel over te bestaan dat hij het was die haar heeft losgesneden en op het bed gelegd. Evenmin lijkt eraan getwijfeld te hoeven worden dat hij zijn stiefdochter heeft opgebeld en haar heeft gevraagd die avond samen met haar man op bezoek te komen. Hij heeft haar niet gewaarschuwd voor wat ze aan zou treffen, maar gezegd dat hij de deur niet af zou sluiten. Ze had de indruk gehad dat hij 'erg vermoeid' klonk.
Anders dan Lord Lucan, die na het gerechtelijk onderzoek naar de dood van Sandra Rivett formeel in staat van beschuldiging was gesteld, werd Peter Fenton ontslagen van rechtsvervolging omdat hij geen schuld zou hebben gehad aan de dood van zijn vrouw Verity. Het dossier was afgesloten met de mededeling dat ze, blijkens mededelingen van haar dochter, uitzonderlijk gedeprimeerd was geweest tijdens de afwezigheid van haar man en 'tijdens een geestelijke inzinking' zelfmoord had gepleegd. Dit werd ook bevestigd door het afscheidsbriefje, waarin slechts stond: *Vergeef me, lieverd, ik kan het niet meer aan. Verwijt het jezelf alsjeblieft niet. Jouw verraad is niets vergeleken met het mijne.*
De vraag bleef echter: waarom verdween Peter Fenton? De

meeste journalisten dachten dat met de term 'verraad' liefdesgeschiedenissen bedoeld waren en veronderstelden dat hij de troost van een maîtresse gezocht had. Maar daarmee werd niet verklaard waarom zijn auto teruggevonden was bij een veerhaven aan het Kanaal, en evenmin waarom hij zich verborgen bleef houden nadat het onderzoeksresultaat was gepubliceerd. De belangstelling begon zich te verplaatsen naar zijn baan bij Buitenlandse Zaken en de twee keer dat hij uitgezonden was geweest naar Washington (1981-1983 en 1985-1987), waar hij naar verluidt toegang had gehad tot hoogst geheime informatie met betrekking tot de NAVO.
Was het toeval dat Fenton slechts drie weken na de arrestatie van Nathan Driberg* in de Verenigde Staten verdween? Waarom was hij in zijn eentje voor vijf dagen naar Washington gegaan als hij wist dat zijn vrouw zeer depressief was? Kon het zijn dat hij een laatste wanhopige poging gedaan had erachter te komen of Driberg zou praten, om dan Verity gerust te kunnen stellen dat hij geen gevaar liep? Want waarom zou ze in haar afscheidsbrief voordat ze zich ophing het woord 'verraad' gebruikt hebben als ze niet had geweten dat haar man een spion was? Er werden parallellen getrokken, niet met Lord Lucan, maar met Guy Burgess en Donald Mac-

* Nathan Driberg (geboren in 1941 in Sacramento, Californië) trad bij de CIA in dienst na zijn afstuderen aan Harvard in 1962. Hij was een uiterst intelligent man, maar slaagde er toch niet in om carrière te maken in de CIA. Hij zou zich gaandeweg steeds meer zijn gaan ergeren aan de organisatie en ten slotte in het begin van de jaren tachtig op het idee zijn gekomen een spionagegroep op te richten, met slechts het maken van winst tot doel, en waarvan hij alleen de leden kende. De geheime informatie werd door bij de groep aangesloten leden verzameld en verkocht aan geïnteresseerde kopers. Kopers waren naar verluidt landen als Rusland, China, Zuid-Afrika, Colombia en Irak. Onder de leden van de groep zouden zich andere werknemers van de CIA, Congresleden, buitenlandse diplomaten, journalisten en industriëlen hebben bevonden, maar aangezien Driberg stelselmatig geweigerd heeft namen te noemen, is niet bekend wie het waren. De activiteiten van de groep begonnen pas in het oog te lopen toen een van de leden, de CIA-agent Harry Castilli, een opvallend luxueus leven begon te leiden. In ruil voor vrijwaring van strafvervolging leidde hij de onderzoekers naar Driberg, tegen wie hij ook tijdens diens proces getuigde. Kort na Dribergs arrestatie pleegden een Franse diplomaat en een vooraanstaand Congreslid zelfmoord. Een Britse diplomaat, Peter Fenton, verdween.

lean, de in de jaren dertig en veertig befaamde spionnen bij Buitenlandse Zaken, die in 1951 verdwenen waren na een waarschuwing van Kim Philby dat Britse en Amerikaanse contraspionageorganisaties hen op het spoor waren. Had Peter Fenton, net als Donald Maclean, zijn vertrouwenspositie aan de ambassade in Washington misbruikt om zijn land te verraden?
We zullen het helaas nooit weten, want als Peter Fenton inderdaad een landverrader was, dan deed hij het voor het geld en is het niet waarschijnlijk dat hij weer ergens opduikt, zoals Burgess en Maclean in Moskou in 1956 met de verklaring dat ze al sinds lange tijd communistische sympathieën hadden. Met de grote bedragen die in het syndicaat van Driberg zouden zijn omgegaan zou hij miljoenen ponden op Zwitserse bankrekeningen in veiligheid kunnen hebben gebracht, waarmee hij een nieuwe identiteit voor zichzelf zou hebben kunnen organiseren. Volgens zijn stiefdochter Marilyn Burghley zou men echter niet mogen veronderstellen dat hij beter is geworden van zijn verraad. 'U moet begrijpen dat Peter mijn moeder aanbad. Ik heb nooit geloofd dat zijn "verraad" betekende dat hij avontuurtjes had, dus ik veronderstel dat ik wel zal moeten aannemen dat hij zijn land verraden heeft en dat zij daarvan geweten heeft. Misschien heeft hij haar gevraagd samen met hem te vluchten, en heeft hij haar, toen ze dat weigerde, ervan beschuldigd niet van hem te houden. Dat ze zich op die manier van het leven heeft beroofd, kan volgens mij alleen maar betekenen dat ze een vreselijke ruzie gehad moeten hebben. Maar hoe dan ook, een leven zonder haar moet voor hem iets onverdraaglijks zijn geweest. De dood van mijn moeder moet voor hem een veel grotere straf zijn geweest dan welke straf die de rechtbank hem had kunnen opleggen.'
Een onderzoek naar Peter Fentons vroegere leven en zijn achtergronden werpt ook weinig licht op het raadsel. Hij is geboren op 5 maart 1950 en was de geadopteerde zoon van Jean en Harold Fenton uit Colchester in Essex. Jean noemde hem altijd een 'klein wonder' omdat ze op het moment van de adoptie al tweeënveertig was en de hoop op een kind al had opgegeven. Zij en haar man zaten beiden in het onderwijs en besteedden al hun vrije tijd en aandacht aan hun zoon. Hun beloning was een begaafd kind dat in aanmerking

kwam voor beurzen voor Winchester en vervolgens voor Cambridge, waar hij klassieke talen studeerde. Tijdens zijn tienerjaren was hij echter gaandeweg van zijn ouders vervreemd geraakt. Hij bracht zijn vakanties steeds minder vaak door in Essex, maar bleef als het enigszins mogelijk was liever bij zijn vrienden in Londen. Kennelijk verafschuwde hij zijn eenvoudige komaf en had hij het plan opgevat zich daaraan te ontworstelen. Hij toonde maar weinig liefde voor zijn adoptiefouders.

In een brief aan zijn broer uit 1971 schreef Harold Fenton: Peter heeft Jeans hart gebroken, en dat zal ik hem nooit vergeven. Toen ik hem eens aansprak over zijn goklust, vroeg hij me of ik soms liever had dat hij ging stelen om zich van ons los te kunnen maken. Hij schaamt zich voor ons. Kennelijk is hij van plan om bij Buitenlandse Zaken te gaan werken zodra hij in Cambridge afstudeert, en wilde hij ons ervoor 'waarschuwen' dat we hem nog maar heel weinig zullen zien als dat doorgaat. Zijn carrière staat op de eerste plaats. Toen ik hem vroeg of hij er een verklaring voor had dat God ons zo'n onaangenaam kind had geschonken, zei hij: 'Ik heb jullie trots gemaakt. Wat wilden jullie nog meer?' Als Jean er niet bij was geweest, zou ik hem een klap hebben gegeven.

Peter Fenton studeerde in 1972 in Cambridge af en trad toen in dienst van het ministerie van Buitenlandse Zaken. Hij werd al gauw ontdekt door Sir Angus Fraser, die toen ambassadeur in Parijs was. Als beschermeling van Fraser leek Fenton voorbestemd voor een schitterende carrière. Na zijn huwelijk met Verity, dat door velen werd beschouwd als een vergissing, leek zijn komeetachtige loopbaan echter te stagneren. Verity was weduwe en had twee kinderen in de tienerleeftijd. Ze was dertien jaar ouder dan Fenton, en werd op grond van haar leeftijd niet geschikt geacht als vrouw van een toekomstige ambassadeur. In het licht van wat Fenton tien jaar daarvoor tegen zijn vader had gezegd, was het opvallend dat hij zijn liefde voor Verity belangrijker vond dan zijn carrière. Zijn beslissing leek gerechtvaardigd toen hij in september 1981 voor het eerst in Washington werd gestationeerd.

Daarna volgden zeven jaren van hard werken en een kennelijk gelukkig huwelijksleven. Fenton werd in 1983 geridderd als dank voor zijn inspanningen ten dienste van Hare Majesteits regering tijdens de Falklandoorlog. Verity bleek een loy-

ale echtgenote en was zeer populair als gastvrouw bij officiële aangelegenheden. Haar kinderen, die, waar ter wereld het echtpaar zich ook bevond, altijd hun vakanties bij hen doorbrachten, denken met warmte aan Fenton. 'Hij was altijd heel aardig tegen ons,' zei Verity's zoon Anthony Standish. 'Hij heeft me eens gezegd dat hij altijd had gedacht dat geld en ambitie de enige zaken waren die telden, totdat mijn moeder hem leerde liefhebben. Daarom geloof ik ook niet dat hij een landverrader was. Voor het geld zou hij het niet gedaan hebben. Als u het mij vraagt, was zij degene die een buitenechtelijke relatie had. Ze was het soort vrouw dat constant een bewijs van liefde nodig had, waarschijnlijk doordat mijn echte vader een rokkenjager was en hun huwelijk ongelukkig was geweest. Misschien voelde ze zich verwaarloosd doordat Peter in die periode zo hard werkte en is ze hem min of meer per ongeluk ontrouw geworden. Dat Peter erachter is gekomen en heeft gedreigd haar te verlaten zou een verklaring kunnen zijn voor het feit dat ze zich opgehangen heeft.'
Maar helaas verklaart dat verder niets. Waarom is Peter Fenton verdwenen? Is hij dood, of leeft hij nog? Was hij een spion, een ontrouwe echtgenoot of een bedrogen echtgenoot? Mogen we echt geloven dat hij zich door zijn liefde voor Verity van een ambitieuze materialist tot een liefhebbende echtgenoot en stiefvader heeft ontwikkeld? En als hij werkelijk zoveel van haar hield als zijn stiefkinderen beweren, wat heeft hij dan voor zijn vertrek naar Washington gedaan waardoor zijn vrouw zo wanhopig werd dat ze zich van het leven heeft beroofd? En wat de zaak nog intrigerender maakt, is de vraag of de afscheidsbrief, waar immers geen aanhef boven stond en die ook niet in een envelop zat, aan hem gericht was of aan iemand anders.
De waarheid wordt misschien duidelijk uit wat Jean Fenton op Peters vijfde verjaardag in haar dagboek noteerde: Peter houdt ontzettend veel van acteren. Vandaag speelt hij de rol van het engelachtige kind. Morgen is hij misschien weer de duivel. Ik wou dat ik wist welke van deze verschillende Peters de echte is.

† † †

De zaak van de verdwenen bankier – James Streeter

James Streeter werd geboren op 24 juli 1951. Hij was de oudste zoon van Kenneth en Hilary Streeter uit Cheadle Hulme in Cheshire. Zijn schoolopleiding kreeg hij op een gewone middelbare school in Manchester, waarna hij moderne talen studeerde aan de universiteit van Durham. Na zijn afstuderen trad hij in Parijs in dienst bij Le Fournet, een Franse handelsbank. Hij bleef daar vijf jaar en verhuisde vervolgens naar Brussel om bij een zustermaatschappij te gaan werken. Daar ontmoette hij Jeanine Ferrer, met wie hij trouwde. Het huwelijk duurde echter nog geen drie jaar, en na de in 1981 uitgesproken echtscheiding keerde hij terug naar Engeland, waar hij een baan aannam bij de handelsbank Lowenstein in de City. In 1986 trouwde hij met een veelbelovende jonge architecte, die negen jaar jonger was dan hij. Kenneth en Hilary Streeter beschrijven het huwelijk als stormachtig. 'Ze hadden heel weinig gemeen,' zegt Hilary, 'waardoor ze voortdurend ruzie hadden. Maar het is belachelijk om te beweren dat James is gaan stelen omdat hij in de put zat over zijn huwelijksproblemen. En bovendien, als we de politie mogen geloven is hij al een jaar voordat hij trouwde begonnen met zijn verduisteringen, dus dat argument slaat nergens op. We zijn heel kwaad dat de naam van onze zoon zo door het slijk wordt gehaald doordat de politie maar klakkeloos op de uiterlijke schijn afgaat. Degene die hem heeft vermoord zou door het slijk gehaald moeten worden, niet James.'
Op het eerste gezicht lijkt James Streeters verdwijning net zo voor de hand te liggen als die van Lord Lucan, want binnen enkele dagen nadat hij op vrijdag 27 april 1990 uit zijn kamer bij Lowenstein was vertrokken, werd hij in staat van beschuldiging gesteld wegens verduistering van een bedrag van tien miljoen pond ten laste van zijn werkgever. Het lijdt geen twijfel dat hij schuldig is aan het ten laste gelegde.
Slechts enkele weken voor zijn verdwijning hadden de accountants bij controle onregelmatigheden opgemerkt en ter

kennis van de raad van bestuur gebracht. Er bleek een bedrag van tien miljoen pond zoek te zijn, en de oorzaak lag binnen de afdeling van Streeter. Het ergste was nog dat de onregelmatigheden al minstens vijf jaar aan de gang waren. Simpel gezegd berustte de diefstal op de creatie van valse rekeningen, die dienden als tussenrekeningen voor grote internationale transacties en waaraan de vergaarde rente werd onttrokken. Deze handelingen waren mogelijk gemaakt doordat de bank in gebreke was gebleven bij het invoeren van een deugdelijke beveiliging van het computersysteem, waardoor de valse rekeningnummers niet ontdekt waren. De op deze rekeningen door de jaren heen gevormde rente was zeer aanzienlijk.
De raad van bestuur nam toen de – naar tijdens het verdere verloop van de gebeurtenissen bleek foute – beslissing de zaak niet aan de grote klok te hangen en een geheim onderzoek te laten verrichten, zulks om de klanten van de bank niet aan het schrikken te maken. Dit onderzoek werd onhandig uitgevoerd: de geheimhouding bleek meteen al niet vol te houden, waardoor het niet meer mogelijk was de verantwoordelijke employé aan te wijzen, terwijl de betreffende man of vrouw tegelijkertijd gewaarschuwd was dat er een onderzoek plaatsvond. Toen James Streeter op de avond van 27 april besloot de benen te nemen, luidde de conclusie dat hij 'ervandoor' was met een fortuin. Zijn vlucht vond plaats slechts enkele uren nadat de raad van bestuur van de bank alsnog het besluit genomen had de zaak aan de politie over te dragen.
Ondanks langdurig verhoor van zijn vrouw en een uitgebreid onderzoek naar zijn financiële handel en wandel, is nooit een spoor gevonden van Streeter of van het gestolen geld. Kritische geesten waren van mening dat hij weken, maanden, en misschien zelfs jaren de tijd had gehad zijn vluchtroute te organiseren, en dat de tien miljoen pond allang het land uit en ergens veilig ondergebracht waren. Degenen die James steunden, met name zijn ouders en zijn broer, beweren dat James slechts als zondebok diende, dat iemand anders de werkelijke crimineel was geweest en dat hij vermoord was om de werkelijke schuldige van onderzoek te vrijwaren. Ten bewijze daarvan verwijzen zij naar een met de hand geschreven fax van James aan zijn broer in Edinburgh, die op vrijdag

27 april 1990 om 15.05 uur verstuurd was.
De inhoud was als volgt:

> Beste John,
> Papa dringt er bij me op aan een kamer te bespreken voor het gouden bruiloftsfeest. Hij noemde het Park Lane Hotel, maar ik herinner me dat Mama wel eens gezegd heeft dat ze, als ze ooit eens een groot feest zouden geven, dat graag zou doen in het hotel in Kent waar ze destijds hun trouwen gevierd hebben. Of beeld ik me dat maar in? Heeft ze ooit tegenover jou de naam van dat hotel laten vallen? Volgens Papa was het ergens in Sevenoaks, maar natuurlijk weet hij het niet meer precies. Hij zegt dat zijn geheugen achteruit gaat, maar ik denk dat hij toen de hele dag zo laveloos is geweest dat hij <u>nooit</u> heeft geweten waar het was! Ik heb het bij de ooms en tantes ook geprobeerd, maar die weten het ook allemaal niet meer. Ik weet niet wat ik verder nog zou kunnen doen, dus we moeten het Mama maar gewoon gaan vragen, ben ik bang. Je weet hoe ze is. Ze zal ernstig op haar puriteinse teentjes getrapt zijn als we een fortuin besteden aan iets waar ze eigenlijk geen prijs op stelt, en bovendien heeft ze er dan ook niets aan. Het duurt nog een hele tijd, dat weet ik, maar hoe vroeger we erbij zijn met boeken, des te minder waarschijnlijk is het dat we teleurgesteld zullen raken. Ik ben het hele weekend thuis, dus geef me even een belletje, als je kan. Ik heb tegen Papa gezegd dat ik zondag rond de lunch zal terugbellen.
>
> Groeten, James.

'Wat de politie ook beweert,' zegt John Streeter, 'mijn broer zou die fax niet geschreven hebben als hij van plan was dezelfde avond nog het land te verlaten. Er waren honderden andere manieren denkbaar om de autoriteiten te misleiden omtrent zijn zogenaamde intenties. Het zou dan veel meer voor de hand hebben gelegen om te verwijzen naar het feit dat ik en mijn gezin in mei bij hem langs zouden komen. "Tot over twee weken" zou dan veel duidelijker zijn geweest dan "Geef me een belletje, als je kan". En waarom zou hij over papa beginnen? Het zou toch raar zijn als hij twee van zijn fa-

milieleden met telefoontjes op zou zadelen die hij toch niet van plan was te gaan voeren.'
De politie zelf heeft daar minder vertrouwen in. Zij verwijzen naar het klimaat van verdenking bij Lowenstein en de noodzaak die James voelde om mogelijke bezorgdheid over zijn activiteiten in het volgende weekend te voorkomen. Ondanks de veronderstelde geheimhouding ten aanzien van het door het bedrijf zelf ingestelde onderzoek, hadden de meeste werknemers wel in de gaten dat de beveiliging intensiever was geworden en dat alle uitgevoerde transacties intensief werden gecontroleerd. Er werd veel gekletst, en minstens twee medewerkers van Streeters afdeling hebben beweerd dat ze er al vóór zijn verdwijning van op de hoogte waren dat er een of andere fraudezaak aan het licht was gekomen en de verdenking naar hem uitging. Als het zo was als de politie aanneemt en Streeter wachtte totdat het onderzoek zo ver gevorderd was dat hij moest vluchten, dan was het faxbericht aan zijn broer slechts te beschouwen als onderdeel van het rookgordijn dat hij had opgetrokken om het onderzoek te dwarsbomen. In zijn telefoongesprekken in de weken voorafgaande aan zijn verdwijning was voortdurend sprake van afspraken met zakenrelaties in de maanden april, mei of juni. Zijn vrouw vertelde de politie dat James begin april ineens merkwaardig sociaal was geworden en zijn vrouw had aangemoedigd om tot ver in de maand juli allerlei etentjes en partijtjes te organiseren voor vrienden, collega's en zakenrelaties.
Volgens de politie handelde hij volgens een geheime agenda. De politie wees op het feit dat hij zijn secretaresse al in een vroeg stadium van het geheime onderzoek opdracht had gegeven al zijn sociale verplichtingen in zijn kantooragenda te noteren, ook de afspraken met een privé-karakter, en dat de maanden april, mei, juni en juli wat dat betreft aanmerkelijk drukker waren dan de overeenkomstige maanden van het jaar daarvoor. Zijn broer geeft toe dat zijn gedrag ongewoon was. 'Ja, we waren wel verbaasd toen ze ons uitnodigden om te komen logeren, want James zei altijd dat hij het vervelend vond om mensen te ontvangen. De politie denkt dat het een geslaagde poging was om het onderzoek op een dwaalspoor te brengen en hen te doen geloven dat hij er geen idee van had dat de fraude ontdekt was en hij nog tot in juli be-

schikbaar zou zijn voor verhoor. Maar het is net zo logisch om te veronderstellen dat hij, omdat hij net zo bezorgd was als alle anderen bij Lowenstein, moeite deed om te laten zien hoezeer hij de zaak was toegedaan. Hij was zeker niet de enige employé die in die periode zijn werkgewoonten aanpaste en bijvoorbeeld de meeste van zijn zakelijke afspraken in zijn agenda zette.'

Zijn familieleden leggen verder de nadruk op het feit dat Streeter geen verstand had van computers en dat hij daardoor geen schuld kon dragen aan het onopgeloste raadsel. 'James had gewoon de kennis niet om zo'n fraude uit te voeren,' zegt zijn broer. 'Zijn volstrekte weerzin tegen de moderne techniek was door de jaren heen een soort standaardgrap geworden. Hij wist hoe hij een zakrekenmachine en een faxapparaat moest bedienen, maar de gedachte dat hij het computersysteem van een bank zou kunnen manipuleren is belachelijk. Waar en wanneer zou hij dat geleerd moeten hebben? Hij had thuis geen computer, en er heeft zich niemand gemeld met de mededeling dat hij het hem geleerd zou hebben.'

Anderen hebben echter zo hun twijfels over Streeters onkunde op dat gebied. Er zijn aanwijzingen dat hij een relatie gehad zou hebben met een vrouw die Marianne Filbert heet en die als computerprogrammeur in dienst was bij Softworks Limited. Dit bedrijf was in 1986 aangezocht om een rapport uit te brengen over de beveiliging van het computersysteem van Lowenstein, maar deze opdracht is niet afgemaakt en het rapport is niet uitgebracht. James Streeters lasteraars wijzen erop dat Marianne Filbert toegang had tot het half afgemaakte rapport en dat dit feit de sleutel vormt tot de fraude, terwijl zijn medestanders ontkennen dat hij Marianne Filbert zelfs gekend zou hebben. Of ze nu wel of niet iets met elkaar gehad hebben, van een relatie was in ieder geval geen sprake meer op het moment dat de fraude werd ontdekt, want Marianne Filbert verhuisde in augustus 1989 naar de Verenigde Staten. James Streeters secretaresse heeft echter verklaard dat ze bij verschillende gelegenheden heeft geconstateerd dat hij haar tekstverwerker gebruikte voor zijn persoonlijke correspondentie, en verschillende andere collega's hebben gezegd dat hij geen problemen had met het spreadsheetprogramma op de computer. 'Binnen een mum van tijd

had hij de fout die ik had gemaakt ontdekt,' beweerde een medewerker van zijn afdeling. 'Hij zei dat elke idioot het systeem zou kunnen tillen als iemand hem vertelde op welke knoppen hij moest drukken.'
Toch zijn er een aantal onbeantwoorde vragen met betrekking tot James Streeters verdwijning die, althans naar de mening van schrijver dezes, nooit uitputtend zijn behandeld. Als we aannemen dat hij inderdaad schuldig is aan de verduistering van tien miljoen pond bij Lowensteins Bank, hoe wist hij dan dat de raad van bestuur op 27 april de beslissing nam om de politie in te schakelen? De politie denkt dat hij steeds van plan is geweest om te vluchten als de door hem gepleegde fraude aan het licht zou komen en dat het puur toeval was dat hij zijn vlucht gepland had op de dag dat de raad van bestuur de beslissing nam. Maar als dat het geval was, waarom heeft hij dan geen actie ondernomen tijdens het zes weken durende geheime onderzoek van de bank zelf?
Tenzij hij toegang had tot de vergaderstukken van de raad van bestuur – wat volgens de politie onwaarschijnlijk is – kan hij niet geweten hebben dat dit geheime onderzoek niets opleverde. En is het niet een beetje te toevallig dat het bewuste laatste weekend van april nou net het enige weekend in die maand was waarop zijn vrouw vanwege een reeds lang van tevoren gemaakte afspraak met haar moeder van huis zou zijn, waardoor ze James – of iemand anders – twee hele dagen 'voorsprong' gaf alvorens zijn verdwijning bekend zou worden?
De politie beweert dat hij dat weekend heeft uitgekozen om te vluchten omdat niemand hem toen in de gaten kon houden en omdat hij toch al van plan was om weg te gaan, hoe de beslissing van de raad van bestuur ook zou uitvallen. Maar hierbij wordt voorbijgegaan aan de relatie tussen James en zijn vrouw. Volgens Kenneth was een van de oorzaken dat het huwelijk zo stormachtig was het feit dat de twee betrokkenen hun eigen carrière meer waren toegedaan dan elkaar. 'Als James gezegd zou hebben dat hij op vrijdag naar het Verre Oosten moest voor een zakelijke bijeenkomst de maandag daarop, dan zou zijn vrouw niet vreemd hebben opgekeken. Zo leefden ze. Hij was helemaal niet gebonden aan juist dat ene weekend dat ze weg was. Haar afwezigheid

is echter wel van belang als iemand anders die keuze zou hebben gemaakt.'

Het argument van de politie gaat ook voorbij aan de boodschap van de fax die James aan zijn broer verstuurde: *Ik ben het hele weekend thuis, dus geef me even een belletje, als je kunt. Ik heb tegen Papa gezegd dat ik zondag omstreeks de lunch zal terugbellen.* Het feit dat John wel gebeld heeft, maar zich geen zorgen maakte toen er niet werd opgenomen, kan volgens de politie weliswaar best voorspelbaar zijn geweest, maar het was toch een riskante gok voor iemand die schuldig was. Als we hierbij denken aan de met een leugendetector gecontroleerde bewering van Kenneth Streeter dat James had beloofd hem zondag te bellen over Johns mogelijke bijdrage aan de discussie over het bruiloftsfeest, dan blijkt deze gok ineens totaal onnodig. Als John en Kenneth zich drukker zouden hebben gemaakt over de beloofde telefoontjes, dan zou James' afwezigheid misschien eerder ontdekt zijn.

Het verweer van de familie Streeter ter verdediging van hun zoon rust zwaar op een samenzweringstheorie – volgens welke een boven James geplaatste figuur, die toegang had tot geheime informatie, beslissingen en gebeurtenissen naar zijn hand zou hebben gezet om te voorkomen dat hij zou worden ontdekt – maar zonder de bewijzen waarmee ze hun zaak hard zouden kunnen maken lijkt hun campagne om de naam van hun zoon van blaam te zuiveren een hopeloze onderneming.

Helaas doen samenzweringstheorieën het beter in romans dan in het echte leven, en elke objectieve waardering van het bewijsmateriaal moet leiden tot de conclusie dat James Streeter inderdaad die tien miljoen pond heeft gestolen en toen de benen heeft genomen, zijn familie met de bittere oogst van zijn verraad achterlatend.

Ondanks de beweringen van het tegendeel van de kant van de familie Streeter, lijken zowel James Streeter als Peter Fenton werkelijk vrijwillig verdwenen te zijn. Ze waren beiden volwassen, gesettelde mannen, van wie de verdwijning onrust moest veroorzaken in de kringen waarin ze leefden, waardoor diepgaand onderzoek nodig was. Ditzelfde is niet van toe-

passing op de volgende twee 'vermiste personen': Tracy Jevons, een verward meisje van vijftien met een geschiedenis van prostitutie, en Stephen Harding, een achterlijke jongen van zeventien met een reeks veroordelingen wegens autodiefstallen op zijn naam...

2

ZES MAANDEN LATER, MIDDEN IN EEN KOUDE, NATTE DECEMBERMAAND, toen de herinnering aan de bloedhete zomer ver in het geheugen was weggezakt, werd mevrouw Powell gebeld door een journalist van *The Street*, een onafhankelijk, enigszins links gericht weekblad. Hij was bezig met een artikel over armoede en dakloosheid en wilde haar een aantal vragen stellen over Billy Blake. Hij zei dat hij Michael Deacon heette.

'Hoe bent u aan mijn nummer gekomen?' vroeg ze achterdochtig.

'Dat was niet zo moeilijk. Een half jaar geleden heeft uw naam in iedere krant gestaan en u staat gewoon in de telefoongids.'

'Aan mij hebt u niets,' zei ze. 'De politie weet veel meer over hem dan ik.'

Maar hij drong aan. 'Ik heb niet lang nodig, mevrouw Powell. Wat dacht u ervan als ik morgenavond even bij u langskwam? Om acht uur, bijvoorbeeld?'

'Wat wilt u over hem weten?'

'Wat u maar weet. Wat er met hem gebeurd is, heeft me nogal wat gedaan. En behalve u lijkt niemand in hem geïnteresseerd te zijn geweest. Van de politie heb ik gehoord dat u de crematie hebt betaald. Ik vroeg me af waarom u dat gedaan hebt.'

'Ik had het gevoel dat ik hem iets verschuldigd was.' Ze zweeg even. 'Bent u de Michael Deacon die vroeger bij de *Independent* werkte?'

'Ja.'

'Ik vond het jammer dat u daar wegging. Ik houd wel van uw manier van schrijven.'

'Dank u.' Hij klonk verrast, alsof hij maar zelden een complimentje kreeg. 'In dat geval mag ik misschien nog eens extra aandringen op een gesprek. Temeer daar u het gevoel had dat u Billy iets verschuldigd was.'

'Maar ik houd niet van *The Street*, meneer Deacon. De enige reden waarom iemand van dat blad een gesprek met mij over Billy zou willen hebben, is waarschijnlijk om op een goedkope manier een paar

punten te scoren ten koste van de regering, en daar wil ik me niet voor lenen.'
Nu viel er een stilte aan Deacons kant van de lijn. Hij moest het anders aanpakken, begreep hij. Hij bedacht dat het makkelijker zou zijn als hij wat meer zou weten van de vrouw die zo weloverwogen met hem praatte, en dat het nog makkelijker zou zijn als hij echt zou geloven dat een dergelijk gesprek iets waardevols zou opleveren. Zoals hij er nu over dacht, was de hele onderneming tijdverspilling en was hij zelfs nog minder dan zij gemotiveerd om er mee door te gaan. Máár...
'Het is niet mijn gewoonte misbruik te maken van mensen, mevrouw Powell, en ik ben oprecht geïnteresseerd in de geschiedenis met Billy. Wat hebt u eigenlijk te verliezen door een afspraak met mij te maken? Ik beloof u dat we meteen met het gesprek zullen ophouden als het u niet bevalt.'
'Nou, goed dan,' zei ze, plotseling een besluit nemend. 'Ik verwacht u morgen om acht uur.' Zonder verder nog iets te zeggen legde ze neer.

Het gebouw waarin *The Street* gevestigd was, was een trieste herinnering aan de glorietijd van het centrum van de krantenwereld, Fleet Street, waaraan het blad zijn naam dankte. Boven de ingang hing nog steeds het impressum van de krant, maar de letters waren inmiddels gedeeltelijk weggesleten en vol barsten geraakt. Er waren maar weinig voorbijgangers die ernaar keken. Zoals voor de meeste andere kranten, die verhuisd waren naar goedkopere en efficiënter ingerichte behuizingen in de Docklands, naderde ook voor *The Street* het uur van de waarheid. In de coulissen stond al een nieuwe, dynamische eigenaar te wachten, een man met de ambitie een mediamagnaat te worden en het blad over te nemen en totaal om te vormen door het kostenniveau aanzienlijk te verlagen, de productie te moderniseren en het door vestiging in een smetteloos modern gebouw in een ver weg gelegen Londense voorstad een eenentwintigste-eeuws imago te geven. Ondertussen wist het blad het hoofd boven water te houden met ouderwetse arbeidsomstandigheden in een fraaie maar onpraktische omgeving, onder leiding van een hoofdredacteur, Jim Pearce geheten, die terugverlangde naar de goede oude tijd toen de rijken de armen uitbuitten en iedereen wist wat hij moest vinden.
JP, die nog onkundig was van wat hem in de eerste paar weken van het nieuwe jaar te wachten stond (in zijn geval gedwongen vervroegde pensionering), maar wel steeds bezorgder werd door de weigering

van de huidige eigenaar om zaken te bespreken die maar enigszins te maken hadden met planning op lange termijn, kwam de daaropvolgende middag de kamer van Deacon binnenlopen. Op een tekstverwerker en een antwoordapparaat na zag de kamer er niet anders uit dan dertig jaar daarvoor, met paarse muren, een deur met eikenhouten panelen, afgedekt met goedkope, witte hardboardplaten, en oranje gebloemde gordijnen voor het raam, alles geheel in de stijl van de binnenhuisarchitectuur uit de woeste, klassenloze tijd van de jaren zestig.

'Ik wil dat je een fotograaf meeneemt als je naar mevrouw Powell gaat, Mike,' zei Pearce op de oorlogszuchtige toon die met het verstrijken van iedere zorgelijke dag steeds karakteristieker voor hem werd. 'Die kans mag je niet voorbij laten gaan. Tranen en vertoon van spijt van een bekeerde aanhangster van Thatcher wil ik zien.'

Deacon hield zijn ogen gericht op zijn computerscherm en ging door met typen. Met zijn lengte van een meter negentig en zijn gewicht van meer dan honderd kilo liet hij zich niet makkelijk door een ander de les lezen. Hij had toch al gelogen tegen mevrouw Powell, en hij wilde niet dat ze dat te weten zou komen. 'Absoluut onmogelijk,' zei hij onomwonden. 'De laatste keer dat er iemand opdook om haar te fotograferen is ze 'm gesmeerd, en ik ben niet van plan om mijn kostbare tijd te verspillen door dat stomme wijf de kans te geven de deur voor mijn neus dicht te slaan op het moment dat ze de lens van een camera gewaarwordt.'

Pearce negeerde deze opmerking. 'Ik heb tegen Lisa Smith gezegd dat ze met je mee moet gaan. Zij weet hoe ze zich moet gedragen, en als ze haar camera verborgen houdt totdat jullie binnen zijn, moet het jullie lukken om mevrouw Powell om te praten.' Hij keek met een kritische blik naar Deacons gekreukte jasje en ongeschoren gezicht. 'En knap jezelf alsjeblieft wat op, anders jaag je dat arme mens de stuipen op het lijf. Ik wil een rijke, goed doorvoede, conservatieve dame zien janken om de onrechtvaardigheden van het huisvestingsbeleid van deze regering, niet iemand die doodsbang is omdat ze denkt dat er een overvaller van middelbare leeftijd bij haar op de stoep staat.'

Deacon wipte zijn stoel naar achteren en keek zijn baas door halfgesloten oogleden aan. 'Het maakt geen reet uit wat haar politieke overtuiging is, want ik ben niet van plan iets over haar te schrijven tenzij ze werkelijk iets belangrijks te melden heeft. Het was jouw idee om een gesprek met haar te voeren, JP, niet het mijne. Dakloosheid is een groot probleem, en je ridiculiseert het door er een dikke conservatieve dame over te laten snotteren in een kanten zakdoekje.' Hij stak een sigaret op en gooide de lucifer met een nijdig gebaar in de al overvolle asbak. 'Ik heb hier heel wat werk aan gehad en ik wil niet dat het uitloopt op een ordinaire scheldpartij doordat iedereen zich ermee bemoeit. Ik probeer hier een tipje van de sluier op te lichten, niet om bij te dragen aan een of andere laag-bij-de-grondse politieke discussie.'

Pearce drentelde naar het raam en keek uit over de grijze, natte Fleet Street, waar de auto's bumper aan bumper door de stromende regen reden en hier en daar een raam uitzicht bood op de nietszeggende gezelligheid van een verlichte en met kunstsneeuw versierde kerstboom. Meer dan ooit had hij het gevoel dat er aan allerlei dingen in zijn leven een eind aan het komen was. 'Hoe bedoel je, "een tipje van de sluier oplichten"?'

Deacon keek een stapel papier op zijn bureau door en haalde er een getypt velletje tussenuit. 'Een algemene indruk. Ik heb de meningen genoteerd van politici, religieuze leiders en allerlei sociale lobby's om een beeld te krijgen van de veranderingen van de afgelopen twintig jaar.' Hij keek op het getypte vel. 'Er bestaat algemene overeenstemming dat de cijfers voor echtscheidingen, verslaving aan alcohol en drugs onder tieners en tienerzwangerschappen uiterst verontrustend zijn, en die overeenstemming gebruik ik als startpunt voor mijn artikel.'

'God, wat saai, Mike. Dat weten we toch allang. Bedenk eens wat nieuws.' Hij keek hoe een rij opgestoken paraplu's beneden voorbij schoof en moest onwillekeurig denken aan alle begrafenissen die hij door de jaren heen had bijgewoond.

Deacon zoog zijn longen vol rook en bestudeerde JP's rug. 'Wat dan, bijvoorbeeld?'

'Nou, bijvoorbeeld dat een minister tegen je gezegd heeft dat alle ongehuwde moeders gesteriliseerd zouden moeten worden. Dan mag je wat mij betreft die mevrouw Powell laten schieten. Heb je zoiets?' Zijn adem condenseerde op het raam.

'Nee,' zei Deacon vlak. 'Vreemd genoeg heb ik in de grote partijen geen enkele politicus kunnen vinden die zo dom was.' Hij legde de papieren op het bureau weer recht. 'Maar wat dacht je van deze uitspraak? Er zullen altijd armen onder ons zijn, en we moeten van ze houden.'

Pearce draaide zich om. 'Wie heeft dat gezegd?'

'Jezus Christus.'

'Denk je soms dat je leuk bent?'

Deacon haalde onverschillig zijn schouders op. 'Niet bijzonder, nee. Maar het zet je misschien aan het denken. In tweeduizend jaar tijd heeft niemand een betere oplossing weten te bedenken. En er is zeker geen enkele politicus geweest die het probleem de wereld uit heeft kunnen helpen. Zelfs onder het communisme zijn er mensen die totaal verpauperd zijn, dat zal je toe moeten geven.'
'We schrijven voor een politiek gekleurd weekblad, niet voor een fundamentalistisch christelijk blad,' zei JP koel. 'Als je er niet tegen kunt om af en toe met modder te gooien, had je beter bij de *Independent* kunnen blijven. Denk daar maar eens aan als je weer vindt dat je geen zin hebt om je handen vuil te maken.'
Deacon blies bedachtzaam een ringvormig rookwolkje naar boven. 'Ontslaan kan je me niet,' mompelde hij. 'Het zijn mijn artikeltjes die dit wrak nog drijvende houden. Jij weet net zo goed als ik dat 99,99% van de volwassenen in dit land geen idee had dat *The Street* nog bestond totdat de roddelbladen allerlei enge verhalen uit mijn artikelen over de chaos in de gezondheidszorg begonnen te citeren. Voor jou ben ik een noodzakelijk kwaad.'
Dat was niet overdreven gesteld. In de tien maanden dat Deacon in dienst was, waren de oplagecijfers een bescheiden stijging gaan vertonen nadat ze vijftien jaar lang gestaag gedaald waren. Desondanks was de oplage nog slechts een derde van wat die aan het einde van de jaren zeventig en het begin van de jaren tachtig was geweest. Om *The Street* weer tot bloei te brengen was meer nodig dan de publiciteit die één enkele journalist af en toe wist te genereren. Volgens Deacon was het blad hard toe aan een nieuwe hoofdredacteur met nieuwe ideeën, en JP was zich daarvan maar al te bewust.
Hij glimlachte met de warmte van een ratelslang. 'Als je dat verhaal had geschreven zoals ik het wilde, zouden wij zelf daar het voordeel van gehad hebben, en niet de roddelbladen. Waarom moest je verdomme ook zo geheimzinnig doen over de identiteit van die twee kinderen die ermee te maken hadden?'
'Omdat ik dat hun ouders had beloofd. En bovendien,' zei Deacon met veel nadruk, 'ben ik er geen voorstander van om foto's van zwaargewonde kinderen te plaatsen om de verkoop te bevorderen.'
'Die foto's zijn evengoed wel gepubliceerd.'
Ja, dacht Deacon bij zichzelf, en weer werd hij er kwaad om. Hij had er alle mogelijke moeite voor gedaan de twee gezinnen in de anonimiteit te houden, maar door met hun chequeboekjes te wapperen hadden andere journalisten buren en kennissen van de gezinnen aan de praat gekregen. 'Maar niet dankzij mij,' zei hij.

'Nou doe je je beter voor dan je bent. Je wist best dat het maar een kwestie van tijd was voordat iemand uit de school zou klappen.'
'Dat had ik kúnnen weten,' verbeterde Deacon hem, terwijl hij zijn ogen dichtkneep tegen de sigarettenrook. 'Daarvoor heb ik in ieder geval lang genoeg naar jouw ideeën over dat onderwerp moeten luisteren. Jij zou zelfs je grootmoeder verkopen als je daardoor één abonnee meer zou kunnen krijgen.'
'Je bent een ondankbare klootzak, Mike. De loyaliteit moet bij jou altijd maar van één kant komen, hè? Weet je nog hoe je hier om een baantje kwam bedelen toen Malcolm Fletter overal negatieve berichten over je rondstrooide? Je zat al twee maanden zonder werk en je vloog thuis tegen de muren op.' Hij hief beschuldigend zijn vinger op naar de ander. 'En wie heeft jou een baan bezorgd? Wie heeft jou bevrijd uit je isolement en alle ellende die je jezelf op de hals had gehaald?'
'Dat heb jij gedaan.'
'Precies. Dus dan mag je wel eens wat terug doen. Knap jezelf op en ga plaatjes schieten en sappige uitspraken verzamelen bij die dikke conservatieve dame. En maak er een mooi scherp artikel van.' Hij sloeg de deur achter zich dicht toen hij de kamer verliet.
Deacon overwoog even om zijn opvliegende chef achterna te gaan en hem te gaan zeggen dat Malcolm Fletter hem twee weken geleden had gevraagd om weer terug te komen bij de *Independent*, maar daarvoor was hij te aardig.
JP was niet de enige die het gevoel had dat er allerlei dingen op hun eind liepen.

Lisa Smith floot goedkeurend toen ze Deacon om halfacht buiten het kantoor trof. 'Je ziet er geweldig uit. Waarvoor is dat? Ga je soms weer trouwen of zo?'
Hij nam haar bij de arm en leidde haar naar zijn auto. 'Ik wou wel even zeggen dat je beter je mond kan houden, dame. Zout in m'n wonden strooien is niks voor jou. Daarvoor ben je veel te lief en veel te zorgzaam.'
Ze was een prachtige, onstuimige meid van vierentwintig, met dik krullend haar en een oplettend vriendje. Deacon had al maanden zin om wat met haar te beginnen, maar was te pienter om zich bloot te geven. Hij was bang afgewezen te worden. Meer in het bijzonder om te horen te krijgen dat hij oud genoeg was om haar vader te kunnen zijn. Hij was tweeënveertig en was zich er in toenemende mate van bewust dat hij inmiddels al veel te lang en veel te roekeloos misbruik

had gemaakt van zijn lichaam. Waar eerst alleen harde spieren hadden gezeten bevonden zich nu door overvloedig alcoholgebruik veroorzaakte vetrimpels, die alleen aan het oog onttrokken werden doordat hij tegenwoordig bandplooibroeken droeg in plaats van de strakke spijkerbroeken die hem vroeger zo goed hadden gestaan.
'Je bent een heel ander mens wanneer je er een beetje moeite voor doet, Deacon,' zei ze met gemaakte oprechtheid. 'Het imago van het enfant terrible deed het in de jaren zestig heel goed, maar in de jaren negentig past dat niet meer.'
Hij opende de portieren en wachtte totdat ze haar apparatuur op de achterbank had geïnstalleerd en met haar lange benen voor in de auto had plaatsgenomen. 'Hoe is het met Craig?' vroeg hij terwijl hij naast haar plaatsnam.
Ze toonde hem de verlovingsring met de diamant die ze droeg. 'We gaan trouwen.'
Hij gaf gas en voegde zich tussen het overige verkeer. 'Waarom?'
'Omdat we daar zin in hebben.'
'Dat is geen goede reden om iets te doen. Ik heb zin om twintig vrouwen per avond te naaien, maar ik blijf liever gezond.'
'Met je gezondheid zou het wel loslopen, Deacon. Maar je zelfvertrouwen zou een grote knauw krijgen. Je vindt nooit twintig vrouwen die dat zouden willen.'
Hij grijnsde. 'Ik had ook zin om te trouwen, in beide gevallen, maar uiteindelijk bleken ze meer te letten op mijn bankrekening dan op mijn lichaam.'
'Nou, je wordt bedankt.'
'Waarvoor?'
'Voor je felicitaties en je goede wensen voor mijn toekomst.'
'Ik probeer alleen een beetje realistisch te zijn.'
'Nee, dat doe je niet.' Ze keek hem aan. 'Je bent gewoon bitter, zoals gewoonlijk. Craig is heel anders dan jij, Mike. Om te beginnen vindt hij vrouwen leuk.'
'Ik houd van vrouwen.'
'Ja,' stemde ze in, 'dat is nou juist jouw probleem. Je mag ze niet, maar je houdt wel verdomd veel van ze zolang er een kans bestaat dat je ze het bed in krijgt.' Ze stak een sigaret op en draaide haar raampje open. 'Is het nooit bij je opgekomen dat je in beide gevallen nog steeds getrouwd zou zijn als je wat meer vriendschap zou hebben gevoeld voor je vrouw?'
'Nu ben jij degene die bitter klinkt,' zei hij, terwijl hij in de richting van Blackfriars Bridge reed.

'Nee, ik probeer alleen een beetje realistisch te zijn,' mompelde ze. 'Ik wil niet zo eenzaam eindigen als jij.' Ze stak haar sigaret door het op een kier geopende raampje en liet de as er door de luchtstroom af waaien. 'Maar goed, wat staat ons vanavond te doen? JP zei dat hij wil dat ik de emoties van die vrouw vastleg terwijl jij haar ondervraagt over die zwerver die ze dood in haar garage hebben gevonden.'

'Ja, dat is het plan.'

'Wat voor iemand is het?'

'Ik heb geen idee,' zei Deacon. 'Het verhaal heeft in juni in de landelijke dagbladen gestaan, maar afgezien van haar naam – Powell heet ze – en haar adres – heel chic – waren er geen bijzonderheden over haar. Ze was al verdwenen voordat de pers ter plaatse was, en ze is pas weer teruggekomen toen het verhaal geen nieuwswaarde meer had. JP hoopt dat ze eind vijftig is, onberispelijk gekleed en gekapt, met uiterst rechtse denkbeelden en een man die bij de beurs werkt.'

Mevrouw Powell was inderdaad keurig gekleed en gekapt, maar ze was wel twintig jaar jonger dan haar veronderstelde leeftijd. Ze had ook veel meer zelfbeheersing dan Lisa had gehoopt, dus emotionele taferelen leken haar niet waarschijnlijk. Ze begroette haar bezoekers met een klein buiginkje, waarna ze hen meenam naar de smetteloze zitkamer, die er zeer strak en stijlvol uitzag en waar het naar rozen rook.

Het was duidelijk dat ze van grote open ruimtes hield, en Deacon kon wel waardering opbrengen voor de stoelen en de bank van chroom en een crèmekleurige lederen bekleding, die samen met een lage glazen tafel een eiland vormden op het roodbruine tapijt. Achter hen bevond zich een breed venster met afhangende maar niet gesloten gordijnen, dat uitzicht gaf op de Theems en op de lichtjes aan de overzijde van de rivier. Verder stond er bijna niets in de kamer. Aan de muur hingen alleen een paar glazen consoles boven rookglazen kastjes waarin zich de stereo-installatie bevond, alsmede drie schilderijen, een wit, een grijs en een zwart doek, op de muur ertegenover.

Hij knikte in de richting van de doeken. 'Wat stellen die voor?'

'Ze hebben een Franse naam. *Gravure à la manière noire*. Mezzotint betekent dat. Ze zijn van Henri Benoit.'

'Interessant,' zei hij, terwijl hij naar haar keek. Het was niet helemaal duidelijk of hij de doeken dan wel de vrouw bedoelde.

In feite stond hij te bedenken dat haar smaakvolle binnenhuisarchitectuur nogal contrasteerde met het huis zelf. Het was een oninteres-

sante bakstenen doos in een nieuw aangelegde woonwijk op het Isle of Dogs, die waarschijnlijk door de makelaar was aangeprezen als 'een exclusief project met vrijstaande landhuizen, gerealiseerd aan de waterkant en met uitzicht op de rivier'. Hij schatte dat het huis ongeveer vijf jaar oud was, dat het drie slaapkamers en twee badkamers bevatte, en taxeerde de waarde ervan aanzienlijk hoger dan het gangbare prijsniveau. Maar waarom, vroeg hij zich af, zou een kennelijk rijke vrouw met veel smaak zo'n karakterloos huis kopen als ze voor hetzelfde geld op elke willekeurige plek in de binnenstad een ruime etage zou kunnen krijgen? Misschien hield ze van 'vrijstaande landhuizen', bedacht hij cynisch. Of van uitzicht op de rivier. Of misschien had *meneer* Powell het gekocht.
'Gaat u toch zitten,' zei ze, op de bank wijzend. 'Kan ik iets te drinken voor u halen?'
'Graag,' zei Lisa, die haar meteen al niet mocht. 'Zwarte koffie, graag.' In de pikorde van vrouwen scoorde mevrouw Powell hoog. Het leek wel alsof ze alles had, zelfs een grote mate van vrouwelijkheid. Lisa keek om zich heen, op zoek naar iets waarop ze kritiek zou kunnen hebben.
'En u, meneer Deacon?'
'Hebt u ook iets sterkers?'
'Natuurlijk. Whisky, cognac, bier?'
'Hebt u ook rode wijn?' vroeg hij hoopvol.
'Ik heb een rioja van '94. Is dat wat?'
'Jazeker. Dank u zeer.'
Mevrouw Powell liep de gang in en verdween uit het zicht. Ze hoorden hoe ze in de keuken de ketel vulde.
'Waarom neem jij zwarte koffie als er ook alcohol te krijgen is?' mompelde Deacon.
'Ik dacht dat we ons netjes moesten gedragen,' fluisterde ze. 'En ga nou alsjeblieft niet zitten roken. Er staan hier geen asbakken, heb ik al gezien. Ik wil niet dat je haar voor het hoofd stoot voordat ze heeft toegestemd in het maken van foto's.'
Hij keek hoe ze kritisch de kamer in zich opnam. 'En, wat is je oordeel?'
'JP had in alles gelijk, behalve wat haar leeftijd en haar man betreft. Zij is zelf makelaar in effecten. Ik wed dat ze als vrouw een heel bijzondere plaats inneemt in die mannenwereld. Er is niets wat erop wijst dat hier ook een man woont. Daarvoor is het veel te oncomfortabel, en het stinkt hier bovendien naar rozen. Ze heeft waarschijnlijk net voordat we kwamen staan spuiten.' Ze begon nog zachter te

praten. 'Ik heb de pest aan vrouwen die dat doen. Die willen je aftroeven en laten zien dat hun huis schoner is dan het jouwe.'
Hij trok geamuseerd zijn wenkbrauwen omhoog. 'Ben je jaloers?'
'Waar zou ik jaloers op moeten zijn?' siste ze.
'Op haar succes,' mompelde hij, waarna hij zijn wijsvinger op zijn lippen legde toen hij mevrouw Powell hoorde terugkomen.
'Als u wilt roken, haal ik wel even een asbak voor u,' zei ze terwijl ze een kop koffie voor Lisa neerzette en een glas rode wijn voor Deacon. Haar eigen wijnglas zette ze voor een luie stoel neer, waarna ze haar twee bezoekers aankeek.
'Nee, dank u. Dat hoeft niet,' zei Lisa, denkend aan JP's instructies.
'Ja, alstublieft,' zei Deacon, die betwijfelde of hij wel in staat zou zijn een uur lang de geur van rozenblaadjes te verduren. Hij wilde maar dat Lisa er niet over begonnen was. Nu zijn aandacht erop gevestigd was, werd de geur steeds penetranter en werd hij herinnerd aan de tweede mevrouw Deacon, die een zware aanslag had gepleegd op zijn geringe financiële middelen om zichzelf te kunnen bedwelmen met Chanel No. 5. Het huwelijk met haar was het kortste van zijn twee verbintenissen geweest; het had slechts twee jaar geduurd voordat Clara er vandoor ging met een twintigjarige knaap en een onevenredig groot deel van het kapitaal van haar echtgenoot. Hij pakte het porseleinen schaaltje dat mevrouw Powell hem aanreikte en stak een sigaret aan. De geur van de brandende tabak verdreef onmiddellijk die van de rozen, waardoor Deacon zich tegelijkertijd opgelucht en schuldig voelde. Hij liet de sigaret in zijn mondhoek bungelen terwijl hij een blocnote en een bandrecordertje uit zijn zak haalde en voor zich op tafel legde. 'Hebt u er bezwaar tegen als ik uw woorden opneem?'
'Nee.'
Hij zette de bandrecorder aan en begon aarzelend over het maken van foto's. 'Mevrouw Powell, we willen graag een klein fototootje bij het artikel plaatsen. Hebt u er bezwaar tegen als Lisa u fotografeert?'
Ze staarde hem aan terwijl hij weer ging zitten. 'Waarom zou u foto's van mij willen hebben als u een artikel aan het schrijven bent over Billy Blake, meneer Deacon?'
Ja, waarom eigenlijk? 'Omdat we bij gebrek aan foto's van Billy, die er niet blijken te zijn,' loog hij terwijl hij de sigaret van zijn mond verplaatste naar de asbak, 'graag een foto van u willen hebben. Of vindt u dat vervelend?'
'Ja,' zei ze vlak, 'ik ben bang van wel. Ik heb u al gezegd dat ik niet van plan ben me door uw blad te laten gebruiken.'

'En zoals ik ú heb verteld, mevrouw Powell, is het niet mijn gewoonte mensen te gebruiken.'
Ze had staalblauwe ogen die hem deden denken aan die van zijn moeder, wat jammer was, bedacht hij, want verder was ze best aantrekkelijk. 'Maar u bent het vast en zeker met mij eens dat het absurd is om bij een artikel over armoede en dakloosheid een foto te plaatsen van een vrouw die in een duur huis in een dure buurt van Londen woont.' Ze zweeg even om hem de gelegenheid te geven iets te zeggen. Toen hij dat niet deed, ging ze door. 'En er zijn trouwens wél foto's van Billy Blake. Ik heb er twee die ik u eventueel wel wil lenen. De ene is een foto die gemaakt is door de politie toen hij voor het eerst was gearresteerd, de andere is in het mortuarium genomen. Die twee foto's hebben allebei veel meer te maken met uw onderwerp dan een foto van mij.'
Deacon haalde zijn schouders op, maar zei niets.
'U zei dat u geïnteresseerd was in Billy.'
Ze klonk verongelijkt, bedacht hij, en dat maakte hem nieuwsgierig. Hij was immers lang genoeg journalist geweest om aan te kunnen voelen dat mevrouw Powell meer zat te popelen om haar verhaal te vertellen dan hij om het te horen. *Maar waarom juist nu dan wel, nadat ze eerst helemaal niet met de pers had willen praten?* Die vraag intrigeerde hem. 'Als wij geen foto's van u mogen maken, zit er voor ons ook geen verhaal in, ben ik bang,' zei hij terwijl hij zich vooroverboog om de bandrecorder af te zetten. 'Instructies van de hoofdredacteur. Het spijt me dat ik beslag op uw tijd heb gelegd, mevrouw Powell.' Met enige teleurstelling keek hij naar zijn onaangeroerde glas wijn. 'En op uw rioja.'
Ze keek hoe hij zijn spullen bij elkaar pakte. Het was duidelijk dat ze voor zichzelf een afweging maakte. 'Nou, goed dan,' zei ze ineens. 'Maakt u maar foto's. Billy's verhaal moet verteld worden.'
'Waarom?' Hij vuurde de vraag op haar af terwijl hij de bandrecorder weer aanzette.
Op die vraag was ze voorbereid. De woorden kwamen zo vloeiend haar mond uit dat hij er zeker van was dat ze ze van tevoren had ingestudeerd. 'Omdat we er wel zeer slecht aan toe zijn als we als maatschappij denken dat het leven van een mens zo weinig waard is dat de manier waarop hij sterft het enige belangrijke aan hem is.'
'Dat is een mooi gevoel,' zei hij vriendelijk, 'maar het heeft niet erg veel nieuwswaarde. Het gebeurt zo vaak dat mensen eenzaam en onopgemerkt sterven.'
'Maar dat ze van de honger omkomen? En waarom hier? Waarom

weet niemand iets over hem? Waarom heeft hij tegen de politie gezegd dat hij twintig jaar ouder was dan hij in werkelijkheid was?' Ze keek hem indringend en onderzoekend aan. 'Bent u dan helemaal niet nieuwsgierig naar hem?'
Natuurlijk wel! De nieuwsgierigheid zocht zich als een worm een weg door zijn hersenen, maar hij had veel meer belangstelling voor haar dan voor de man die in haar garage gestorven was. *Waarom vatte ze bijvoorbeeld de dood van Billy zo persoonlijk op dat ze bereid was zich door de pers te laten misbruiken, alleen om zijn verhaal gepubliceerd te krijgen?* 'Het was toch wel echt zo dat u hem niet kende, hè?' vroeg hij langs zijn neus weg.
Haar verbazing was oprecht. 'Ja. Zou ik met al die vragen zitten als ik hem had gekend?'
Hij vouwde de blocnote op zijn schoot open en noteerde: *Waarom wil iemand na zes maanden per se antwoorden hebben op vragen over een volstrekt vreemde?* 'Waaraan geeft u de voorkeur?' vroeg hij. 'Dat Lisa foto's van u neemt voordat we met het gesprek beginnen of terwijl we praten?'
'Terwijl we praten.'
Hij wachtte totdat Lisa haar tas had opengeritst en haar fototoestel eruit had gehaald. 'Mogen we uw voornaam weten, mevrouw Powell?'
'Amanda.'
'Hoe zal ik u noemen? Amanda Powell of mevrouw Powell?'
'Dat maakt me niet uit.' Ze keek fronsend in de lens.
'Een glimlach staat wel zo leuk,' zei Lisa. Ze drukte af. Klik. 'Dat is geweldig.' Klik. 'Kijkt u eens even naar de grond.' Klik. 'Blijft u even naar beneden kijken. Dat is echt ontroerend.' Klik. Klik.
'Gaat u door, meneer Deacon,' zei de vrouw kortaf. 'U wilt toch niet dat ik hier op mijn eigen tapijt ga staan braken.'
Hij grijnsde. 'Ik heb liever dat je me Mike noemt, of gewoon Deacon, zoals iedereen. Dan tutoyeer ik jou, Amanda. Dat praat makkelijker. Hoe oud ben je?'
'Zesendertig.'
'Wat doe je voor de kost?'
'Ik ben architect.'
'Werk je voor jezelf of bij een architectenbureau?'
'Ik werk bij W.F. Meredith.' Klik.
Niet slecht, dacht hij bij zichzelf. Meredith was wel zo'n beetje de top. 'Waar sta je politiek gezien, Amanda?'
'Nergens.'

'En als ik beloof dat ik dat niet opschrijf?'
Ze glimlachte flauwtjes. Lisa drukte op dat moment af. 'Ook.'
'Stem je wel?' Ze betrapte hem erop dat hij naar haar zat te kijken. Hij keek van haar weg.
'Natuurlijk. Er zijn vrouwen geweest die er hard voor hebben gevochten om mij dat recht te geven.'
'Wil je me vertellen op welke partij je meestal stemt?'
'Op de partij waarvan ik verwacht dat die de minste schade zal aanrichten.'
'Je schijnt niet veel tijd te hebben voor de politiek. Is daar een speciale reden voor of ligt het gewoon aan de depressie van het fin-de-siècle?'
Terwijl hij zich vooroverboog om zijn wijnglas te pakken verscheen weer die flauwe glimlach op haar gezicht. 'Ik zou persoonlijk een enorm abstract concept als depressie van het fin-de-siècle niet graag als "gewoon" betitelen, maar in uw artikel staat het waarschijnlijk niet slecht.'
Hij vroeg zich af hoe het zou zijn om haar te kussen. 'Ben je getrouwd, Amanda?'
'Ja.'
'Wat doet je man?'
Er even niet aan denkend dat de camera op haar gericht was zette ze haar glas aan haar lippen. Toen Lisa weer afdrukte keek ze fronsend op. 'Mijn man was hier niet toen ik het lichaam vond,' zei ze, 'dus zijn beroep doet niet ter zake.'
Deacon ving de blik van geamuseerd cynisme op het gezicht van Lisa op. 'Het is gewoon uit algemeen menselijke belangstelling,' reageerde hij luchtig. 'De mensen willen graag weten met wat voor man een succesvolle architecte getrouwd is.'
Misschien realiseerde ze zich dat zijn nieuwsgierigheid persoonlijk was, of misschien was het zoals Lisa dacht en bestond er geen meneer Powell. In elk geval weigerde ze verder op de vraag in te gaan. 'Ik ben degene die het lichaam gevonden heeft,' herhaalde ze, 'en mijn gegevens hebt u al. Zullen we doorgaan?'
De helblauwe ogen die zo op die van zijn moeder leken bleven zo lang op Deacons verweerde gezicht rusten dat het karakter van zijn fantasie haar te kussen al snel van onschuldig plezier omsloeg in sadistische wraak. Hij kon zich ongeveer voorstellen wat JP's reactie zou zijn op de geringe hoeveelheid informatie die hij tot dusver uit haar had weten te krijgen. En hij betwijfelde of de foto's zoveel beter zouden zijn. Ze had zichzelf zo goed in bedwang dat ze wel een krijgsgevangene met een pokerface leek die met zijn rug tegen de muur stond.

Hij vroeg zich af of die koele blauwe ogen ooit wel eens in vuur en vlam stonden, of dat haar leven volstrekt zonder passie was. Zoals te verwachten was, wond het idee hem op.

'Nou, goed dan,' zei hij. 'Laten we het hebben over het vinden van het lijk. Je zei dat je geschokt was. Kan je die ervaring wat nader voor me beschrijven? Wat ging er door je heen toen je hem zag?'

'Walging,' zei ze. Ze deed hoorbaar moeite haar stem neutraal te laten klinken. 'Hij lag achter een stapel lege dozen in de hoek; hij was daar onder een oude deken gaan liggen. Toen ik die wegtrok stonk het echt vreselijk, en hij lag in een grote plas lichaamssappen.' Haar mond verstrakte in een plotselinge walging en ze knipperde met haar ogen toen de flits weer afging. 'Naderhand, toen de politie verteld had dat hij was gestorven als gevolg van verwaarlozing en ondervoeding, heb ik me afgevraagd waarom hij geen pogingen in het werk heeft gesteld om zichzelf te redden. Dat kwam niet alleen doordat ik hem naast mijn vrieskist vond,' – ze wees met een wat ongelukkig gebaar naar het raam – 'iedereen hier in de buurt is zo rijk dat zelfs de vuilnisbakken vol zitten met voedsel dat nog heel goed eetbaar is.'

'En... enig idee waarom?'

'Alleen dat hij zo verzwakt was tegen de tijd dat hij in mijn garage terechtkwam dat hij alleen nog maar de energie had om in een hoekje te kruipen en zich te verstoppen.'

'Waarom zou hij zich hebben willen verstoppen?'

Ze keek hem even onderzoekend aan. 'Weet ik niet. Maar als hij zich niet wilde verstoppen, waarom heeft hij dan niet geprobeerd mijn aandacht te trekken? De politie denkt dat hij op de zaterdag in de garage is gekomen aangezien dat de enige gelegenheid was, omdat ik die middag boodschappen ging doen en de deuren een halfuur lang open heb gelaten.' Voorzover ze in staat was om emoties te tonen deed ze dat op dat ogenblik. Haar hand trilde nerveus toen ze die naar haar mond bracht. Toen herinnerde ze zich ineens de camera en liet ze hem weer snel vallen. 'Ik heb zijn lijk de volgende vrijdag gevonden, en de patholoog-anatoom schatte dat hij toen vijf dagen dood was. En dat betekent dat hij zondag nog leefde. Ik zou hem hebben kunnen helpen als hij geroepen had en kenbaar gemaakt had dat hij daar lag. Dus waarom zou hij dat niet hebben gedaan?'

'Misschien was hij bang.'

'Waarvoor?'

'Dat u hem als indringer bij de politie zou aangeven.'

Ze schudde haar hoofd. 'Nee, dat kan het niet zijn. Hij had geen angst voor de politie of voor de gevangenis. Ik heb begrepen dat hij regelma-

tig gearresteerd werd. Waarom zou dat die keer anders zijn geweest?'
Deacon maakte in steno aantekeningen op zijn blocnote om te zorgen dat hij later nog de nuances zou weten van de stemmingswisselingen die op haar gezicht te zien waren terwijl ze over Billy praatte. *Angst. Bezorgdheid. Verwarring zelfs.* Steeds nieuwsgieriger. *Wat betekende Billy voor haar, dat hij bij haar de emotie kon losmaken waar haar man kennelijk tekortschoot?* 'Misschien was hij gewoon te zwak om je aandacht te kunnen trekken. Ik neem aan dat de patholoog-anatoom niet heeft kunnen zeggen of hij zondag nog bij bewustzijn geweest is?'
'Nee,' zei ze traag, 'maar ik wel. Er lag een zak met ijsblokjes in de vrieskist. Iemand had die opengemaakt, en ik ben het niet geweest, dus ik neem aan dat Billy het gedaan moet hebben. En in een hoek van de garage had iemand geplast. Als hij sterk genoeg was om de garage door te lopen, moet hij ook sterk genoeg zijn geweest om op de tussendeur die naar mijn gang leidt te kloppen. Hij moet geweten hebben dat ik het weekend thuis was, want hij moet me gehoord hebben. Die tussendeur is niet zo dik dat je er geen geluid doorheen hoort.'
'Wat vond de politie ervan?'
'Niets,' zei ze. 'Het maakte voor het oordeel van de patholoog-anatoom niets uit. Billy is gestorven als gevolg van ondervoeding. En of die nou veroorzaakt werd door opzettelijk of door onvrijwillige zelfverwaarlozing maakte voor hen niet uit.'
Hij stak nog een sigaret op en keek door de rook heen naar haar. 'Hoeveel heeft de crematie je gekost?'
'Het doet er toch niet toe hoe veel het was?'
'Het hangt ervan af hoe cynisch je denkt dat de gemiddelde lezer is. Die denkt misschien dat je er geheimzinnig over doet omdat je graag wilt dat iedereen denkt dat het bedrag hoger was.'
'Vijfhonderd pond.'
'Dat is aanzienlijk meer dan je hem gegeven zou hebben toen hij nog in leven was, neem ik aan.'
Ze knikte. Klik. 'Als ik hem als bedelaar op straat was tegengekomen, zou ik mezelf al heel vrijgevig hebben gevonden als ik hem vijf pond gegeven had.' Klik. Klik. Ze keek geïrriteerd naar Lisa. Even leek het alsof ze iets wilde gaan zeggen, maar kennelijk bedacht ze zich. Ze keek weer gesloten voor zich uit.
'Gisteren zei je dat je het gevoel had dat je hem iets verschuldigd was. Wat precies?'
'Respect, denk ik.'
'Omdat je het gevoel hebt dat het hem daar bij zijn leven aan heeft ontbroken?'

'Zoiets, ja. Het klinkt alleen wel ontzettend sentimenteel als je het zo uitdrukt.'
Hij pauzeerde even om iets op te schrijven. 'Ben je godsdienstig?'
Ze draaide haar gezicht weg toen het flitsapparaat weer afging. 'Ze heeft nou toch wel genoeg foto's gemaakt!'
Lisa hield de camera op haar gezicht gericht. 'Nog een paar foto's met je ogen neergeslagen, Amanda.' Klik. 'Ja, dat is een mooi plaatje, Amanda.' Klik. 'Nu nog even iets meer gevoel in je blik.' Klik. 'Ja, geweldig, Amanda.' Klik. Klik. Klik.
Deacon zag de groeiende ergernis in haar ogen. 'Oké, Lisa. Zullen we het hierbij laten, ja?'
'Wat dacht je van nog een paar foto's in de garage?' stelde het meisje voor. Ze wilde graag het hele filmpje vol schieten. 'Dat is zo gebeurd.'
Mevrouw Powell staarde in de bloedrode diepte van haar glas alvorens nog een slokje te nemen. 'Je gaat je gang maar,' zei ze zonder haar hoofd op te richten. 'De sleutels liggen op het tafeltje in de gang en het licht gaat automatisch aan als je de garagedeur omhoog doet. De tussendeur gebruik ik niet meer.'
'Ik bedoelde eigenlijk nog een paar foto's van jou,' zei Lisa. 'Je moet even meelopen. Het is daar vast heel koud en vochtig en dat levert mooie sfeerfoto's op. Echt in overeenstemming met de hongerdood van een zwerver.'
Toen de vrouw niet reageerde, dacht Lisa dat ze haar niet had gehoord en besloot ze het opnieuw te proberen. 'Vijf minuutjes maar, Amanda. Meer hebben we niet nodig. Misschien kun je op de plek gaan staan waar je hem hebt gevonden en een beetje geschrokken kijken, of zo.'
Het enige geluid in de kamer was het tikken van de klok op de schoorsteenmantel, en dat tikken klonk steeds luider naarmate Amanda Powells zwijgen langer duurde. Deacon had de indruk dat ze op iets wachtte. Hij hield zijn adem in en wachtte ook. Toen ze begon te spreken schrok hij even. 'Het spijt me,' zei ze tegen het meisje, 'maar jij en ik zijn twee heel verschillende wezens. Ik ben niet in staat om met betraande ogen te gaan poseren op de plek waar Billy is gestorven, net zomin als ik in staat zou zijn om jouw naai-me-alsjeblieft-kleren of jouw naai-me-alsjeblieft-make-up te dragen. Ik ben niet zo ordinair of zo wanhopig dat ik me zo op zou willen dringen.'
Haar stem was minder zorgvuldig gaan klinken, en in de laatste zin had ze hier en daar met dubbele tong gesproken. Enigszins geschokt bedacht Deacon ineens dat ze dronken was.

3

EEN STILTE MOEST JE NIET TE LANG LATEN DUREN. HET EFFECT VAN HAAR woorden werd niet afgezwakt door het vacuüm. Integendeel, het leek wel alsof ze zich uitbreidden en aan gezag wonnen. Deacon ging als vanzelf Lisa door haar ogen zien, en constateerde verrast dat haar omschrijving heel treffend was. Vergeleken met de ijskoningin tegenover hem was Lisa, met haar pruillippen en haar hemd uit haar broek, inderdaad ordinair en uitdagend. Ineens voelde hij zich een klein mannetje omdat hij zo lang had meegedaan aan het spel van in stilte naar haar te verlangen terwijl zij dat verlangen juist expres versterkte. Hij zag zich als een hond van Pavlov, die iedere keer onwillekeurig begon te kwijlen als zijn lust werd opgewekt, en bij die gedachte werd hij opstandig.
Hij haalde zijn sleutels uit zijn zak en stelde voor dat Lisa met haar apparatuur alleen terug zou rijden naar de redactie. 'Dan neem ik wel een taxi als ik klaar ben,' zei hij. 'Laat de sleuteltjes maar achter bij Glen aan de balie. Dan haal ik ze daar wel op.'
Ze knikte, blij dat ze weg kon. Deacon had onmiddellijk spijt van zijn gedachten van daarnet. Het was toch geen misdaad om met jezelf te pronken? Eerder een teken van jeugdige uitgelatenheid. Ze had de camera nog niet ingepakt toen ze haar spullen bij elkaar had gezocht en met een kort hoofdknikje de kamer uitging.
Ze hoorden beiden hoe ze in het voorbijgaan de sleutels van de garage van het gangtafeltje pakte en even later de garagedeur omhoog schoof. Amanda zuchtte. 'Het was niet aardig van me om zo rot tegen haar te doen. Het spijt me. Maar ik vind het moeilijk om net zo makkelijk als jullie tweeën over Billy's dood te denken.'
Ze bestudeerde haar glas even, alsof ze zich ervan bewust was dat ze zichzelf had verraden. Toen zette ze het weer terug op de salontafel.
'Je schijnt het erg persoonlijk op te vatten.'
'Hij is ook in mijn huis gestorven.'
'Maar dat maakt jou toch niet verantwoordelijk voor hem.'
Ze keek hem met een nogal neutrale blik aan. 'Wie is er dan verantwoordelijk?'

Het was een simpel aandoende vraag, een vraag zoals een kind die zou hebben kunnen stellen.
'Billy zelf,' zei Deacon. 'Hij was oud genoeg om zijn eigen keuzen te maken in het leven.'
Ze schudde haar hoofd en boog zich toen voorover. Ze keek hem met een ernstige en onderzoekende blik aan. 'Je zei gisteren dat je ontroerd was door het verhaal van Billy, dus misschien kunnen we het eens over zijn leven hebben in plaats van over zijn dood? Ik weet wel dat ik gezegd heb dat je aan mij niets had, maar dat was niet helemaal waar. Ik weet minstens zoveel als de politie.'
'Ik luister.'
'Volgens de patholoog-anatoom was hij vijfenveertig jaar oud, een meter tachtig lang, en zijn haar moet vroeger donker zijn geweest, hoewel het helemaal wit was toen hij stierf. Vier jaar geleden is hij voor het eerst gearresteerd; hij had toen brood en ham gestolen bij een supermarkt. Hij heeft toen opgegeven dat hij Billy Blake heette en dat hij eenenzestig jaar was, wat, als de patholoog-anatoom gelijk heeft, twintig jaar scheelt met zijn werkelijke leeftijd.' Ze sprak snel en vloeiend, alsof ze al veel tijd had besteed aan het op een rijtje zetten van de feiten ter wille van een verhaal zoals ze dat nu hield. 'Hij zei dat hij al tien jaar op straat leefde, maar weigerde verdere informatie te geven. Hij wilde niet zeggen waar hij vandaan kwam en ook niet of hij nog familie had. De politie heeft het register van vermisten in Londen en in het zuidoosten van het land nagetrokken, maar in de voorafgaande tien jaar waren er geen vermisten die aan zijn signalement beantwoordden. Zijn vingerafdrukken, voor zover aanwezig, waren niet bekend bij de politie en hij had niets bij zich aan de hand waarvan zijn identiteit had kunnen worden vastgesteld. Omdat er verder geen informatie over hem was heeft de politie de gegevens zoals hij die vertelde genoteerd, en in de vier jaar daarna heeft hij geleefd en is hij gestorven onder de naam Billy Blake. In totaal heeft hij zes maanden in de gevangenis doorgebracht wegens het stelen van voedsel of alcohol. De straffen die hij kreeg waren steeds één of twee maanden, en iedere keer als hij werd vrijgelaten zocht hij weer een stek zo dicht mogelijk in de buurt van de Theems. Zijn lievelingsplek was een vervallen pakhuis een kleine twee kilometer hier vandaan. Ik ben een keer wezen praten met een paar andere mannen die er ook gebruik van maken, maar geen van hen zei iets te weten van Billy's verleden.'
Deacon was onder de indruk van de moeite die ze had gedaan om iets over hem te weten te komen. 'Wat bedoelde je met "zijn vingerafdrukken, voor zover aanwezig"?'

'De politie heeft gezegd dat hij zijn handen ooit een keer verbrand had en ze toen zonder medische verzorging vanzelf heeft laten genezen. Daardoor waren zijn handen zo ernstig beschadigd dat ze meer op klauwen leken. Ze denken dat hij zichzelf misschien opzettelijk zo heeft toegetakeld om zo te voorkomen dat hij vervolgd zou worden voor een vroeger door hem gepleegde misdaad.'
'Shit!' zei hij ongewild.
Ze stond op en liep naar de glazen kast die tegen de muur tegenover haar stond. 'Zoals ik al zei, bestaan er wél foto's van hem.' Ze pakte een envelop uit de kast en liep ermee terug naar de tafel terwijl ze de inhoud eruit haalde. 'Ik heb de politie kunnen overhalen mij er twee te geven. Dit is de beste uit het stapeltje dat de patholoog-anatoom heeft laten maken. Het is geen plezierige aanblik, en ik betwijfel of iemand hem hiervan zou herkennen.' Ze reikte hem de foto aan. 'Zijn gezicht is helemaal verschrompeld door de ondervoeding, en omdat zijn voorhoofd en zijn kaak er zo uitspringen, lijkt het me dat hij een veel voller gezicht gehad moet hebben toen hij nog gezond was.'
Deacon bekeek de foto. Ze had gelijk. Het was geen plezierige aanblik. Hij werd erdoor herinnerd aan foto's van lijken die in Bergen-Belsen hoog opgetast lagen toen het door de geallieerden werd bevrijd. Er zat haast geen vlees meer op het gezicht, hij was echt vel over been. Ze reikte hem de andere foto aan. 'Dat is de foto die vier jaar geleden genomen is, toen hij voor het eerst was gearresteerd. Hij is niet veel beter dan de andere, want Billy was toen al ontzettend mager. Toch krijg je hiervan een iets beter idee van hoe hij er waarschijnlijk uit heeft gezien.'
Kon dit werkelijk het gezicht zijn van een man van eenenveertig? Deacon twijfelde. De ouderdom had zich met diepe groeven rondom de mond genesteld, en de ogen, die in de camera keken, stonden mat en waren enigszins geel. Alleen zijn haar had nog enige vitaliteit en stond boven zijn hoge voorhoofd nog recht overeind. Maar het was wel spierwit en stak scherp af tegen zijn vale gelaatskleur. 'Zou de patholoog-anatoom zich vergist kunnen hebben wat zijn leeftijd betreft?' vroeg hij.
'Ik neem aan van niet. Ik heb begrepen dat er een controle-onderzoek is uitgevoerd toen de politie het niet wilde geloven. Ik heb wel bedacht dat iemand met het juiste computerprogramma met deze foto's als basismateriaal een redelijk portret van hem moet kunnen reconstrueren, maar ik ken niemand die daarin thuis is. Als dat bij *The Street* gedaan zou kunnen worden, zou u een heel wat betere visuele ondersteuning bij uw artikel hebben dan met een foto van mij.'

'Waarom heeft de politie dat niet gedaan?'
'Hij had geen misdaad gepleegd toen hij overleed, dus waren ze niet geïnteresseerd. Ik geloof wel dat ze zijn signalement hebben vergeleken met een bestand van vermiste personen, maar dat leverde niets op, dus toen hebben ze zijn dossier afgelegd.'
'Mag ik deze foto's even lenen? Ik zal er een paar afdrukken van laten maken, dan krijg je ze zo gauw mogelijk terug.' Toen ze instemmend knikte, stak hij de foto's tussen zijn blocnote. 'Heeft de politie misschien nog een andere verklaring voor het feit dat hij jouw garage had uitgekozen dan die dat je je deur niet had afgesloten?'
Ze ging weer zitten en vouwde haar handen in haar schoot. Deacon verbaasde zich erover hoe wit haar knokkels zagen. 'Ze dachten dat hij me misschien vanaf mijn werk naar huis was gevolgd, maar ze hebben nooit gezegd waarom hij dat dan gedaan zou moeten hebben. Als hij van mij had gedacht dat ik een geschikte persoon was om te volgen, dan zou hij mij om hulp hebben gevraagd, dacht u ook niet?'
Ze probeerde hem op het verstandelijke niveau te benaderen, maar Deacon wilde liever reageren op de nerveuze tic die hij in haar mondhoek zag. Het was hem tot dan toe niet opgevallen, maar hij begon nu te zien dat haar kalmte slechts aan de oppervlakte heerste, en dat daaronder dingen speelden die heel wat turbulenter waren.
'Ja,' zei hij. 'Het zou geen zin hebben gehad om zomaar achter je aan te lopen. Maar hoe zit het dan? Zou er een andere reden geweest kunnen zijn?'
'Ik zou het niet weten.'
'Misschien dacht hij dat hij je kende.'
'Waarvan?'
'Ik weet het niet.'
'Zou het dan niet nog veel meer voor de hand hebben gelegen als hij me aangesproken had?' Ze had de vraag zo snel op hem afgevuurd dat hij concludeerde dat ze die zichzelf heel vaak gesteld moest hebben.
Deacon wreef over zijn kin. 'Misschien was hij al te ver heen om nog tot iets anders in staat te zijn dan in elkaar te klappen en dood te gaan. Waar is je kantoor eigenlijk precies?'
'Tweehonderd meter van het vervallen pakhuis waar Billy vroeger sliep. Het is daar één groot stadsvernieuwingsgebied. We zitten daar met Meredith op een gehuurde etage in een pakhuis dat drie jaar geleden, tijdens de eerste fase, opgeknapt en tot kantoor verbouwd is. De politie vond het wel heel toevallig dat die twee gebouwen zo vlak bij elkaar staan, maar ik geloof niet dat dat iets betekent. Tweehon-

derd meter is toch nog een hele afstand in een stad als Londen.' Ze keek wat ongelukkig uit haar ogen. Hij dacht dat ze haar argument eigenlijk minder overtuigend vond dan ze wilde doen voorkomen.
Hij tilde het bovenste blaadje van zijn blocnote op om het doodshoofd nog eens te bekijken. 'Is dit huis ook ontworpen door Meredith? Heb je er misschien korting op gekregen omdat je bij de firma werkt?'
Ze antwoordde niet meteen. 'Ik geloof niet dat dát je iets aangaat,' zei ze toen.
Hij lachte zachtjes. 'Waarschijnlijk niet, maar een huis als dit kost een fortuin, en op de meubels heb je zo te zien ook niet bezuinigd. Als je je dit alles kunt veroorloven en zomaar vijfhonderd pond kunt uitgeven aan de crematie van een onbekende, zit je kennelijk goed in je slappe was. Ik ben gewoon nieuwsgierig, Amanda. Ofwel je bent heel geslaagd in je vak, ofwel je hebt nog een andere bron van inkomsten.'
'Zoals ik al zei, meneer Deacon, daar hebt u niets mee te maken.' Weer sloeg haar tong even dubbel. 'Zullen we het weer over Billy hebben?'
Hij haalde zijn schouders op. 'Waarschijnlijk zou het je ook wel opgevallen zijn als iemand als hij je gevolgd zou hebben,' zei hij.
Ze ging langzaam overeind zitten en keek zorgelijk voor zich uit. 'Nee, dat denk ik niet.'
'Je zou hem toch niet over het hoofd hebben kunnen zien?'
'Jawel hoor. Door oogcontact te vermijden. Dat is de enige manier om niet lastig gevallen te worden. Zelfs als ik bedelaars geld geef, kijk ik hen maar zelden aan, en ik zou zeker niet in staat zijn om naderhand een nauwkeurige beschrijving van hen te geven.'
Deacon dacht even aan de thuisloze jongeren die hij voor dit artikel had geïnterviewd en hij realiseerde zich dat ook hij moeite had om zich hen individueel weer voor de geest te halen. Hij vond het niet leuk, maar hij moest wel erkennen dat ze gelijk had. Doordat je je schaamde, keek je nooit al te lang naar de aan lager wal geraakten.
'Nou, goed dan,' zei hij. 'Laten we dan zeggen dat het puur toeval was dat Billy jouw garage uitkoos om in te sterven. Maar dan moet iemand hem toch gezien hebben. Als hij zo langs de straat liep, op zoek naar een plek om zich te verbergen, zeker in een buurt als deze, dan kan hij toch niet onopgemerkt zijn gebleven? Heb je niets gehoord van buren van je, die hem misschien gezien hebben?'
'Nee, niemand heeft er iets over gezegd.'
'Heeft de politie er nog navraag naar gedaan?'
'Ik weet het niet. Het was allemaal binnen een uur of drie, vier voor-

bij. Zodra de dokter er was en hem dood verklaarde, was het eigenlijk gebeurd. De dokter zei dat hij door een natuurlijke oorzaak was gestorven, en de agent die me te woord stond toen ik opbelde, zei dat ze bij de politie altijd al hadden gedacht dat het slechts een kwestie van tijd was voordat Billy ergens gevonden zou worden. "Die arme sukkel is jarenlang bezig geweest langzaam zelfmoord te plegen. Het is gewoon onmogelijk om in leven te blijven als je leeft zoals hij," zei hij.'

'Heb je hem gevraagd hoe hij dat bedoelde?'

'Hij zei dat Billy alleen goed at als hij in de gevangenis zat. Daarbuiten hield hij zich in leven op een dieet van alcohol.'

'Arme drommel,' zei Deacon terwijl hij naar haar glas keek. 'Onder die verdoving zal het leven misschien wel iets draaglijker zijn geweest.'

Als ze de toespeling op zichzelf al begreep, dan liet ze dat in ieder geval niet merken. 'Ja,' zei ze alleen maar.

'Je hebt gezegd dat je dacht dat Billy Blake misschien niet zijn eigen naam was, maar dat hij die vier jaar geleden is gaan gebruiken, toen hij voor het eerst gearresteerd werd. Maar hoe kwam hij dan aan het geld om drank te kopen? Om een uitkering te krijgen moet hij toch ergens ingeschreven hebben gestaan.'

Weer schudde ze haar hoofd. 'Dat heb ik die oude mannen in het pakhuis ook gevraagd. Ze zeiden dat hij geen uitkering had, maar leefde van wat de mensen hem gaven. Hij maakte krijttekeningen op de kades vlak bij de rondvaartboten op de Theems, en van de toeristen kreeg hij genoeg geld om zijn drank te kunnen kopen. Alleen 's winters, als er geen dagjesmensen waren, moest hij gaan stelen. Als je nagaat wanneer hij in de gevangenis heeft gezeten, zal je zien dat dat steeds alleen maar in de wintermaanden is geweest.'

'Zo te horen had hij dus zijn leven goed georganiseerd.'

'Ja, dat ben ik met je eens.'

'Wat voor tekeningen maakte hij? Weet je dat misschien?'

'Hij maakte steeds dezelfde tekening. Uit wat ik van de mannen begrepen heb was het steeds een uitbeelding van de Heilige Familie. En tegen de omstanders had hij het voortdurend over de ondergang die alle zondaars te wachten stond.'

'Was hij geestelijk gestoord?'

'Zo te horen wel.'

'Deed hij het steeds op dezelfde plaats?'

'Nee, ik heb begrepen dat hij regelmatig door de politie weggestuurd werd.'

'Maar hij tekende wel altijd dezelfde voorstelling?'
'Ik geloof het wel.'
'Kon hij het een beetje?'
'De mannen zeiden van wel. Ze zeiden dat hij een echte kunstenaar was.' Onverwachts begon ze te lachen; haar ondeugende blik verlevendigde haar hele gezicht. 'Maar ze waren dronken toen ik ze daarover sprak, dus ik weet niet wat hun artistieke oordeel waard is.'
De ondeugende blik verdween even snel als hij opgekomen was, maar Deacon liet zijn fantasie weer de vrije loop. Hij bedacht bij zichzelf dat echt verlangen haar vreemd was en dat ze een man met ervaring nodig had om die passie bij haar los te maken... 'En wat heb je nog meer ontdekt?'
'Verder niets. Dat is alles, vrees ik.'
Hij boog zich voorover om de bandrecorder af te zetten. 'Je hebt gezegd dat je vond dat Billy's verhaal verteld moest worden,' zei hij, 'maar alles wat je over hem weet kan in twee of drie zinnen samengevat worden, en als ik eerlijk ben moet ik zeggen dat zelfs die ruimte me niet gerechtvaardigd lijkt.' Hij dacht even na, liet wat hij had gehoord in zijn hoofd rondgaan. 'Hij was een alcoholist en iemand die zich bezighield met kleine misdaden. Hij loog over zijn leeftijd en leefde onder een schuilnaam. Hij was voor iets of iemand op de vlucht, waarschijnlijk een vrouw en een ongelukkig huwelijk, en hij is aan lager wal geraakt omdat hij dat leven niet aankon of omdat hij psychisch gestoord was. Hij was als kunstenaar niet ongetalenteerd en hij is in jouw garage overleden omdat jij bij het water woont en je deur niet afgesloten was.' Hij keek hoe de sigaret die hij op het schoteltje had gelegd langzaam opbrandde en een lange sliert as achterliet. 'Heb ik nog iets vergeten?'
'Ja.' De tic in haar mondhoek werd ineens nadrukkelijker. 'Je hebt niet verklaard waarom hij verhongerde of waarom hij zijn handen zo verbrand had dat ze mismaakt waren.'
Hij maakte een verontschuldigend gebaar. 'Dat is nu eenmaal wat chronische alcoholisten met ernstige depressies doen, Amanda. Ze drinken in plaats van dat ze eten, en daarom heeft de patholoog-anatoom zelfverwaarlozing opgegeven als doodsoorzaak. Ze mishandelen zichzelf, om zo de pijn die ze voelen om een leven dat geen uitzicht meer biedt, uit te bannen. Ik denk dat deze Billy gewoon ziek was en dat hij, omdat hij zich door de drank beter ging voelen, uiteindelijk dood in jouw garage is aangetroffen.'
Aan de gereserveerde uitdrukking op haar gezicht zag hij dat hij niets had gezegd wat zij niet allang ook zelf had bedacht, en hij voelde zijn

nieuwsgierigheid naar haar groeien. Vanwaar haar idee-fixe over het leven van Billy? Ze werd gedreven door veel meer dan alleen medelijden of hoogdravende ideeën over de plaats van de mens in de maatschappij, bedacht hij.
'Het is me niet gelukt om bij iemand zelfs maar bij benadering enige interesse op te wekken voor zijn achtergrond,' mompelde ze, zich vooroverbuigend naar de kom met gedroogde bloemblaadjes, die ze gedachteloos door haar handen liet gaan. 'De politie was beleefd maar ongeïnteresseerd. Ik heb het parlementslid voor dit district en het ministerie van Justitie geschreven en gevraagd of zij moeite wilden doen om zijn familie op te sporen, maar ze hebben geantwoord dat dat niet onder hun verantwoordelijkheid valt. De enigen die er wel positief tegenover stonden waren de mensen van het Leger des Heils. Zij hebben een dossier aangelegd met zijn signalement en ze hebben beloofd contact met me op te nemen als zich iemand mocht melden die naar hem op zoek is. Maar ze gaven me niet veel hoop.'
Ze keek heel ongelukkig. 'Ik weet gewoon niet wat ik nog meer zou kunnen doen. Ik heb het gevoel dat ik nu, na zes maanden, helemaal op dood spoor zit.'
Hij bleef even naar haar kijken, gefascineerd door haar wisselende gelaatsuitdrukkingen. Hij bedacht dat haar ongelukkige manier van kijken bij een wat openhartiger iemand waarschijnlijk de indruk van uiterste wanhoop zou wekken. 'Maar als het zo belangrijk voor je is, waarom schakel je dan geen privé-detective in?' opperde hij.
'Weet je wel wat dat kost?'
'Dat heb je dus wel nagegaan?'
Ze knikte. 'Die kosten zijn krankzinnig hoog. Ze hebben me verteld dat het weken en zelfs maanden zou kunnen duren en dat er geen garantie te geven is dat er uiteindelijk iets uitkomt.'
'Maar we hebben al geconstateerd dat je een rijke vrouw bent, dus tegenover wie zou je die kosten moeten verantwoorden?'
Haar gezicht verried opwinding. Schaamte? 'Tegenover mezelf,' zei ze.
'Niet tegenover je man?'
'Nee.'
'Bedoel je dat hij er geen bezwaar tegen zou hebben als je een fortuin uitgaf om de familie van een dode op te sporen?' Dat meneer Powell zo'n ongrijpbare figuur was, intrigeerde hem.
Ze zei niets.
'Je hebt Billy al genoeg eer bewezen door zijn uitvaart te betalen. Waarom is dat voor jou niet genoeg?'

‘Omdat het het leven is dat ertoe doet, niet de dood.’
‘Dat is geen reden, tenminste niet voor de obsessie die jij hebt opgebouwd.’
Ze lachte weer. Deacon schrok van het geluid: het klonk veel te hoog. Het was hem niet duidelijk of het hysterische element erin veroorzaakt werd door de drank – *of de angst?* Ze deed zichtbaar moeite om haar zelfbeheersing terug te krijgen. ‘Wat weet u van obsessies, meneer Deacon?’
‘Wat ik weet is dat je me iets niet verteld hebt. Je lijkt er alles voor over te hebben om Billy Blake te identificeren en zijn familie op te sporen. Het lijkt haast wel,’ zei hij nadenkend, ‘alsof je je ertoe verplicht voelt. Ik denk dat je wel met hem hebt gesproken, en dat hij je gevraagd heeft iets voor hem te doen. Heb ik het goed?’
Ze keek door hem heen met dezelfde uitdrukking van teleurstelling op haar gezicht die zijn moeder had gehad toen hij haar voor het laatst zag. Hij had sindsdien zo vaak gewenst dat hij haar toen tegemoet was gekomen dat hij nu, in een geheel andere situatie, moeite deed om voor een vreemde te doen wat hij bij Penelope had nagelaten. Hij legde zijn hand op Amanda’s arm, maar haar huid voelde koud aan en ze leek niet op zijn aanraking te reageren. Als ze zijn gebaar al had opgemerkt, dan toonde ze dat in ieder geval niet.
In plaats daarvan leunde ze met haar hoofd achterover tegen de rugleuning van haar stoel en staarde naar het plafond. Deacon had het gevoel dat er allerlei deuren dichtgingen en de kansen zich keerden.
‘Zou u mijn garagesleutels kunnen ophalen als u weer op uw redactie bent?’ vroeg ze beleefd. ‘Want uw collega zal ze wel hebben meegenomen, tenzij ze er nog is.’
‘Wat heeft hij tegen je gezegd, Amanda?’
Ze keek hem even aan, maar haar blik straalde slechts verveling uit. Ze had geen belangstelling meer voor hem. ‘Ik heb uw en mijn tijd verspild, meneer Deacon. Ik hoop dat u zonder al te veel problemen een taxi vindt. Over het algemeen gaat dat het makkelijkste als u de wijk uit loopt en dan linksaf de hoofdstraat in gaat.’
Hij wenste dat hij meer inzicht had in het karakter van vrouwen. Hij wist zeker dat ze tegen hem loog, maar vrouwen logen al jarenlang tegen hem, en hij had nooit geweten waarom.

Bij de balie lagen twee sets sleutels en een briefje voor hem. *Wat een stomme trut! Ik hoop dat ze je niet levend heeft gevild toen ik weg was. Ik heb die rotsleutels van haar in mijn zak gedaan en er niet meer aan gedacht. Ik laat ze hier voor jou achter, samen met jouw au-*

tosleutels. Het leek me dat jij ze beter terug kunt gaan brengen dan ik! Als het je interesseert: ik heb het filmpje bij Barry achtergelaten. Hij zei dat hij het vanavond nog gaat ontwikkelen. Tot morgen. Groetjes, Lisa.

Deacon besloot dat hij geen haast had en liep rustig naar de derde verdieping, waar Barry Grover zijn dubbelrol van doka-assistent en archiefbeheerder vervulde. Hij was nogal een zielige figuur, begin dertig, een geboren einzelgänger, klein van stuk, met een buikje en met bolle ogen achter een bril met jampotbodems, die altijd met het enthousiasme van een verzamelaar over zijn knipsels gebogen zat en liever zijn tijd op kantoor doorbracht dan naar huis te gaan. Het vrouwelijk personeel ontliep hem altijd zo veel mogelijk en strooide achter zijn rug allerlei praatjes over hem rond. In de loop der jaren hadden ze achtereenvolgens en steeds met volle overtuiging van hem gezegd dat hij een pedofiel, een voyeur en een exhibitionist was. Dat was de enige manier waarop ze zijn obsessie met plaatjes kijken konden verklaren. Deacon, die hem net zo onsympathiek vond als de vrouwen, voelde toch wel enig medelijden voor hem. Het leven van Barry was wel erg kaal.

'Ben je er nog?' vroeg hij met opgelegde goedmoedigheid toen hij de deur had opengeduwd en de man aan zijn bureau over een knipsel gebogen aantrof.

'Zoals je ziet, Mike.'

Hij ging met één bil op de rand van het bureau zitten. 'Ik heb van Lisa gehoord dat je een filmpje voor haar zou ontwikkelen. Ik dacht, ik loop even langs om te zien hoe het geworden is.'

'Ik zal de contactafdrukken even voor je halen.' Als een vlezige witte kakkerlak schuifelde Barry gehaast het vertrek uit. Deacon keek hem na en bedacht dat het zijn manier van lopen was die de mensen tegen hem in het harnas joeg. Zijn rappe, kleine passen hadden iets zeer vrouwelijks, en hij vroeg zich voor de zoveelste keer af of Barry's probleem niet veel meer te maken had met een onopgeloste homoseksualiteit dan met de heteroseksuele perversies waarvan de vrouwen hem beschuldigden.

Hij stak een sigaret op en keek naar het knipsel dat Barry had zitten lezen.

The Guardian, 6 mei 1990

Vrouw van bankmedewerker vrijgelaten

Amanda Streeter (31) is gisteren vrijgelaten en ontslagen van rechtsvervolging nadat zij twee dagen door de politie was ondervraagd. 'We zijn ervan overtuigd,' zo verklaarde een woordvoerder van de politie, 'dat mevrouw Streeter niets te maken heeft gehad met de diefstal van een bedrag van tien miljoen pond bij Lowensteins Bank, en eveneens dat zij niet weet waar haar man zich ophoudt.' Hij bevestigde dat de kans groot is dat James Streeter (40) in de nacht van 27 april het land heeft verlaten. 'Zijn signalement is over de hele wereld verspreid. We verwachten dat hij binnen enkele dagen terecht zal zijn, waarna onmiddellijk een uitleveringsverzoek zal worden ingediend.'
Amanda Streeters advocaat heeft een persbericht met de volgende inhoud doen uitgaan: *Mevrouw Streeter is diep geschokt door de gebeurtenissen van de laatste acht dagen en is de politie waar mogelijk behulpzaam geweest bij hun nasporingen naar de verblijfplaats van haar echtgenoot. Nu het politieonderzoek zich niet meer op haar richt, verzoekt ze met rust gelaten te worden. Ze heeft niets toe te voegen aan de gegevens waarover het publiek inmiddels al beschikt.*
James Streeter wordt ervan verdacht dat hij gedurende een periode van vijf jaar gebruik heeft gemaakt van zijn positie bij Lowensteins Bank om rekeningen te vervalsen en een bedrag van ruim tien miljoen pond te verduisteren. De verdenkingen zijn zes weken geleden gerezen, maar zijn door de bank niet eerder naar buiten gebracht om een paniekreactie onder de cliëntèle te voorkomen. Toen duidelijk werd dat het door de bank zelf ingestelde onderzoek niets zou opleveren, heeft de directie besloten de hulp van de politie in te roepen. Slechts enkele uren nadat deze beslissing was genomen, is James Streeter verdwenen, waarna hij in staat van beschuldiging is gesteld.

'Ik had haar gezicht herkend.'
Deacon had Barry niet terug horen komen en schrok van het plotselinge, enigszins hijgerige stemgeluid dat de stilte verbrak. Hij keek naar de worstvinger waarmee de man het krantenknipsel opzij schoof en op de korrelige foto eronder wees.
'Dat is zij daar met haar man, voordat hij ervandoor ging. Lisa zei dat ze mevrouw Powell heette, maar het is dezelfde vrouw. Je herin-

nert je die zaak vast nog wel. Ze hebben hem nooit te pakken gekregen.'
Deacon staarde naar de foto van de 31-jarige Amanda Powell. Ze droeg een bril, haar haar was korter en donkerder en de foto was voor driekwart *en profil* genomen. Hij zou haar niet herkend hebben, maar nu hij wist wie ze was, zag hij de gelijkenis. Aandachtig keek hij naar de man op de foto om te zien of er een gelijkenis met Billy Blake was, maar in het leven is niets echt makkelijk. 'Hoe lap je het 'm eigenlijk?' vroeg hij aan Barry.
'Ach, ik word ervoor betaald.'
'Daarmee verklaar je nog niet hoe je het doet.'
De ander glimlachte in zichzelf. 'Sommigen zeggen dat het een gave is, Mike.' Hij legde de contactafdrukken op het bureau. 'Lisa heeft het lelijk laten zitten deze keer. Er zijn maar vijf of zes afdrukken die een beetje goed zijn. Ze zal het opnieuw moeten doen.'
Deacon hield de afdrukken tegen het licht en bekeek ze aandachtig. Ze waren inderdaad allemaal even slecht: ofwel onscherp ofwel zo onderbelicht dat Amanda Powells gezicht wel van graniet leek. Aan het einde van het filmpje zat een aantal opnamen van een lege garage. Hij maakte zijn sigaret uit in de asbak op Barry's bureau, naast een opvallend plakkaat waarop te lezen stond: *Gelieve niet te roken ter wille van mijn gezondheid.* 'Hoe is het in godsnaam mogelijk dat ze er zo'n puinhoop van heeft gemaakt?' vroeg hij boos.
Met een kritische blik leegde Barry de asbak in zijn prullenbak. 'Er is kennelijk iets mis met haar toestel. Ik zal er morgen naar laten kijken. Het is echt jammer; ze is altijd zo betrouwbaar.'
Gezien de kwaliteit van Lisa's foto's was het des te opmerkelijker dat Barry de link had weten te leggen. Deacon haalde zijn blocnote uit zijn jaszak en haalde de twee foto's van Billy Blake ertussenuit. 'Ik neem aan dat je deze man niet herkent?'
De kleine man pakte de foto's aan en legde ze naast elkaar op het bureaublad. Hij bestudeerde ze geruime tijd. 'Misschien,' zei hij ten slotte.
'Hoe bedoel je, misschien? Je herkent hem of je herkent hem niet.'
Barry keek beteuterd. 'Je weet er niks van, Mike. Als ik een stukje Mozart voor je zou spelen, zou je misschien weten dat het Mozart was, maar je zou niet kunnen zeggen uit welk stuk het was.'
'Wat heeft dat te maken met iemand op een foto herkennen?'
'Dat begrijp jij toch niet. Het is heel ingewikkeld. Ik moet er echt voor gaan zitten.'
Deacon voelde zich terechtgewezen. En niet voor het eerst, die

avond. Maar het was niet waarschijnlijk dat Barry hem steeds zo door het hoofd zou blijven spoken als de vrouw die hem aan zijn moeder had doen denken. 'Zou jij hier een paar mooie negatieven van kunnen maken? Best kans dat hij er helemaal niet zo uitzag toen hij nog kerngezond was, maar misschien kunnen we met de computer wat rommelen en het gezicht wat voller maken. Dan zou je misschien meer kunnen zeggen, denk je ook niet?'
'Mogelijk. Waar komen die foto's vandaan?'
'Van mevrouw Powell. Hij is bij haar in de garage aan zijn eind gekomen. Hij heette volgens zeggen Billy Blake, maar zij gelooft niet dat dat zijn werkelijke naam was.' Hij gaf Barry een korte samenvatting van wat Amanda hem had verteld. 'Ze is helemaal geobsedeerd door de gedachte dat ze hem moet laten identificeren en zijn familie op de hoogte moet stellen.'
'Waarom?'
Deacon verschoof het krantenknipsel. 'Ik weet het niet. Misschien heeft het iets te maken met wat er met haar man is gebeurd.'
'Het is een fluitje van een cent om er negatieven van te maken. Wanneer wil je ze hebben?'
'Morgenochtend vroeg?'
'Ik kan het nu ook even voor je doen.'
'Prima.' Terwijl hij opstond keek Deacon op zijn horloge. Tot zijn verrassing zag hij dat het al na tienen was. 'Weet je wat? Laat maar even zitten,' zei hij, terwijl hij Barry's jas van het haakje achter de deur pakte. 'Laten we even wat gaan drinken. Ik trakteer. Jezus, man, je bent niet met de krant getrouwd. Waarom maak je altijd zulke lange dagen hier?'

Barry Grover liet zich door een vastberaden Deacon aan zijn schouder meevoeren langs het trottoir, maar hij was op zijn hoede. Hij was wel eens eerder zo spontaan uitgenodigd, en hij wist waar het op uit zou draaien. Hij wist dat Deacon hem alleen maar in een opwelling van gewetenswroeging had uitgenodigd, maar dat hij nog geen vijf minuten nadat ze het café waren binnengegaan alles weer vergeten zou zijn en hem weer aan zijn lot zou overlaten. Deacons kroegmaten zouden er allemaal zijn, en hij zou er maar weer zo'n beetje bij staan. Zonder de behoefte zich op te dringen in een gezelschap waar hij niet gewenst was, maar ook met tegenzin om de aandacht op zich te vestigen door weg te gaan.
Toch voelde hij zoals gewoonlijk bij het naderen van het café weer die verschrikkelijke ambivalentie. Dat kwam omdat hij heel graag

met Deacon wilde stappen, maar er tegelijkertijd heel bang voor was. Hij was bang voor de onvermijdelijke afwijzing, maar verlangde er intens naar om door Deacon als vriend geaccepteerd te worden. Deacon had hem sinds hij bij *The Street* werkte immers meer collegialiteit betoond dan hij in jaren had meegemaakt. Hij maakte zichzelf wijs dat het al voldoende zou zijn als hij maar één enkele keer geaccepteerd zou worden. Dat was tenslotte niet al te veel gevraagd. Om je voor één enkele keer lid te weten van een groep, een grap te debiteren en je maten te horen lachen, om de volgende ochtend te kunnen zeggen: 'Ik ben met een vriend van me even wat wezen drinken.'
Voor het café bleef hij ineens stilstaan en begon hij zijn bril met een grote witte zakdoek verwoed schoon te poetsen. 'Mike, ik denk eigenlijk dat ik beter naar huis kan gaan. Ik had me niet gerealiseerd dat het al zo laat is en als ik die negatieven voor jou klaar wil hebben, moet ik me morgen niet verslapen.'
'Ach, je hebt best tijd voor een glas bier,' zei Deacon vriendelijk. 'Waar woon je trouwens? Ik zet je straks wel even thuis af als het niet te ver om is.'
'In Camden.'
'O, dat is dan geregeld. Ik woon zelf in Islington.' Vriendschappelijk sloeg hij zijn arm om Barry's schouders en zo liepen ze samen de Lame Beggar binnen.
Het voorgevoel van de kleine dikke man had hem echter niet bedrogen. Binnen een paar minuten was Deacon opgenomen in een luidruchtige vriendenkring, waar met veel drank de komende kerstdagen alvast ingeluid werden, en was Barry overgelaten aan zijn eigen verlegenheid en geveinsde onverschilligheid. Pas toen hij in de gaten kreeg dat Deacon te dronken was om nog te kunnen rijden en zich waarschijnlijk zelfs zijn aanbod om hem thuis te brengen niet meer kon herinneren, drong het tot hem door hoe ontzettend onrechtvaardig het allemaal was. Verwarde gevoelens van aanbidding streden in hem met bitterheid. Deacon kon wat hem betrof de boom in; nooit zou hij van hem te weten komen wie Billy Blake werkelijk geweest was.

23.00 uur – Kaapstad, Zuid-Afrika

Het was een warme zomeravond in Kaapstad. Achter de glazen pui van het restaurant van het Victoria and Alfred Hotel zat een goed geklede vrouw haar kopje zwarte koffie rond te draaien. Ze was een vaste klant van het restaurant, al wist men er weinig anders van haar dan dat ze mevrouw Metcalfe heette. Ze at en dronk altijd heel weinig, en voor het bedienend personeel was het een raadsel waarom ze er eigenlijk kwam. Zo te zien genoot ze volstrekt niet van haar eenzame maaltijd. Ook wilde ze zo weinig mogelijk te maken hebben met de andere gasten en ging ze altijd op een plek zitten waar ze uitzicht had over de haven en waar ze bij daglicht de zeeleeuwen tussen de voor anker liggende schepen had kunnen zien spelen. Bij avond was er echter niets te zien, en zoals gewoonlijk keek ze verveeld voor zich uit.

Om elf uur meldde haar chauffeur zich bij de receptie en verliet ze, na haar rekening te hebben voldaan, het restaurant. De kelner die haar had bediend raapte de zoals gewoonlijk ruime fooi die ze had laten liggen op en vroeg zich voor de zoveelste keer af wat haar ertoe bracht om iedere woensdag terug te komen en drie uur zoek te brengen met een activiteit waaraan ze zo weinig genoegen beleefde.

Als ze ook maar een klein beetje toeschietelijk was geweest, zou hij het haar gevraagd hebben, maar ze was het type van de gesloten, magere, blanke vrouw, en het contact tussen hem en haar was puur zakelijk.

4

MOCHT DEACON AL VERBAASD ZIJN GEWEEST DAT BARRY GROVER ZONder iets te zeggen het café had verlaten, hij besteedde er verder geen aandacht aan. Hij was zelf al zo vaak weggelopen van groepjes cafématen dat hij zo'n handelwijze niet ongewoon vond. Hij was in ieder geval blij dat hij kennelijk ontslagen was van de verantwoordelijkheid de man naar huis te rijden. Hij was niet zo dronken als Barry had gedacht, maar was wel boven zijn taks en besloot zijn auto maar bij het kantoor te laten staan en een taxi te nemen. Op weg naar zijn gehuurde zolderverdieping in Islington liet hij zich terneergeslagen achterover zakken op de achterbank van de taxi. Hij en Barry hadden in ieder geval iets gemeenschappelijk, bedacht hij. Aangenomen dan dat het feit dat Barry vaak zo lang op kantoor bleef zitten betekende dat hij Deacons weerzin tegen het naar huis gaan deelde. Deze parallel intrigeerde hem ineens. Wat zat er bij Barry achter, vroeg hij zich af. Was het bij hem, net als bij Deacon, de angst voor de leegte van een woning waarin niets persoonlijks te vinden was, omdat er in het verleden niets was dat hij zich graag herinnerde?

Hij zonk nog dieper weg in zijn somberheid en liet zich gaan in allerlei door drankgebruik opgewekte zelfbeschuldigingen. Het was allemaal zijn eigen schuld. De dood van zijn vader. Zijn mislukte huwelijken. De bitterheid van zijn familie en de manier waarop die hem uiteindelijk terzijde had geschoven. (*God, wat zou hij graag die vrouw uit zijn gedachten hebben gebannen. Herinneringen aan zijn moeder spookten al de hele avond door zijn hoofd.*) Geen kinderen. Geen vrienden meer, omdat die allemaal partij hadden getrokken voor zijn eerste vrouw. Hij moest gek zijn geweest om de ene vrouw te bedriegen met een andere die geen knip voor haar neus waard was geweest.

Af en toe keek de taxichauffeur hem in zijn spiegeltje begrijpend aan. Hij herkende de melancholie van een man die dronk om zijn zorgen te vergeten. Daar waren er veel van in Londen, zo tegen Kerstmis.

Deacon werd wakker met het idee dat hij iets te doen had, wat ongewoon was voor hem. Hij weet het aan het feit dat hij in zijn onderbewuste het gesprek met Amanda Powell nog eens had herhaald, waardoor zijn nieuwsgierigheid naar haar nog was aangewakkerd. Waarom zou spreken over een onbekende als Billy Blake bij haar zo'n emotionele reactie hebben veroorzaakt terwijl ze volkomen onbewogen was gebleven toen het over haar man, James Streeter, ging? Toen was ze niet eens boos geworden.
Hij overdacht deze vraag in zijn eentje, in de beslotenheid van zijn keuken, terwijl hij in zijn koffie roerde en mismoedig naar de witte muren en de witte kastjes om zich heen keek. Haast automatisch begon hij weer over zichzelf na te denken. Zouden zíjn beide vrouwen wel emotie tonen als zíjn naam genoemd werd? Of was hij niet meer dan een vergeten episode in hun leven?
Hij zou ook kunnen sterven zoals Billy Blake was gestorven, bedacht hij, ergens in een hoek van zijn woning. En als hij dan dagen later gevonden werd, zou dat ook vrijwel zeker door een vreemde zijn. Wie zou hem ten slotte komen opzoeken? JP? Lisa? Zijn kroegmaten?
Mijn God! Was zijn leven echt net zo leeg – en zo waardeloos – als dat van Billy Blake...?
Hij was vroeg op de redactie, raadpleegde er het telefoonboek en een stadsgids van Londen, liet bij de balie de boodschap achter dat hij later op de dag terug zou komen, liep naar zijn auto en reed langs de Theems naar de buurt waar ooit de levendige haven van Londen had gelegen. Zoals in zoveel andere havensteden overal ter wereld, hadden ook hier de koopvaardijschepen en reparatiedokken plaats moeten maken voor pleziervaartuigen, dure woningen en jachthavens.
Hij reed langs de westelijke oever van het Isle of Dogs en keek waar het gerenoveerde pakhuis stond waar architectenbureau Meredith nu in gevestigd was, waarna hij doorreed naar een smerig, dichtgespijkerd gebouw dat behalve wat betrof de rechthoekige vorm en de puntgevel, geen gelijkenis vertoonde met de omringende gebouwen. Niet dat er veel fantasie voor nodig was om er zich een voorstelling van te kunnen maken wat er van dit droevige overblijfsel van het negentiende-eeuwse Londen te maken zou zijn. Hij had inmiddels lang genoeg in de stad gewoond om te weten hoe de oude gebouwen in de Docklands getransformeerd konden worden tot schoonheden, en hij hoefde maar naar de verbouwde pakhuizen om zich heen te kijken om te zien wat er mogelijk was.
Hij parkeerde zijn auto, pakte een zaklantaarn en een fles Bell's whisky uit het dashboardkastje en liep door een gat in de schutting naar

de voorkant van het gebouw. Hij voelde aan de afsluiting van ramen en deuren en liep toen naar achteren. Tussen de achterkant van het gebouw en de rivier lag een verwaarloosde reep land van een meter of vijf, zes. Hij trok zijn jas wat strakker om zich heen toen de koude wind vanaf de Theems hem in het gezicht sloeg. Hoe iemand in deze omstandigheden kon leven, was hem een raadsel, maar achter een openstaande deur zat daar binnen in het gebouw een groepje mannen, kennelijk onverschillig voor vocht en kou, rondom een vuurtje. Ze bekeken hem achterdochtig toen hij naar hen toeliep.

'Hallo,' zei hij terwijl hij op een open plek in de kring neerhurkte en de fles tussen zijn voeten plaatste. 'Mijn naam is Michael Deacon.' Hij haalde zijn pakje sigaretten te voorschijn en liet het rondgaan. 'Ik ben journalist.'

Een van de mannen, iemand die veel jonger was dan de anderen, lachte eventjes en zei toen, Deacons geaffecteerde stem nabootsend: 'Hallo, mijn naam is Lulletje Rozenwater, ik ben zwerver.' Hij nam een sigaret uit het pakje. 'Bedankt. Deze bewaar ik voor bij de borrel voor het avondeten, als je er geen bezwaar tegen hebt.'

'Absoluut niet, meneer Rozenwater. Wel een opgave, lijkt me, om helemaal tot het avondeten te moeten wachten.'

De jongen had een mager, uitgeteerd gezicht en slordig geschoren hoofdhaar. 'Ik heet Terry. Wat zoek je hier, klootzak?'

Hij was echt nog heel jong, bedacht Deacon, maar je kon aan hem zien dat hij zich op straat geen knollen voor citroenen liet verkopen. Zijn gezicht had iets agressiefs en zijn toegeknepen ogen straalden een afschuwelijk cynisme uit. Met enige schrik realiseerde hij zich dat Terry hem aanzag voor een homo op zoek naar een schandknaap. 'Ik wil graag wat informatie hebben,' zei hij zakelijk. 'Over een man die Billy Blake heette en die hier sliep als hij niet in de gevangenis zat.'

'Wie zegt dat wij hem gekend hebben?'

'De vrouw die zijn uitvaart betaald heeft. Zij heeft me verteld dat ze hier geweest is en op een paar van haar vragen antwoord heeft gekregen.'

'Ja, die herinner ik me wel,' zei een van de anderen. 'Laatst stond ze hier nog op de hoek. Heeft ze me nog vijf pond gegeven.'

Terry legde hem met een ongeduldig gebaar het zwijgen op. 'Wat moet een journalist met Billy? Billy is al zes maanden dood.'

'Ik weet het eigenlijk nog niet,' zei Deacon oprecht. 'Misschien wil ik alleen maar aantonen dat Billy's leven waarde had.' Hij legde zijn handen op de whiskyfles. 'Degene die me iets kan vertellen waar ik wat aan heb, krijgt de whisky.'

De oudere mannen keken naar de fles. Terry keek Deacon aan. 'En wat betekent dat, "waar je wat aan hebt"?' vroeg hij uiterst ironisch. 'Ik weet bijvoorbeeld dat hij nergens een reet om gaf; heb je daar wat aan?'
'Dat verbaast me niet, Terry, gezien de manier waarop hij aan zijn einde is gekomen. Maar ik bedoel eigenlijk dingen die ik nog niet wist, of iets wat me naar een ander leidt die me misschien meer over hem kan zeggen. Om te beginnen bijvoorbeeld over zijn werkelijke naam. Hoe heette hij voordat hij zich Billy Blake ging noemen?'
Ze schudden hun hoofden.
'Hij maakte straattekeningen,' zei een van de oude mannen. 'Bij de rondvaartboten.'
'Dat wist ik al. Van Amanda heb ik gehoord dat hij altijd dezelfde christelijke scène tekende. Weet iemand misschien waarom hij dat deed?'
Weer schudden ze hun hoofden. Ze leken wel figuranten uit een science-fictionfilm, bedacht Deacon afwezig. Mannetjes met toegeknepen apengezichtjes, gehuld in te ruim zittende overjassen, maar met heldere kraaloogjes die een geslepenheid verrieden die hij zelf nooit zou bezitten.
'Gewoon een tekening van een gezin, die iedereen zou herkennen,' zei Terry. 'Hij was niet op z'n achterhoofd gevallen, en hij had geld nodig. "Zalig zijn de armen", schreef hij er altijd onder, en dan ging hij ernaast liggen. Hij zag er zo vreselijk ziek uit dat de mensen zich meestal schuldig voelden als ze zijn tekening en het onderschrift zagen. Hij boerde er niet slecht mee, en hij werd alleen maar agressief als hij niet genoeg ving. Dan begon hij het publiek te vervloeken. Maar daardoor schrikte hij het alleen maar af, en dan kwam hij zonder geld thuis en werd hij vanzelf weer nuchter.'
De gezichten in de kring grijnsden bij de herinnering.
'Hij was een goed artiest als hij nuchter was,' zei de oude man die eerder gesproken had. 'Maar als hij dronken was, deugde er niks van.' Zijn door een gerafelde bivakmuts omrande, gelooide gezicht grinnikte. 'Als hij nuchter was tekende hij de hemel, maar als hij bezopen was de hel.'
'Maakte hij dan twee verschillende tekeningen?'
'Wel honderd verschillende, als hij maar genoeg papier had.' Met zijn gerimpelde hoofd knikte de man in de richting van de kantoorgebouwen. 'Hij haalde daar 's avonds altijd grote stapels enveloppen uit de afvalbakken, en dan tekende hij die 's nachts vol. 's Ochtends keek hij er niet meer naar om.'

'Wat gebeurde er dan mee?'
'Wij verbrandden ze.'
'En vond Billy dat erg?'
'Nee,' zei een van de anderen. 'Net als wij moest ook hij zorgen dat hij warm bleef. Hij moest er trouwens om lachen.' Hij schroefde zijn wijsvinger tegen zijn voorhoofd. 'Hij was zo gek als een deur. Altijd liep hij maar te schreeuwen over hel en verdoemenis, en over reiniging door het vuur van de duivel. Op een keer heeft hij zijn hand gewoon in het vuur gestoken. Hij hield hem er gewoon in, totdat wij hem wegtrokken.'
'Waarom deed hij dat?'
Als een soort 'wave' ging een schouderophalen door de groep. Het gedrag van een gek was vanzelfsprekend onverklaarbaar, leek de algemene opinie.
'Dat deed hij wel vaker,' zei Terry. 'Soms met beide handen, maar meestal alleen met zijn rechterhand. Ik werd er helemaal gestoord van. Soms kon hij dagen achter elkaar zijn vingers niet bewegen omdat hij zulke blaren had. Maar evengoed bleef hij tekenen. Dan stak hij een stuk krijt tussen zijn vingers en bewoog hij zijn hele hand tijdens het tekenen. Hij zei dat hij behoefte had om de pijn van het creëren te voelen.'
'Volgens Terry hier was hij schizofreen,' zei de man met het gelooide gezicht in de bivakmuts. 'Hij heeft tegen hem gezegd dat hij moest zorgen dat hij medicijnen kreeg, maar het interesseerde Billy niet. Hij zei dat hij geen last had van een psychische aandoening en dat hij niet van plan was ooit naar een dokter te gaan. De dood was de enige remedie tegen de ziekte waar hij aan leed.'
'Heeft hij ooit geprobeerd zelfmoord te plegen?'
Terry lachte weer even en gebaarde om zich heen. 'Hoe noem je dit? Dood of leven?'
Deacon knikte ten teken dat hij begrepen had wat de ander bedoelde. 'Ik bedoel, heeft hij ooit echt een poging gedaan om er een eind aan te maken?'
'Nee,' zei de knaap vlak. 'Hij zei dat hij nog niet genoeg geleden had, dat hij een langzame dood moest sterven.' Hij trok zijn jas wat steviger om zijn magere gestalte toen weer een windvlaag over het water kwam aanzetten en het vuur deed knisperen. 'Luister eens, maat. De arme drommel was een schizofreen van de eerste orde, net als Walt hier.' Hij knikte in de richting van de ingezakte figuur naast hem, die, net als bij Billy toen hij gevonden werd waarschijnlijk het geval was geweest, met zijn hoofd op zijn knieën zat. 'Walt krijgt wel medicij-

nen, maar meestal vergeet hij ze in te nemen. Eigenlijk zou hij in het ziekenhuis moeten liggen, maar er zijn geen ziekenhuizen meer. Toen de dokters zeiden dat hij wel buiten de kliniek kon leven, is hij een tijdje bij zijn oude moeder in huis geweest, maar hij heeft het arme ouwe mens de stuipen op het lijf gejaagd, en toen heeft ze hem buiten gezet.' Hij draaide zich om en keek het pakhuis in. 'Binnen zijn nog twintig van die lui. Alleen wij gezonden letten nog een beetje op ze. Een krankzinnige grap is het, als je het mij vraagt.'
Deacon was het met hem eens. Waar moest het met de maatschappij naartoe als het aan de zwervers werd overgelaten om de psychisch gestoorden te verzorgen? 'Heeft Billy ooit iets gezegd over een opname?'
Terry schudde zijn hoofd. 'Hij praatte nooit veel over het verleden.'
'Hm. En over de gevangenis? Weet je misschien waar hij heeft vastgezeten?'
Terry knikte in de richting van de man met het gelooide gezicht. 'Tom en hij hebben ooit eens een keer samen in Brixton vastgezeten.'
'Waar zat hij toen?' vroeg Deacon aan Tom. 'In een cel of op de ziekenhuisvleugel?'
'In de cel, net als ik.'
'Kreeg hij toen medicijnen?'
'Niet dat ik me nog kan herinneren.'
'Dus in de gevangenis hadden ze niet de diagnose schizofrenie gesteld?'
Tom schudde zijn hoofd. 'Die psychiaters daar hebben geen tijd om zich druk te maken over een alcoholist die vier weken moet zitten. Zo lang duurt het ongeveer ook voordat hij nuchter is, dus als hij moord en brand schreeuwt wijten ze dat gewoon aan onthouding of iets anders wat ze toevallig net goed uitkomt.'
'Was hij in de gevangenis net zo gek als erbuiten?'
Tom wapperde met zijn hand. 'Een beetje op en neer ging het. Af en toe zat hij in de put, maar over het algemeen ging het wel. Ging netjes naar de kerkdiensten en gedroeg zich goed. Ik denk dat de drank hem gek maakte. Hij was alleen zo gek als een deur als hij zijn zakken vol had. Als hij nuchter was, was hij niet anders dan jij of ik.'
Deacon liet zijn sigaretten nog een keer rondgaan en trok toen zijn jas omhoog om zich af te schermen tegen de wind en er zelf ook een aan te steken. 'En niemand van jullie weet waar hij vandaan kwam, hoe hij vroeger geheten heeft of waarom hij zich Billy Blake noemde?'
'Waarom denk je dat dat niet zijn echte naam was?' vroeg Terry. Deze

keer had hij zijn sigaret wel in zijn mond gestoken. Hij pakte een stuk hout uit het vuur om hem aan te steken.
Deacon haalde zijn schouders op. 'Zomaar een veronderstelling.' Hij nam een diepe trek van zijn sigaret. 'Hoe praatte hij? Had hij een accent?'
'Niet merkbaar, nee. Ik heb hem eens gevraagd of hij soms acteur was geweest, want hij praatte verdomd netjes als hij tekeerging. Maar hij zei van niet.'
'Wat deed hij precies als hij tekeerging?'
'Dan riep hij wat hem voor de mond kwam. Soms rijmde het, maar ik weet niet of hij dan zelf bedacht had wat hij zei of dat hij iemand anders aanhaalde. Iets kan ik me er nog wel van herinneren, en een bepaald gedeelte zelfs tamelijk goed, want dat riep hij steeds maar weer. Het klonk allemaal heel vreemd; het ging er steeds maar over dat zijn moeder kreunde, dat zijn vader huilde en dat er geesten uit de wolken sprongen.'
'Maar dat is uit een gedicht van een man die William Blake heette. Jaren geleden, op school, heb ik er eens een werkstuk over gemaakt. Hij was een achttiende-eeuwse kunstenaar en dichter, die door zijn tijdgenoten voor gek werd versleten omdat hij visioenen had.' Deacon glimlachte. 'William Blake heeft prachtige poëzie geschreven, maar hij leefde op de grens van de armoede omdat niemand tijdens zijn leven in de gaten had dat hij een genie was. Ik denk dat die vriend van jullie William Blake en zijn werk tamelijk goed gekend heeft.'
'Tja,' zei Terry, onmiddellijk zijn gevolgtrekking makend. 'William Blake, Billy Blake. Hij citeerde ook vaak andere gedichten. Over een tijger, bijvoorbeeld. Misschien ook wel van hem?'
Deacon knikte. 'Klopt.' Zou Billy Blake in het onderwijs hebben gezeten, vroeg hij zich af. 'In het gedicht van de tijger is sprake van een hand die in het vuur gestoken wordt. Zou hij daar misschien aan hebben gedacht toen hij dat zelf deed, denk je?'
'Weet ik niet. Hangt ervan af wat ermee bedoeld werd.'
'De tijger symboliseert macht, energie en wreedheid. In het gedicht wordt beschreven hoe dit prachtige maar ontembare dier in de vlammen vorm krijgt, waarna het zijn schepper vraagt waar deze de moed vandaan heeft gehaald zo'n gevaarlijk wezen te maken.' Deacon merkte dat de anderen afgehaakt hadden, maar Terry toonde nog steeds een grote belangstelling. 'Het is de hand van de schepper die in het vuur gestoken wordt, dus misschien had Billy het idee dat hij iets begonnen was waar hij geen controle meer over had.'
'Ja, kan zijn.' De jongeman keek afwezig over het water uit. 'Is die schepper God?'

'Een god. Blake heeft het niet over een specifieke god.'
'Volgens Billy waren er heel veel goden. Voor alles had je wel een god. Hij ging voortdurend tegen ze tekeer. "Het is allemaal jullie schuld, jullie klootzakken," riep hij altijd, "dus laat me met rust en laat me doodgaan." Ik zei tegen hem dat hij maar beter kon ophouden te geloven dat die goden er waren, dan hoefde hij ook niet zo tegen ze tekeer te gaan. Da's toch goed bekeken, nietwaar?' Het toegeknepen gezicht draaide zich weer naar het vuur.
'Wat dacht hij dat de schuld van de goden was?'
'Het is niet zozeer wat hij dácht, maar wat hij wíst,' zei Terry nadrukkelijk. Hij stak zijn hand uit en kneep hem dicht. 'Hij had iemand gewurgd omdat de goden dat zo voor hem hadden uitgestippeld. Daarom stak hij zijn hand in het vuur. Hij noemde zijn hand "het kwaadaardige instrument" en zei dat dergelijke offers nodig waren om de toorn van de goden van zich af te wenden. Arme drommel. Meestal was hij totaal in de war.'

Op verzoek van Terry gaf Deacon de fles Bell's whisky in bewaring bij de oude man met de bivakmuts voordat hij met Terry mee het gebouw inliep om te gaan kijken naar de plek waar Billy altijd had geslapen. 'Maar je hebt er niks aan,' mopperde de knaap. 'Hij is al zes maanden dood. Wat denk je daar nou te vinden?'
'Maakt niet uit. Alles is goed.'
'Luister eens. Er hebben op die plek wel honderd man geslapen sinds hij de pijp uit is. Je vindt echt niks.' Maar desondanks ging hij Deacon voor, het sombere halfduister in. 'Ben je soms op je achterhoofd gevallen?' vroeg hij geamuseerd toen Deacon met zijn zaklantaarn vóór hen op de grond een kleine lichtvlek liet vallen. 'Dat zal je niet veel helpen. Je moet gewoon eventjes wachten. Er komt genoeg licht door de deur. Je ogen wennen er zo wel aan.'
Vóór Deacon ontvouwde zich langzaam een grijs maanlandschap met stapels bakstenen en allerlei andere rommel. Het leek wel een voormalig slagveld, waar niets nog goed te herkennen was en waar alleen een penetrante urinelucht de aanwezigheid van mensen verraadde. 'Hoe lang zit je hier al?' vroeg hij aan Terry terwijl langzaam een aantal slapende figuren tussen de rommel zichtbaar werden.
'Twee jaar, met tussenpozen.'
'En waarom juist hier? Waarom zit je niet in een kraakpand of in een opvanghuis?'
De jongeman haalde zijn schouders op. 'Daar ben ik wel geweest. Maar het is hier zo slecht nog niet.' Hij liep voor hem uit langs een

stapel stenen en wees op een onduidelijke constructie van plastic en oude dekens. Hij trok een van de dekens opzij, reikte naar binnen en stak een door batterijen gevoede stormlamp aan. 'Kijk maar eens. Dit is mijn plek.'

Deacon voelde een merkwaardig soort afgunst. Het was een bij elkaar geraapt zootje in een naar urine stinkend slagveld, maar er straalde een soort persoonlijkheid uit die zijn etagewoning miste. Op de plastic wanden waren posters van halfnaakte vrouwen geplakt, op de vloer lag een matras met een zelfgemaakte lappendeken, op een metalen dossierkast stonden een paar versieringen, er stond een rieten stoel, waarop een ochtendjas lag, en op een klein geverfd tafeltje stond een jampot met plastic rozen erin. 'Het ziet er leuk uit. Je hebt er echt iets van gemaakt.'

'Ach, ik voel me hier thuis. Het meeste heb ik bij de vuilnisbakken weggehaald. Je staat ervan te kijken wat mensen allemaal weggooien.' Terry wurmde zich langs hem heen en ging op het bed liggen. Zo ontspannen zag hij er een stuk jonger uit dan daarnet, toen hij gespannen in de wind stond. 'Je bent hier vrijer dan in een opvanghuis, en het is minder opeengepakt dan in een kraakpand. In kraakpanden krijg je altijd de zenuwen van allerlei types.'

'Heb je geen familie?'

'Nee. Al sinds mijn zesde heb ik met onderbrekingen in tehuizen gewoond. Iemand heeft me eens gezegd dat mijn moeder naar de gevangenis moest en dat ik daarom in een tehuis terecht ben gekomen. Maar ik ben nooit naar haar op zoek gegaan. Haar leven is een puinzooi, dus het heeft geen zin haar te gaan zoeken. Ik red me wel.'

Deacon probeerde zich het gezicht van de jongeman in te prenten zodat hij het later zou kunnen herkennen, maar er was niets bijzonders aan de knaap te ontdekken. Hij zag eruit als honderden andere kaalgeschoren jongens van zijn leeftijd, allemaal even kleurloos, allemaal even onaantrekkelijk. Hij vroeg zich af waarom Terry het niet over zijn vader had gehad, en veronderstelde dat hij zijn vader nooit gekend had en dat die daarom irrelevant was. Hij dacht aan alle vrouwen met wie hij zelf in zijn leven geslapen had. Had hij ooit een van hen zwanger gemaakt en had zij misschien een Terry gebaard, die zij vervolgens aan zijn lot had overgelaten?

'Evengoed denk ik niet dat het dolle pret is om zo te leven.'

'Ach, nou ja, ik ben niet de eerste die dat doet, en ik zal ook zeker niet de laatste zijn. Zoals ik zeg, ik red me wel. Wat mensen ooit hebben gedaan, verleren ze niet.'

De uitdrukking klonk vreemd uit de mond van iemand die zo jong

was als Terry. 'Is dat soms een uitspraak van Billy?'
De jongen haalde onverschillig zijn schouders op. 'Zou kunnen. Hij probeerde me altijd de les te lezen.' Hij liet zijn stem enigszins galmen. '"Geen rechten zonder plichten, Terry. De grootste zonde van de mens is dat hij God van zijn troon probeert te stoten. De Dag des Oordeels is aanstaande; wees erop voorbereid!"' Hij vervolgde met zijn normale, wat ruwere stemgeluid: 'Je werd er helemaal gestoord van, van wat hij je allemaal voorhield. Hartstikke lijp was-ie meestal, maar hij bedoelde het goed, en ik heb ook wel een paar dingen van hem geleerd, moet ik zeggen.'
'Wat, bijvoorbeeld?'
Terry grijnsde. 'Nou, bijvoorbeeld dat één gek meer kan vragen dan tien wijzen kunnen beantwoorden.'
Deacon glimlachte. 'Hoe oud ben je eigenlijk?'
'Achttien.'
Om een of andere reden betwijfelde Deacon of dat waar was. Terry was wel zo goed gebekt dat hij de oude mannen met wie hij hier samenleefde kon domineren, maar zijn baardharen waren nog donzig en hij had nog de slungelige gang van een puber. Zijn grote, benige handen staken als roeispanen uit zijn mouwen en het zou nog even duren voordat zijn borstkas en schouders echt mannelijke proporties hadden. Deacon voelde zich nog eens extra geprikkeld om meer te weten te komen over de man die hem met zijn preken bestookt had, maar die hem misschien ook veel geleerd had.
'Hoe lang heb je Billy gekend?' vroeg hij.
'Een paar jaar.'
Vanaf het moment dat hij in het pakhuis verbleef dus. 'Had hij ook zo'n fraaie slaapplaats?'
Terry schudde zijn hoofd. 'Hij wilde lijden. Ik heb je al gezegd, hij was echt geflipt. Verleden jaar om deze tijd heb ik hem een keer piemelnaakt zien ronddansen. Stervenskoud was het, en hij zag helemaal blauw. Ik zei tegen hem: "Waar ben jij nou verdomme mee bezig, stomme zak." Maar hij zei dat hij zijn lichaam aan het kastijden was...' – hij zweeg even omdat hij niet zeker was of hij de juiste terminologie had gebruikt – 'of zoiets. Hij heeft zich nooit goed geïnstalleerd hier, 's avonds rolde hij zich gewoon in een oude deken en viel hij bij het vuur in slaap. Hij had niks, weet je. Hij wilde ook niks. Hij zag er de zin niet van in om het zich makkelijk te maken. Hij wist dat de goden hem uiteindelijk toch te grazen zouden nemen, en hij had besloten het die klootzakken zo makkelijk mogelijk te maken.'
'Omdat hij een moordenaar was?'
'Kan zijn.'

'Heeft hij nog gezegd of degene die hij had vermoord een man was of een vrouw?'
Terry vouwde zijn handen achter zijn hoofd. 'Kan ik me niet herinneren.'
'Waarom heeft hij het jou verteld en de anderen niet?'
'Hoe weet je dat hij het hun niet verteld heeft?'
'Ik heb op hun gezichten gelet.'
'Ze zijn allemaal meestal zo dronken dat ze zich helemaal niets herinneren.' Terry sloot zijn ogen. 'Maar misschien komt m'n geheugen terug als ik een briefje van tien pond krijg.'
Een hoekje van een van de posters aan de muur krulde om toen Deacon een lachsalvo afvuurde. 'Ik ben niet van gisteren, maatje.' Hij haalde een groen kaartje uit zijn portefeuille en gooide dat op Terry's bed. 'Bel me als je iets weet wat ik kan nagaan, maar bel me niet als je alleen maar onzin te melden hebt. En als je er geld voor wilt hebben, moet je informatie wel verdomd goed zijn.' Hij stond op en keek neer op het jeugdige gezicht van de knaap. 'Hoe oud ben je echt, Terry?' Zestien, dacht hij.
'In ieder geval oud genoeg om te weten dat ik een gierige klootzak voor me heb!'

Toen hij weer terug was op de redactie trof Deacon op zijn bureau een wit plastic mapje aan met de originelen van de foto's, samen met een briefje van Barry. *Wie deze man is, kan ik in mijn dossiers niet nagaan,* schreef hij, *maar ik heb de negatieven en de nieuwe afdrukken doorgegeven aan Paul Garrety. Hij zal kijken wat hij er op de computer mee aan kan. B.G.*
Paul Garrety, hoofd van de ontwerpafdeling van *The Street*, schudde zijn hoofd toen Deacon bij hem langskwam en hem vroeg hoe het met de foto's van Billy Blake ging. JP had zich laten overreden veel te investeren in computerapparatuur voor de ontwerpafdeling, omdat hem voorgespiegeld was dat je met technische middelen het blad díe stijl en dat aanzien kon geven waar een legertje van grafisch ontwerpers tot dan toe niet tevergeefs naar op zoek was geweest. Hij was echter veel te gehecht geweest aan het oude uiterlijk van het blad om Paul als ontwerper de vrije hand te geven, zodat Garrety's dagen op kantoor, net als die van Deacon, voor een belangrijk deel besteed werden aan geruzie met zijn baas.
'Je moet een expert hebben, Mike,' zei hij. 'Ik kan honderd verschillende versies van hem voor je maken, maar je moet iemand hebben die verstand heeft van fysionomie om te kunnen zeggen welke daar-

van de meest natuurgetrouwe is.' Hij wees op zijn computerscherm. 'Kijk maar eens. Je kan zijn gezicht voller maken, waardoor het geheel alleen maar groter wordt. Of zijn wangen voller maken, waarmee je in feite alleen de onderste helft opblaast. Je kan hem een onderkin geven, dikke ogen, dikker haar. Alles is mogelijk, het aantal mogelijkheden is onbeperkt, en iedere keer ziet hij er weer totaal anders uit.'
Deacon keek naar de demonstratie van verschillende mogelijkheden op het scherm. 'Ja, ik zie wat je bedoelt.'
'Je moet het echt wetenschappelijk benaderen. Het beste kan je waarschijnlijk een patholoog of een politietekenaar proberen in te schakelen. Elk van de mogelijkheden die ik je heb laten zien, is plausibel, maar de kans is groot dat hij absoluut niet lijkt op de man die nu dood is.'
'Is er nog kans dat JP het origineel naast mijn stukje afdrukt?'
Garrety begon te lachen. 'Absoluut niet, en in dit geval ben ik het nu eens wel met hem eens. Je schrikt de lezers ermee af. Wees nou redelijk. Wie wil er 's ochtends in godsnaam een foto van een verschrompelde oude alcoholist die van de honger is omgekomen naast zijn bordje met cornflakes hebben?'
'Hij was pas vijfenveertig,' zei Deacon zacht. 'Drie jaar ouder dan ik, en tien jaar jonger dan jij. Als je het zo bekijkt is het niet zo grappig, vind je wel?'

Michael Deacons artikel over armoede en dakloosheid verscheen die week in *The Street* zonder dat er op enigerlei wijze in gerefereerd werd aan Amanda Powell of Billy Blake. De uiteindelijke versie van het artikel zag er zelfs precies zo uit als hij zich aanvankelijk had voorgesteld: een diepgaande analyse van de veranderende sociale werkelijkheid, met grote nadruk op oorzaken en mogelijke oplossingen op de lange termijn. JP betwijfelde of het de lezers zou aanspreken ('Het is verdomd saai, Mike. Er zit geen greintje *human interest* in.') maar zonder een fatsoenlijke foto van Billy of van mevrouw Powell had het weinig zin gehad de oninteressante uitspraken van mevrouw Powell over dakloosheid in het algemeen te citeren. JP had opnieuw gedreigd het contract van Deacon niet te verlengen als hij niet bereid was te erkennen dat het zwartmaken van politieke tegenstanders het handelsmerk van het blad was, waarop Deacon sarcastisch had geantwoord dat de lezers van *The Street*, afgaande op de oplagecijfers, ongeveer net zo graag onderschat werden wat hun intelligentie betreft als de rest van de kiezers.

Amanda Powell, die per post haar garagesleutels en de twee foto's van Billy had teruggekregen, samen met een ongesigneerd begeleidend briefje, was teleurgesteld maar niet verrast toen ze zag dat zijzelf en Billy niet genoemd werden in Deacons artikel. Ze las het echter wel met belangstelling, vooral de alinea met de beschrijving van het vervallen pakhuis en de gemeenschap van geestelijk gestoorde bewoners voor wie gezorgd werd door een handjevol oude mannen en een jonge knaap.
Er was opluchting in haar ogen te zien toen ze het blad weglegde.

5

Een onderzoekje op een achternamiddag leverde de namen en adressen op van de ouders en de broer van James Streeter, alsmede enkele sprekende – *met opzet lasterlijke?* – persberichten van de Vereniging Vrienden van James Streeter, gevestigd op het adres van de broer in Edinburgh. Het laatste dateerde van augustus 1991.

Ondanks twaalf maanden intensief campagne voeren, is geen enkele krant ingegaan op de bewering van de Vereniging Vrienden van James Streeter dat James op de avond van vrijdag 27 april 1990 vermoord is om een lid van de raad van bestuur van Lowensteins Bank te vrijwaren van schuld en de onvermijdelijke ondergang van de bank te voorkomen die het gevolg zou zijn geweest van het verlies aan vertrouwen in het bestuur.

In het belang van een goede rechtsgang moet het onderzoek zich richten op de volgende feiten:

- James Streeter bezat niet de kennis die nodig was om de fraude te kunnen plegen waarvan hij beschuldigd wordt. Er wordt beweerd dat hij tijdens zijn verblijf in Frankrijk en België ervaring heeft opgedaan met computers. De VVvJS beschikt over verklaringen van zijn voormalige werkgevers en zijn eerste vrouw dat dit niet het geval was.
- James Streeter was niet op de hoogte van de ontwikkelingen in het door de bank zelf gevoerde onderzoek of van de beslissingen van de raad van bestuur, zodat hij niet op de hoogte kon zijn van een veronderstelde 'ideale' datum om het land te verlaten. De VVvJS beschikt over getuigenverklaringen van zijn secretaresse en van werknemers van zijn afdeling (zie bijlagen).

- Tijdens de maanden voorafgaand aan zijn verdwijning heeft James Streeter tegenover vrienden en collega's gesproken over de incompetentie van Nigel de Vries, zijn directe chef, die ook deel uitmaakte van de raad van bestuur van Lowenstein en die inmiddels niet meer bij de bank in dienst is. De VVvJS beschikt over drie onder ede afgelegde verklaringen waarin gesteld wordt dat James in januari 1990 gezegd heeft dat de heer De Vries 'op zijn zachtst gezegd incompetent, maar in feite wellicht misdadig bezig was' (zie bijlagen).
- Het standpunt van de politie is voor een belangrijk deel gebaseerd op de beschuldigingen die door Amanda Streeter in een schriftelijke verklaring tegen haar echtgenoot zijn ingebracht. Die beschuldigingen zijn de volgende: (1) Dat James een verhouding had met een vrouw die bij een softwarebedrijf werkte (Marianne Filbert, verblijfplaats onbekend). (2) Dat hij een keer gezegd zou hebben: 'Elke idioot zou het systeem kunnen tillen als hij wist op welke knoppen hij moest drukken.' (3) Dat hij geobsedeerd was door rijkdom.
- De VVvJS bestrijdt alle drie de beschuldigingen. De nummers (1) en (3) zijn uitsluitend gebaseerd op de verklaring van Amanda Streeter, terwijl nummer (2) voortkomt uit een verklaring van een collega van James, die echter daarna verklaard heeft dat hij er niet zeker van is dat het James was die deze opmerking had gemaakt.

Voorts:

- De VVvJS beschikt over het bewijs dat Amanda Streeter zelf een buitenechtelijke relatie onderhield en dat haar minnaar Nigel de Vries was. Wij beschikken over fotokopieën van rekeningen en ooggetuigenverslagen met betrekking tot de geheime ontmoetingen van het tweetal in Hotel George in Bath in 1986 en 1989. De eerste ontmoeting vond slechts enkele weken voor haar huwelijk met James plaats, de tweede drie jaar daarna (zie bijlagen).

Wij beschuldigen Amanda Streeter en Nigel de Vries

- De moord op James Streeter is onbestraft gebleven. Tenzij de media zich bevrijden van hun apathie en in actie komen, zullen de schuldigen blijven profiteren van de dood van een onschuldig man. De VVvJS dringt erop aan en eist zelfs dat een behoorlijk onderzoek plaatsvindt naar de activiteiten van Nigel de Vries en zijn minnares, Amanda Streeter. Bel of fax naar de bovenstaande nummers voor verdere informatie en/of hulp. John en Kenneth Streeter zijn te allen tijde bereid tot een gesprek.

Twee dagen daarna, op een avond waarop hij toch niets anders te doen had, toetste Deacon het nummer van John Streeter in Edinburgh in. Een vrouw nam op.
'Hallo,' zei ze met een licht Schots accent.
Deacon stelde zich voor als een journalist uit Londen die graag iemand van de Vereniging Vrienden van James Streeter wilde spreken.
'O, mijn god!'
Hij wachtte even en zei toen: 'Vindt u dat vervelend?'
'Nee, het is alleen... nou ja, eerlijk gezegd is het al meer dan een jaar geleden dat... wacht u even, alstublieft?' Er werd een hand op de hoorn gelegd. 'JOHN! JO-HON!' Ze sprak weer in de hoorn. 'U moet mijn man hebben. Hij komt eraan.'
'Uitstekend.'
'Het spijt me, maar ik heb uw naam niet goed verstaan.'
'Michael Deacon.'
'Hij komt er zo aan.' Weer werd de hand op de hoorn gelegd. De stem klonk gedempt. 'Schiet nou toch op! Het is een journalist, en hij wil praten over James. Hij heet Michael Deacon. Nee, toe nou! Je hebt je vader beloofd dat je het niet zou opgeven.' In de hoorn zei ze: 'Hier komt mijn man.'
'Hallo,' klonk een mannenstem. 'Met John Streeter. Waarmee kan ik u van dienst zijn?'
Deacon drukte op het knopje op zijn ballpoint en schoof zijn blocnote naar zich toe. 'Betekent het feit dat het al drieëneenhalf jaar geleden is dat uw laatste persbericht uitging dat u inmiddels denkt dat uw broer schuldig is?' vroeg hij op de man af.
'Werkt u bij een landelijk dagblad, meneer Deacon?'
'Nee.'
'Bent u dan freelancer?'
'Wat deze vragen betreft wel, ja.'
'Hebt u enig idee hoeveel freelancers ik de afgelopen jaren gesproken

heb?' Hij zweeg, maar Deacon reageerde niet. 'Dertig ongeveer,' ging hij door, 'maar het aantal woorden dat als gevolg van die gesprekken uiteindelijk is afgedrukt is nul. Geen enkele hoofdredacteur was bereid hun verhalen te plaatsen. Ik ben bang dat wij beiden onze tijd verdoen als ik op uw vragen inga.'
Deacon drukte de hoorn van het toestel nog eens extra stevig onder zijn kin en tekende een spiraal op zijn blocnote. 'Dertig is niet veel, meneer Streeter. Ik weet van actiegroepen als de uwe die honderden journalisten hebben benaderd voordat hun activiteit iets begon op te leveren. En bovendien stelt u zich met veel van wat u in uw persberichten schrijft aan vervolging bloot. Eerlijk gezegd mag u van geluk spreken dat u nog niet voor de rechter bent gedaagd.'
'Hetgeen op zich al veelzeggend is, vindt u niet? Als onze beweringen inderdaad lasterlijk zijn, waarom onderneemt dan niemand actie?'
'Omdat degenen die u tot doelwit hebt gekozen daarvoor te slim zijn. Waarom zouden ze bijdragen tot publiciteit voor uw clubje als het vanzelf wel doodbloedt? Het zou wat anders zijn als u een hoofdredacteur ertoe zou kunnen bewegen zijn oordeel even op te schorten. Wilt u me zeggen dat u er helemaal nooit in geslaagd bent iets ter verdediging van uw broer gepubliceerd te krijgen?'
'Nee, alleen een negatief stukje in een overzicht van onopgeloste misdaden dat vorig jaar verschenen is. Ik had twee dagen lang met Roger Hyde, de schrijver ervan, gesproken, maar het enige dat hij ervan wist te maken was een nietszeggend stukje, afgesloten met zijn eigen halfzachte conclusie dat James schuldig was.' Hij klonk boos en gefrustreerd. 'Ik word er langzamerhand moe van om steeds maar weer tegen de muur op te lopen.'
'Dan bent u dus misschien minder overtuigd van de onschuld van uw broer dan vijf jaar geleden?'
Er klonk een half onderdrukte vloek aan de andere kant van de lijn. 'Dat is het enige waar jullie altijd maar op uit zijn, hè? Bevestiging van James' schuld.'
'Ik geef u nu de gelegenheid hem te verdedigen, maar u schijnt daar niet erg graag gebruik van te willen maken.'
John Streeter negeerde Deacons opmerking. 'Mijn broer komt uit een eerlijk, hard werkend gezin, net als ik. Hebt u er enig idee van hoe mijn ouders er aan toe zijn sinds hun zoon een dief genoemd is? Zij zijn fatsoenlijke, achtenswaardige mensen, en ze kunnen maar niet begrijpen dat journalisten als u niet naar hen willen luisteren.' Hij haalde diep adem. 'U bent niet geïnteresseerd in de feiten, u wilt alleen iemand nog verder de stront in trappen.'

'Speelt u niet hetzelfde spel?' mompelde Deacon. 'Tenzij ik uw persbericht verkeerd heb gelezen, berust uw verdediging van James uitsluitend op het zwartmaken van Nigel de Vries en Amanda Streeter.'
'En met reden. Er is geen bewijs voor haar uitspraak dat James een buitenechtelijke relatie had, terwijl er wel aanwijzingen zijn dat zij een verhouding had met De Vries. Hij heeft de bank tien miljoen pond lichter gemaakt, en zij heeft hem geholpen en hem gesteund in het afschuiven van de schuld op haar man.'
'Dat is een forse beschuldiging. Kunt u die hardmaken?'
'Niet zonder inzage in hun bankrekening en een overzicht van hun beleggingen. Maar u hoeft alleen maar te kijken naar de huizen die ze bewonen om te begrijpen dat daar heel wat geld in is gestoken. Amanda heeft binnen enkele maanden na James' verdwijning een huis van £600.000 aan de Theems gekocht, en De Vries heeft kort daarna een buitenhuis gekocht in Hampshire.'
'Hebben ze nog contact met elkaar?'
'Wij denken van niet. De Vries heeft in de afgelopen drie jaar tenminste vijf minnaressen gehad, en Amanda heeft zich in feite teruggetrokken en leidt een celibatair leven.'
'Waarom denkt u dat ze dat doet?'
Streeters stem klonk fel. 'Waarschijnlijk om dezelfde reden als waarom ze nooit echtscheiding heeft aangevraagd. Ze wil de indruk wekken dat James nog in leven is en zich verborgen houdt.'
Deacon bladerde door de fotokopieën van de persberichten. 'Goed, laten we het dan eens hebben over die zogenaamde verhouding van James met...' – hij zocht de juiste alinea – '... Marianne Filbert. Als er geen bewijs voor is, waarom heeft de politie Amanda dan op haar woord geloofd? Wie is Marianne Filbert? Waar is ze? Wat heeft zij over de zaak te melden?'
'Ik zal die vragen een voor een voor u beantwoorden. De politie heeft Amanda op haar woord geloofd omdat dat hun wel goed uitkwam. In hun verhaal moest een computerdeskundige voorkomen, en Marianne Filbert paste mooi in die rol. Ze maakte in het midden van de jaren tachtig deel uit van een onderzoeksteam van Softworks Limited. Softworks had in 1986 opdracht een rapport te schrijven voor Lowensteins Bank. Maar niemand weet of Marianne Filbert daar wel bij betrokken was. Ze is in 1989 naar de Verenigde Staten gegaan.' Hij zweeg even. 'Daar is ze gedurende zes maanden in dienst geweest bij een softwarebedrijf in Virginia, waarna ze verhuisd is naar Australië.'
'En daarna?' vroeg Deacon toen hij niet verderging.

'Wat er daarna met haar gebeurd is, weten we niet. Als ze inderdaad naar Australië is gegaan, wat nu twijfelachtig lijkt, dan heeft ze daar waarschijnlijk een andere naam aangenomen.'
'Wanneer is ze bij dat bedrijf in Virginia weggegaan?'
'In april 1990,' zei de ander aarzelend.
Deacon had met hem te doen. John Streeter was niet op zijn achterhoofd gevallen en blind vertrouwen paste duidelijk niet goed bij hem.
'En de politie ziet een verband tussen de verdwijning van uw broer en de hare. Met andere woorden, hij zou haar gezegd hebben waar ze naartoe moest gaan.'
'Maar ze hebben nooit kunnen aantonen dat James en Marianne Filbert elkaar zelfs maar gekend hebben.' Streeters ingehouden woede was duidelijk hoorbaar. 'Wij denken dat de Vries en Amanda haar het groene licht hebben gegeven om te vertrekken.'
'Een samenzwering van drie partijen dus?'
'Waarom niet? Deze theorie is net zo aannemelijk als die van de politie. Het was tenslotte Amanda die de politie de naam van Marianne Filbert heeft gegeven en het was ook Amanda die gezegd heeft dat ze naar Amerika was gegaan. Zonder die gegevens zou er geen verband hebben bestaan tussen James en een computerdeskundige en zou James die fraude onmogelijk gepleegd kunnen hebben. De hele theorie van de politie berust op de aanname dat James steun zou hebben gehad van een expert, maar Amanda's verklaring over zijn buitenechtelijke verhouding met Marianne Filbert is nooit los daarvan bevestigd.'
'Ik vind het maar moeilijk te geloven, meneer Streeter. Volgens de kranten is Amanda twee dagen lang door de politie verhoord, wat betekent dat zij hoog op hun lijstje van verdachten stond. Maar het betekent ook dat ze iets moet hebben gehad wat overtuigender was dan alleen een naam. Wat zou dat geweest kunnen zijn?'
'Ze had geen enkel bewijs,' zei John Streeter koppig.
Deacon stak een sigaret op terwijl hij wachtte tot de ander verder zou gaan.
'Bent u daar nog?' wilde Streeter weten.
'Jawel.'
'Ze had geen enkel bewijs dat zij een verhouding hadden. Ze kon niet eens bewijzen dat ze elkaar kenden.'
'Ik luister.'
'Ze heeft de politie een stel foto's gegeven. De meeste waren opnamen van de auto van James voor het flatgebouw waar Marianne Filbert woonde voordat ze naar Amerika ging. Er waren drie vage foto's

van twee mensen die elkaar kusten, waarvan ze zei dat dat Marianne en James waren, maar het hadden net zo goed anderen kunnen zijn. Verder was er nog een foto van een man, op de rug gezien, die een jas aanhad die leek op de jas die James droeg terwijl hij de voordeur van de flat binnenging. Zoals ik al zei, het bewijst allemaal niets.'
'Wie had die foto's genomen?'
'Een privé-detective die door Amanda was ingeschakeld.'
Zou het dezelfde zijn geweest die ze had geraadpleegd over Billy Blake? 'Stonden er datums op?'
'Ja.'
'Wanneer waren ze gemaakt?'
'Tussen januari en augustus 1989.'
'U zei dat op de meeste foto's de auto van James stond. Zat hij erin toen ze gemaakt werden?'
'Er zat wel iemand in, maar de kwaliteit van de foto's was niet goed genoeg om te zeggen of het James was of niet.'
'Misschien was het Nigel de Vries wel,' mompelde Deacon, maar zijn ironie was niet aan de ander besteed. Het leek wel alsof John Streeters obsessie om de onschuld van zijn broer te bewijzen nog groter was dan Amanda's obsessie om Billy Blakes ware identiteit te achterhalen. Was het zaad van de paranoia na het verraad in vruchtbare aarde gevallen?
'Wij denken inderdaad dat die man De Vries was,' zei Streeter.
'Hebben ze uw broer er dan expres in laten lopen?'
'Ja.'
'Dat is wel een enorme samenzweringstheorie, beste meneer Streeter.' Deze keer legde Deacon zijn sarcasme er dik bovenop. 'U beweert dus dat deze mensen een jaar van tevoren al uitgestippeld hadden hoe ze een volstrekt onschuldig man zouden gaan vermoorden, onafhankelijk van wat er in de tussenliggende periode zou gebeuren. Denkt u dat nou echt?' De askegel viel van zijn sigaret en liet een spoor na op zijn revers. 'Is uw schoonzuster dan zo'n monster, meneer Streeter? Dat zou ze dan toch moeten zijn, dacht ik zo, om nog zo lang onder één dak te wonen met een man van wie ze wist dat ze hem zou gaan vermoorden. Is ze echt zo'n loeder? Een soort Medusa?'
Stilte.
'En welke idioot zou ervan uitgaan dat de status quo onveranderd blijft? James was een vrij man. Hij had op elk door hem gewenst moment zijn baan kunnen opzeggen of bij zijn vrouw weggaan, en wat zou er dan van die opzet geworden zijn?' Hij zweeg even om de ander de gelegenheid te geven iets te zeggen, maar ging door toen die

dat niet deed. 'De meest voor de hand liggende verklaring is die van de politie: dat James een verhouding had met Marianne Filbert, maar dat Amanda daar een eind aan gemaakt heeft door hem te laten volgen, foto's van hem te laten maken en vervolgens zo'n druk op hen uit te oefenen dat Marianne uiteindelijk naar de Verenigde Staten verbannen werd of zichzelf daarnaartoe verbande.'
'Hoe wist zij dan waar Marianne was?'
'Omdat ze niet dom is. Bij de afspraak die gemaakt werd om haar huwelijk te redden hoorde een bewijs dat Marianne geen kwaad meer kon, en dan wilde ze natuurlijk graag iets hebben wat te verifiëren was, bijvoorbeeld een arbeidsovereenkomst met de naam van de werkgever erop.'
'Hebt u met haar gesproken?'
'Met wie?'
'Met Amanda.'
'Nee,' loog Deacon. 'U bent de eerste die ik over deze zaak spreek, meneer Streeter. Ik kwam uw persberichten tegen en die interesseerden me zo dat ik de telefoon heb gepakt. Maar vertelt u me eens,' vervolgde hij met het gemak van iemand die erin geoefend is anderen iets voor te spiegelen, 'wat heeft u op het idee gebracht om op zoek te gaan naar een connectie tussen Amanda en De Vries?'
'Zij heeft James via De Vries ontmoet, bij een of andere officiële gelegenheid. De Vries was toen getrouwd, maar het was een publiek geheim dat hij van plan was zijn vrouw te verlaten voor Amanda. Als zijn vrouw weg was, ging hij altijd met haar uit. Toen we ons hadden gerealiseerd dat De Vries achter die fraudezaak zat, was het niet meer dan logisch om te bedenken dat Amanda er ook mee te maken zou hebben, en toen zijn we op zoek gegaan naar bewijzen dat de relatie tussen hen nog bestond.'
'Maar uw bewijs lijkt net zo wankel als uw logica.' Hij schoof de fotokopieën waar het om ging naar zich toe. 'U beschikt over een door De Vries ondertekende hotelrekening uit 1986 met niet meer dan een aanwijzing dat de betrokken vrouw Amanda is geweest. En uw getuigenverklaring uit 1989 is zelfs nog vager.' Hij legde de bovenste fotokopie opzij en liep met zijn ballpoint in de hand de tekst van de onderliggende kopie na. 'Er is een kelner die heeft verklaard dat hij champagne heeft bezorgd op kamer 306, waar hij naar zijn zeggen twee mensen gezien heeft, maar er is geen ondertekende rekening om dat te bewijzen. U kunt zelfs niet aantonen dat de man waar het om gaat De Vries was, laat staan dat de vrouw Amanda was.'
'De tweede keer heeft hij contant betaald.'

'En welke naam stond er op de rekening?'
'Smith.'
Deacon drukte zijn sigaret uit. 'En dan bent u nog verbaasd dat niemand bereid is uw standpunt te publiceren? Geen van uw beschuldigingen is bewijsbaar.'
'We hebben maar weinig geld en weinig invloed. We hebben eigenlijk een journalist van een landelijke krant nodig om de kwestie voor het voetlicht te brengen. En we hebben gehoord dat er meer aanwijzingen te vinden zijn in de dossiers van de hotels, maar dat we daarvoor moeten betalen.'
'Dat wordt een duur uitstapje dat u niets zal opleveren.'
'Ik ben nog altijd veel meer overtuigd van de eerlijkheid van mijn broer dan van die van zijn vrouw.'
'Dan leeft u in een illusie,' zei Deacon botweg. 'Het is juist zijn oneerlijkheid die buiten twijfel staat. Hij bedroog zijn vrouw, en zij kon dat bewijzen. U bent bevooroordeeld doordat u daar boos over bent. U had moeten erkennen dat James zijn ondergang grotendeels aan zichzelf te wijten had.'
'Ik wist van tevoren dat dit gesprek tijdverspilling zou zijn,' zei Streeter kwaad.
'U richt uw aanvallen steeds op het verkeerde doel, meneer Streeter; dát is tijdverspilling.'
Aan de andere kant werd de hoorn neergelegd.

De informatie die Deacon bij de politie van Isle of Dogs inwon leverde maar weinig op, ondanks Deacons suggestie dat Billy mogelijk een moordenaar was geweest. Het verbazingwekkende antwoord was dat ze die mogelijkheid hadden onderzocht toen Billy voor het eerst was gearresteerd.
'Ik heb voor het gerechtelijk onderzoek zijn dossier nog eens doorgebladerd,' zei de agent die belast was geweest met de verwijdering van Billy's lijk. 'Hij was in 1991 voor het eerst gearresteerd voor een aantal diefstallen van voedsel uit supermarkten. Toen al was hij half verhongerd, en er is nog al gediscussieerd of hij voor zou moeten komen of dat hij opgenomen zou moeten worden. Uiteindelijk is toen besloten dat hij psychiatrisch onderzocht moest worden omdat hij zijn vingerafdrukken met vuur had verwijderd. Een paar slimmeriken waren op het idee gekomen dat hij dat wel eens expres gedaan zou kunnen hebben om onder een aanklacht wegens moord uit te komen. Men was bang dat hij wel eens een gevaar voor de maatschappij zou kunnen vormen.'
'En?'

De agent haalde zijn schouders op. 'Hij is in Brixton onderzocht, maar zonder meer heengezonden. De psychiater was van mening dat hij meer een gevaar voor zichzelf was dan voor andere mensen.'
'En wat vond hij van die verbrande vingertoppen?'
'Voor zover ik het me herinner, noemde hij dat een morbide neiging tot versterving. Hij beschreef Billy als iemand die vindt dat hij straf verdient.'
'Waarom?'
Weer haalde de man zijn schouders op. 'Dat moet u die psychiater maar vragen.'
Deacon haalde zijn blocnote te voorschijn. 'Weet u hoe hij heet?'
'Dat kan ik wel nagaan.' Na tien minuten kwam hij terug met een stukje papier met een naam en adres erop. 'Wilde u verder nog iets weten?' vroeg hij. Het was duidelijk dat hij dringender zaken te doen had dan zich bezighouden met een dode alcoholistische zwerver.
Aarzelend stond Deacon op. 'Ik vroeg me af wat u vindt van de informatie die ik heb dat Billy iemand gewurgd zou hebben.'
De agent keek geïnteresseerd op in afwachting van hetgeen Deacon verder te melden zou hebben, maar deze moest erkennen dat hij alleen had gehoord dat Billy dat een keer geschreeuwd zou hebben, op een avond dat hij een delirium nabij was. 'En ging het daarbij om een man of een vrouw, meneer?'
'Ik weet het niet.'
'Hebt u misschien een naam?'
'Nee.'
'En waar zou die moord hebben plaatsgevonden?'
'Weet ik niet.'
'Wanneer?'
'Weet ik niet.'
'Het spijt me, meneer, maar dan geloof ik niet dat ik u verder nog van dienst kan zijn.'

Deacon had een bezoek gebracht aan de kade bij Westminster, waar de rondvaartboten lagen, maar er was niemand geweest die hem iets kon vertellen over een straattekenaar die daar de kost had verdiend. Hij was onder de indruk van het geweld van de rivier midden in de winter, van de manier waarop de golven onverhoeds over de overwinterende rondvaartboten sloegen en van de duistere en geheimzinnige diepte van het water. Hij dacht terug aan wat Amanda Powell had gezegd: '... hij verbleef altijd het liefst zo dicht mogelijk in de buurt van de Theems.' Maar waarom? Welke band had Billy met de

levensader van de stad? Hij boog zich voorover en keek in het water. Een oude dame hield stil op het wandelpad. 'Doodgaan voordat het je tijd is, is nooit een oplossing, jongeman. Daardoor rijzen meer vragen dan erdoor beantwoord worden. Hebt u er wel rekening mee gehouden dat er aan gene zijde misschien iets op u wacht waar u nog niet klaar voor bent?'
Hij draaide zich om. Hij wist niet of hij zich beledigd of ontroerd moest voelen. 'Niets aan de hand, mevrouw. Ik ben niet van plan zelfmoord te plegen.'
'Vandaag misschien niet,' zei ze, 'maar u hebt er wel eens aan gedacht.' Aan een riem voerde ze een wit poedeltje met zich mee. Het dier zwaaide met zijn korte staartje naar Deacon. 'Ik haal ze er altijd zo uit, degenen die erover gedacht hebben. Ze zoeken altijd een antwoord dat niet bestaat, omdat God het hun nog niet heeft willen openbaren.'
Hij hurkte neer om het hondje achter zijn oren te aaien. 'Ik stond te denken aan een vriend van me die zich zes maanden geleden van kant heeft gemaakt. Ik vroeg me net af waarom hij zich niet in de Theems heeft verdronken. Dat zou vast veel minder pijnlijk zijn geweest dan de manier waarop hij het heeft gedaan.'
'Maar zou u ook aan hem hebben staan denken als hij niet pijnlijk was gestorven?'
Deacon rechtte zijn rug. 'Waarschijnlijk niet.'
'Dan is dat misschien de reden dat hij juist die manier heeft gekozen.'
Hij haalde zijn portefeuille te voorschijn en haalde de eerste foto van Billy eruit. 'Misschien heeft u hem wel eens gezien. Hij werkte hier 's zomers als straattekenaar. Hij maakte altijd dezelfde voorstelling van de Heilige Familie, met de tekst *Zalig zijn de armen* eronder. Herkent u hem?'
Een paar seconden lang bekeek ze het magere gezicht. 'Ja, ik geloof van wel,' zei ze nadenkend. 'Ik herinner me in ieder geval wel een straattekenaar die afbeeldingen van de Heilige Familie maakte, en ik geloof inderdaad dat hij het was.'
'Hebt u ooit wel eens met hem gesproken?'
'Nee.' Ze gaf de foto terug. 'Wat had ik tegen hem kunnen zeggen?'
'Maar u hebt mij wel aangesproken,' bracht Deacon haar in herinnering.
'Omdat ik dacht dat u wel zou luisteren.'
'En dat dacht u van hem niet?'
'Van hem wist ik zeker dat hij het niet zou doen. Uw vriend wilde lijden.'

Vanwege de kleine kans dat Billy leraar was geweest, en omdat hij had geconstateerd dat er geen landelijk register was van leraren, had Deacon iemand die hij kende en die op het hoofdkwartier van de onderwijsbond werkte mee uit eten genomen en hem gevraagd om in de ledenlijst van de bond eens na te kijken of er leraren Engels waren wier lidmaatschap in de afgelopen tien jaar zonder opgave van redenen was beëindigd.
'Je neemt me in de maling, mag ik hopen,' antwoordde zijn kennis geamuseerd. 'Heb je enig idee hoeveel leraren er in dit land zijn, en hoe groot het verloop onder hen is? Bij de laatste telling waren er meer dan vierhonderdduizend full-time banen in de belangrijkste sectoren alleen al, en dan reken ik de universiteiten niet eens mee.' Hij schoof zijn bord opzij. 'En hoe bedoel je "zonder opgave van redenen"? Depressie? Komt heel vaak voor. Invaliditeit als gevolg van mishandeling door crimineeltjes van vijftien? Komt vaker voor dan men wil toegeven. Op het ogenblik zijn er, denk ik, meer inactieve leraren dan werkende. Wie kiest er voor de hel van voor de klas staan als je ook iets beschaafders kan gaan doen? Je vraagt me een naald in de spreekwoordelijke hooiberg te gaan zoeken. En daarbij heb je natuurlijk voor het gemak ook even de wet op de privacy vergeten; ik mag je niet eens informatie geven, zelfs al zou ik kunnen vinden wat je wilt weten.'
'De man is al zes maanden dood,' zei Deacon, 'dus echt vertrouwelijke informatie is het niet, en bovendien is zijn lidmaatschap waarschijnlijk op zijn minst vier jaar daarvoor beëindigd. Het gaat dus om uitgeschreven leden tussen, zeg maar, 1984 en 1990.' Hij begon te glimlachen en zei: 'Oké, ik geef het toe: het is een lastige vraag.'
'Nou, "lastige vraag" is nog zacht uitgedrukt. Ik zou het een absolute onmogelijkheid willen noemen. Je kent zijn naam niet, je weet niet waar hij vandaan kwam, je weet niet eens of hij wel lid was van de bond. Misschien was hij wel lid van een van de andere bonden, of misschien helemaal geen bondslid.'
'Ja, dat realiseer ik me wel.'
'Je weet trouwens helemaal niet eens of hij wel leraar was. Dat veronderstel je alleen maar omdat hij gedichten van William Blake citeerde.' De man glimlachte vriendelijk. 'Deacon, doe me een lol, wil je. Ga fietsen! Ik ben een overwerkte, onderbetaalde loonslaaf en geen helderziende.'
Deacon lachte. 'Oké, je hebt gelijk. Het was geen goed idee van me.'
'Wat is er trouwens zo belangrijk aan hem? Dat heb je me nog niet echt uitgelegd.'

‘Misschien niets.’
‘Vanwaar dan al die moeite om uit te vissen wie hij was?’
‘Ik ben nieuwsgierig naar de reden die een gestudeerd iemand kan hebben om zo zelfdestructief te zijn.’
‘Juist, ja,’ zei de ander begrijpend. ‘Je hebt er persoonlijke redenen voor.’

The Street, Fleet Street, London EC4

Dr. Henri Irvine,
St Peter’s Hospital
Londen SW10

10 december 1995,

Geachte dr. Irvine,
Uw naam is mij genoemd in verband met een arrestant die u in 1991 in de gevangenis van Brixton hebt onderzocht. Zijn naam was Billy Blake. Wellicht hebt u in de pers gelezen dat hij in juni dit jaar van de honger is omgekomen in een garage in de Docklands hier in Londen. Ik ben me gaan interesseren voor dit naar mijn idee tragische geval en vroeg me af of u over informatie beschikt die mij zou kunnen helpen bij het vaststellen van zijn identiteit en de plaats waar hij vandaan kwam.
Ik denk dat hij de schuilnaam William Blake heeft gekozen omdat er parallellen waren tussen het leven van de dichter en het zijne. Evenals William Blake was Billy geobsedeerd door God (en/of goden), en hoewel hij er tegenover iedereen die maar wilde luisteren over praatte, was ook zijn boodschap te esoterisch om zonder meer begrepen te kunnen worden. Beide mannen waren kunstenaars en visionairs, en beiden zijn ook in behoeftige omstandigheden aan hun eind gekomen. Tussen haakjes, mijn afstudeerscriptie handelde over William Blake, dus ik ben zeer geïnteresseerd in deze parallellen.
Uit de geringe informatie die ik tot dusver heb kunnen inwinnen, is mij duidelijk gebleken dat Billy een gekweld mens was, wellicht ook schizofreen. Daarbij heeft een van mijn informanten (niet erg betrouwbaar) verklaard dat Billy bekend had in het verleden ooit eens een man of vrouw te hebben gewurgd. Beschikt u over enige

informatie die kan dienen tot steun of tot verwerping van deze verklaring?
Ik erken uiteraard het vertrouwelijke karakter van uw gesprek(ken) met Billy, maar ik meen dat zijn overlijden een onderzoek rechtvaardigt. Alles wat u me kunt vertellen zal zeer op prijs worden gesteld. Ik ben er uiteraard niet op uit uw reputatie als arts te schaden en zal al uw informatie slechts aanwenden voor het verdere onderzoek naar Billy's levensverhaal.
Wellicht kent u mijn werk al, maar voor het geval dat niet zo is, zend ik u bijgaand enkele voorbeelden daarvan. Ik hoop dat u daaraan enig vertrouwen in mijn werkwijze zult kunnen ontlenen.

Hoogachtend,

Michael Deacon

Michael Deacon

Dr. Henry Irvine
St Peter's Hospital,
Londen

17 december 1995,

Geachte heer Deacon,
Dank u voor uw brief van 10 december j.l. Mijn rapport over Billy Blake is al sinds 1991 voor iedereen ter inzage beschikbaar, dus ik zie geen reden om het als een schending van het vertrouwelijke karakter ervan te beschouwen u de informatie te verschaffen waar u om vraagt. Evenals u ben ik van mening dat zijn dood een onderzoek rechtvaardigt. Ik was geschokt toen mij verder contact met hem werd geweigerd nadat ik had verklaard dat Billy's automutilatie waarschijnlijk eerder het gevolg was van een persoonlijk trauma dan van een misdadige opzet, omdat ik ervan overtuigd ben dat hij baat zou hebben gehad bij voortzetting van mijn gesprekken met hem. Ik heb hem na zijn ontslag uit de gevangenis een gratis behandeling aangeboden, maar ik kon hem natuurlijk niet dwingen daarop in te gaan. Natuurlijk was het niet te vermijden dat ik het contact met hem zou verliezen. Totdat ik uw brief ontving, had ik nooit meer iets over de zaak vernomen.
Ik wil u een indruk geven van mijn rol in het geheel. De politie was er niet van overtuigd dat de diefstal van brood en vleeswaren uit een supermarkt Billy's eerste misdaad was. Ze waren van mening dat hij een schuilnaam gebruikte en waren achterdochtig geworden door het ontbreken van de huid op zijn vingertoppen, waardoor herkenning onmogelijk was. Ondanks langdurige ondervraging waren ze er echter niet in geslaagd hem te 'breken' en hebben ze hem vastgehouden op grond van de winkeldiefstal die hij al bekend had. Mij is toen, vanwege het bizarre gedrag van de man, gevraagd om voorafgaand aan zijn veroordeling een psychologisch rapport op te stellen. Mijn opdracht was, kort gezegd, uit te zoeken of Billy een gevaar betekende voor de samenleving. Het argument voor het onderzoek was dat hij wellicht zijn handen niet zo ernstig zou hebben toegetakeld dat zijn vingerafdrukken verdwenen waren wanneer hij niet bang was om beschuldigd te worden van een in het verleden gepleegde ernstige misdaad.
Hoewel ik slechts drie keer met Billy gesproken heb, maakte hij een

buitengewone indruk op me. Hij was uiterst mager, had een spierwitte kuif, en hoewel hij een alcoholist was die duidelijk last had van onthoudingsverschijnselen, was hij zichzelf geheel meester. Hij maakte een krachtige en charmante indruk. Ik kan hem het beste omschrijven als een 'fanaticus' of een 'heilige'. Dit zijn misschien merkwaardige karaktertrekken in het Londen van de jaren negentig, maar wanneer we even afzien van zijn overduidelijke geestelijke stoornissen, maakt zijn begaanheid met het lot van anderen terwijl hij zelf gekweld werd, elke andere omschrijving tot een onvolledige. Ik vond hem nogal een persoonlijkheid.
Bijgaand doe ik u de laatste alinea's van het psychiatrisch rapport toekomen en een transcriptie van een deel van een gesprek dat ik met hem had. Ik moet bekennen dat ik de associatie met William Blake destijds niet gehad heb, maar Billy's conversatie was zeker van een visionair karakter. Als ik u verder nog ergens mee van dienst kan zijn, aarzelt u dan niet contact met mij op te nemen.

Hartelijke groeten,

Henry Irvine

Henry Irvine

P.S: M.b.t. de transcriptie: het waren natuurlijk de antwoorden die Billy niet gaf die het meest onthullend waren.

Psychiatrisch rapport
Patiënt: Billy Blake SV/5387
Rapporteur: Dr. Henry Irvine

- blz.3 -

Conclusie:
Billy heeft een goed ontwikkeld begrip van morele en ethische gedragsregels, maar spreekt daarover als over 'rituelen ter onderwerping van het individu aan de wil van de stam', waaruit ik afleid dat zijn eigen moraal conflicteert met sociale en wettelijke definities van goed en fout. Hij vertoont een opmerkelijke zelfbeheersing, maar geeft geen inzicht in zijn achtergrond of persoonlijke levensgeschiedenis. Billy Blake is naar alle waarschijnlijkheid een schuilnaam. Op vragen naar eventueel door hem gepleegde misdaden reageert hij niet. Hij heeft een hoog IQ. Het is moeilijk in te schatten waarom hij weigert over zijn verleden te praten. Hij heeft een morbide belangstelling voor de hel en voor versterving, maar hij is eerder een gevaar voor zichzelf dan voor de gemeenschap. Ik vind geen aanwijzingen voor het bestaan van een gevaarlijke geestelijke stoornis. Hij lijkt een duidelijke motivatie te hebben voor de door hem gekozen levensstijl – die ik zou omschrijven als die van een boeteling. Ik acht het waarschijnlijk dat zijn gedrag wordt ingegeven door een persoonlijk trauma, dat niets te maken heeft met misdaden.
Hij maakt de indruk een passieve individualist te zijn, hoewel ik wel tekenen van opwinding bij hem bespeur als er doorgevraagd wordt over zijn activiteiten en de plaatsen waar hij zich ophield voordat de politie zich met hem bemoeide. Het is niet ondenkbaar dat er sprake is van een misdaad in zijn verleden – hij is tenslotte ook in staat zichzelf te mishandelen – maar ik acht het niet waarschijnlijk. Hij ontwikkelde al snel een hevige weerstand tegen mijn vragen op dit gebied, dus ik acht het onwaarschijnlijk dat hij bij eventuele vervolgzittingen meer zal willen zeggen. Ik ben er echter van overtuigd dat hij baat zal hebben bij een therapie, aangezien ik denk dat zijn 'verbanning' uit de maatschappij, die in zijn geval gepaard gaat met een haast fanatieke behoefte om door honger en armoede te lijden, uiteindelijk een onnodig vroege dood tot gevolg zal hebben.

Henry Irvine

Henry Irvine

Transcriptie van bandopname van gesprek met Billy Blake – 12 juli 1990 (gedeelte)

IRVINE: Bedoelt u dat uw persoonlijke opvattingen van moraal van een hogere orde zijn dan de religieuze moraal?
BLAKE: Ik bedoel dat ze anders zijn.
IRVINE: Hoezo anders?
BLAKE: Absolute waarden hebben geen plaats in mijn moraal.
IRVINE: Kunt u dat uitleggen?
BLAKE: Verschillende omstandigheden vragen om verschillende regels. Zo is het niet altijd een zonde om te stelen. Als ik een moeder was en mijn kinderen leden honger, dan zou ik het een grotere zonde vinden om ze te laten verhongeren dan om te gaan stelen.
IRVINE: Dat voorbeeld is te gemakkelijk. Dat zouden de meeste mensen met u eens zijn. Maar hoe zit het bijvoorbeeld met moord?
BLAKE: Hetzelfde. Ik denk dat er momenten en gelegenheden zijn waar moord, met of zonder voorbedachten rade, passend is. (Stilte) Maar ik denk niet dat je met de gevolgen van zo'n misdaad kunt leven. Het taboe op het ombrengen van iemand van je eigen soort is heel sterk, en taboes zijn moeilijk te rationaliseren.
IRVINE: Spreekt u nu uit persoonlijke ervaring?
BLAKE: (Gaf geen antwoord)
IRVINE: U straft uzelf wel heel zwaar, lijkt het. Zeker als ik naar uw handen kijk. U weet zelf waarschijnlijk ook wel dat de politie denkt dat u opzettelijk hebt geprobeerd de huid op uw vingertoppen te verwijderen.
BLAKE: Alleen maar omdat ze geen andere reden kunnen bedenken waarom iemand zich zou willen uitdrukken in het enige dat hem echt toebehoort, zijn lichaam.
IRVINE: Automutilatie is meestal een kenmerk van een geestelijke stoornis.
BLAKE: Zou u hetzelfde gezegd hebben als ik mezelf met tatoeages overdekt had? De huid kan dienen als doek voor individuele creativiteit. Ik zie in mijn handen dezelfde schoonheid die een vrouw ziet als ze zich voor de spiegel staat op te maken. (Korte stilte) Wij gaan ervan uit dat we heersen over onze geest, maar dat is niet zo. Iedereen is zo gemakkelijk te manipuleren. Als een man arm is, wordt hij jaloers; als hij rijk is, trots. Heiligen en zondaars zijn de enige vrijdenkers in de maatschappij.
IRVINE: Tot welke van de twee rekent u zichzelf?
BLAKE: Geen van beide. Ik ben niet in staat om vrij te zijn in mijn denken. Mijn geest is gebonden.

IRVINE: Waardoor?
BLAKE: Door hetzelfde als de uwe, dokter. Door mijn verstand. U bent te slim om tegen uw eigen belang in te handelen. Daarom bent u niet spontaan. U zult sterven in de ketenen die u zelf hebt gemaakt.
IRVINE: U bent gearresteerd wegens diefstal. Handelde u daarbij niet tegen uw eigen belang?
BLAKE: Ik had honger.
IRVINE: Hoe vindt u het om in de gevangenis te zitten?
BLAKE: Het is koud buiten.
IRVINE: Vertelt u eens iets over die ketenen die ik zelf gemaakt heb.
BLAKE: Die zitten in uw geest. U conformeert u aan regels die anderen u voorgeschreven hebben. U doet nooit iets wat u zelf wilt, want de wil van de stam is sterker dan de uwe.
IRVINE: U zei dat uw geest net zo onvrij is als de mijne, maar u bent toch geen conformist. Als u dat was, zat u niet in de gevangenis.
BLAKE: Gevangenen zijn de grootste conformisten, anders zouden er in dit soort instellingen voortdurend rellen en opstanden aan de gang zijn.
IRVINE: Dat bedoelde ik niet. U bent volgens mij iemand met een goede opleiding, maar toch leeft u als een zwerver. Is de eenzaamheid van het leven op straat te verkiezen boven een normaler leven in een huis met een gezin?
BLAKE: (Na een lange stilte) Dat is me te onduidelijk, dokter. Kunt u de begrippen huis en gezin nader omschrijven?
IRVINE: Een huis bestaat uit stenen en cement en daarin vindt je gezin – vrouw en kinderen – veilig onderdak. De meesten van ons houden van hun huis omdat daar de mensen zijn van wie we houden.
BLAKE: Zo'n plek als u nu beschrijft heb ik niet achtergelaten toen ik op straat ging leven.
IRVINE: Wat hebt u wel achtergelaten?
BLAKE: Niets. Ik heb alles wat ik bezit bij me.
IRVINE: Herinneringen zonder betekenis?
BLAKE: Ik ben alleen geïnteresseerd in het heden. Hoe we in ons heden leven bepaalt ons verleden en onze toekomst.
IRVINE: Met andere woorden: vreugde in het heden maakt onze herinneringen vreugdevol en geeft een optimistisch beeld van onze toekomst?
BLAKE: Ja. Als je dat wilt.
IRVINE: Is dat wat ú wilt?
BLAKE: Vreugde is ook weer zo'n concept dat onbegrijpelijk voor me is. Een arme man is blij met een sigarettenpeuk die hij in de goot vindt,

terwijl een rijk man daarvan walgt. Ik ben tevreden met mijn rust.
IRVINE: Helpt drank u om rustig te worden?
BLAKE: Het is een snelle weg naar vergetelheid, en vergetelheid betekent voor mij rust.
IRVINE: U houdt niet van uw herinneringen?
BLAKE: (Gaf geen antwoord)
IRVINE: Kunt u me een voorbeeld geven van een nare herinnering?
BLAKE: Ik heb wel mensen gezien die van de kou op straat waren overleden, en ik heb mensen gezien die door geweld omkwamen. Woede drijft sommigen tot waanzin. De menselijke geest is zo zwak dat een krachtige emotie alle vooropgezette bedoelingen teniet kan doen.
IRVINE: Ik ben meer geïnteresseerd in nare herinneringen uit de tijd voordat u op straat ging leven.
BLAKE: (Gaf geen antwoord)
IRVINE: Denkt u dat het mogelijk is te genezen van het soort waanzin dat u net beschreven hebt?
BLAKE: Bedoelt u herstel of verlossing?
IRVINE: Allebei. Gelooft u in verlossing?
BLAKE: Ik geloof in de hel. Niet in een hel van vuur en de kwellingen van de Inquisitie, maar de bevroren hel van de eeuwige wanhoop, waar liefde afwezig is. Het is moeilijk voor te stellen hoe de verlossing daarin kan binnendringen, tenzij God bestaat. Alleen goddelijke tussenkomst kan een ziel redden die veroordeeld is om voor eeuwig in de eenzaamheid van een bodemloze put te leven.
IRVINE: Gelooft u in God?
BLAKE: Ik geloof dat ieder van ons in aanleg iets goddelijks heeft. Als verlossing mogelijk is, dan kan die alleen maar in het hier en nu plaatsvinden. U en ik zullen worden geoordeeld op basis van de moeite die we hebben gedaan de ziel van een ander te behoeden voor de eeuwige wanhoop.
IRVINE: Is het redden van een andere ziel een paspoort naar de hemel?
BLAKE: (Gaf geen antwoord)
IRVINE: Kunnen we voor onszelf de verlossing verdienen?
BLAKE: Niet als we tegenover anderen tekortschieten.
IRVINE: Wie zal ons oordelen?
BLAKE: Wij oordelen over onszelf. Onze toekomst, of die nu hier is of in het hiernamaals, wordt bepaald door ons heden.
IRVINE: Bent u ooit tekortgeschoten tegenover iemand?
BLAKE: (Gaf geen antwoord)
IRVINE: Misschien zie ik het verkeerd, maar u hebt uzelf al geoordeeld

en veroordeeld. Waarom is dat dan, als u gelooft dat voor anderen verlossing mogelijk is?
BLAKE: Ik ben nog op zoek naar de waarheid.
IRVINE: Het is wel een heel sombere filosofie. Is er geen ruimte voor geluk in uw leven?
BLAKE: Als het maar enigszins mogelijk is, drink ik me een stuk in mijn kraag.
IRVINE: Wordt u daar gelukkig van?
BLAKE: Natuurlijk. Maar voor mij is geluk de afwezigheid van het verstand. Uw definitie is waarschijnlijk anders.
IRVINE: Hebt u zin om te praten over de oorzaak van het feit dat voor u vergetelheid de enige weg is om met uw herinneringen om te gaan?
BLAKE: Ik lijd in het heden, dokter, niet in het verleden.
IRVINE: Geniet u van uw lijden?
BLAKE: Ja, als daardoor medelijden wordt opgewekt. Er is geen ontsnappen aan de hel anders dan door de barmhartigheid van God.
IRVINE: Waarom zou u in de hel blijven? Kunt u zichzelf niet nu op dit moment verlossen?
BLAKE: Mijn eigen verlossing interesseert me niet.
(Billy weigerde verder op het onderwerp in te gaan. Tot aan het einde van de sessie hebben we nog een aantal minuten doorgepraat over algemeenheden.)

6

ER LAGEN DIE OCHTEND TWEE KERSTKAARTEN OP DEACONS BUREAU. DE ene was van zijn zuster Emma. *Hugh ziet steeds jouw naam in* The Street *staan, dus we nemen aan dat deze kaart wel bij je aan zal komen,* had ze geschreven. *We worden er allemaal niet jonger op, dus wordt het zo langzamerhand niet eens tijd voor een wapenstilstand? Als je Ma niet wilt bellen, bel mij dan tenminste eens. Zo moeilijk is het toch niet om te zeggen dat het je spijt en opnieuw te beginnen?* De andere was van zijn eerste vrouw, Julia. *Ik kwam laatst Emma tegen, en zij zei me dat je bij* The Street *werkt. Het schijnt dat je moeder het afgelopen jaar ernstig ziek is geworden, maar Emma zei dat ze beloofd heeft het jou niet te vertellen omdat Penelope niet wil dat je terugkomt uit medelijden of schuldgevoel. Aangezien ik die belofte niet gedaan heb, neem ik de vrijheid om het je mee te delen. Als je echter in de afgelopen vijf jaar niet heel erg veranderd bent, zal je deze kaart wel doormidden scheuren en niets ondernemen. Jij was altijd al koppiger dan Penelope.*
Zoals Julia had voorspeld, verscheurde hij haar kaart. Die van Emma zette hij echter op zijn bureau.

Deacon besteedde uren aan Paul Garrety's computer om te proberen de foto van Billy Blake in overeenstemming te brengen met die van James Streeter, maar tevergeefs. Paul zei dat het tijdverspilling zou blijven totdat hij een betere foto van James had. 'Je vergelijkt nu appels met peren,' legde hij uit. 'De foto's van Billy zijn *en face*, terwijl die van James schuin van voren zijn genomen. Ga terug naar zijn vrouw en vraag eens of ze nog oude kiekjes van hem heeft liggen.'
'Het is zonder meer tijdverspilling,' zei Deacon met weerzin. Hij leunde achterover en keek naar de gezichten op de foto's. 'Het zijn twee verschillende mannen.'
'Dat probeer ik je nou al drie dagen duidelijk te maken. Waarom kan je dat niet gewoon accepteren?'
'Omdat ik niet in toeval geloof. Het sluit mooi aan als Billy en James

dezelfde personen zouden zijn, maar als dat niet het geval is, is alles als los zand.' Hij telde de punten af op zijn vingers. 'James zou een reden gehad hebben om naar zijn vrouw toe te gaan; een vreemdeling niet. Amanda heeft uit schuldgevoel zijn uitvaart betaald; haar schuldgevoel is alleen logisch als het haar man betrof, en totaal ongerijmd als het om een vreemde ging. Ze is geobsedeerd door de identiteit van Billy; maar waarom, als hij een volstrekt onbekende voor haar was?' Hij trommelde met zijn vingers op zijn bureau. 'Ik denk dat ze de waarheid vertelt als ze zegt dat ze niet wist dat hij er was, en ik denk ook dat het waar is dat ze hem niet herkende. Maar ik ben ervan overtuigd dat ze er naderhand al gauw achter gekomen is dat de man die in haar garage is overleden James was.'

Paul keek bedenkelijk. 'Waarom heeft ze dat dan niet aan de politie gemeld?'

'Uit angst dat ze zouden denken dat zij hem met opzet in haar garage had opgesloten.'

'Maar waarom probeerde ze jou dan voor het geval te interesseren? Waarom liet ze de hele zaak dan niet doodbloeden?'

Deacon haalde zijn schouders op. 'Ik kan twee redenen bedenken. De eerste is: gewoon uit nieuwsgierigheid. Ze wil weten wat er met James gebeurd is nadat hij uit haar leven was verdwenen. En de tweede is: vrijheid. Totdat hij officieel is doodverklaard, blijft ze steeds aan hem gebonden.'

'Ze kan zo echtscheiding uitgesproken krijgen op grond van moedwillige verlating.'

'Maar alle anderen zullen denken dat hij nog in leven is, wat betekent dat mensen als ik steeds maar bij haar op de stoep zullen staan met lastige vragen.'

Paul schudde zijn hoofd. 'Dat is een onzinnig argument, Mike. Als je nou gezegd had dat ze hem om financiële redenen doodverklaard wilde hebben, dan zou ik het waarschijnlijk met je eens zijn. Dan zou hij haar bijvoorbeeld voor zijn dood nog gesproken kunnen hebben en haar hebben verteld hoe zij de hand op zijn fortuin zou kunnen leggen. Zij zou dan als weduwe alles van hem erven. Denk daar eens aan, beste jongen.'

'Mijn theorie gaat alleen op als zij hem níet gesproken heeft,' verklaarde Deacon zacht. 'Als ze hem wel heeft gesproken, ligt de zaak totaal anders. In ieder geval heb ik de indruk dat ze allang de hand heeft weten te leggen op het geld.'

'Geen van beide is het geval, maatje. Die vent' – hij tikte op de foto van Billy Blake – 'is James Streeter niet.'

'Wie was hij dan wel, en wat deed hij in godsnaam in haar garage?'
'Laat Barry er eens naar kijken. Met hem heb je de meeste kans op succes.'
'Heb ik al geprobeerd. Hij weet het ook niet. Wie Billy ook geweest is, hij komt in Barry's archief niet voor.'
Paul Garrety keek verbaasd op. 'Zei hij dat?' Deacon knikte. 'Waarom laat hij mij dan wekenlang in die waan en zegt hij dat niet tegen me?'
'Misschien heb je wel iets verkeerds tegen hem gezegd,' zei Deacon met onbewuste ironie.

Nu hij het weekend voor Kerstmis toch niets te doen had, belde Deacon Kenneth Streeter. Hij vertelde dat hij met John gesproken had en vroeg of het schikte als hij naar Bromley kwam om een babbeltje te maken met de ouders van James. Kenneth was vriendelijker en toeschietelijker dan zijn jongste zoon. Ze maakten een afspraak voor zondagmiddag.
Het echtpaar bewoonde een wat verwaarloosd huis in een saaie buurt. Wat een verschil met het huis van Amanda, dacht Deacon. *Waar kwam haar geld vandaan?* Hij belde aan en glimlachte vriendelijk toen de oude man opendeed. 'Michael Deacon,' zei hij terwijl hij zijn hand uitstak.
Kenneth negeerde de uitgestoken hand, maar gebaarde dat hij binnen moest komen. 'Komt u maar binnen,' zei hij kortaf. 'Maar alleen omdat ik niet wil dat de buren horen wat ik te zeggen heb.' Hij sloot de deur, maar versperde de doorgang voor Deacon door voor hem te blijven staan. 'Ik houd er niet van om in de maling genomen te worden, meneer Deacon. U deed het voorkomen alsof mijn zoon John het op prijs zou stellen als ik een afspraak met u zou maken, maar toen ik mijn zoon vanmorgen belde, begreep ik dat het tegendeel het geval is. Ik wil niet dat de pers een wig drijft tussen mij en mijn enig overgebleven zoon, dus ik ben bang dat u de reis hiernaartoe voor niets hebt gemaakt.' Hij stak zijn hand weer uit naar de deur. 'Ik wens u goedendag.'
'Uw zoon heeft mij verkeerd begrepen, meneer Streeter. Hij dacht dat ik het over de diefstal van tien miljoen pond had toen ik zei dat James zijn ondergang aan zichzelf te wijten had, maar ik doelde op het feit dat zijn vrouw hem de rug had toegekeerd.' Hij deed een stap naar voren toen hij de deur tegen zijn rug voelde. 'Met andere woorden: als hij gewild had dat zijn vrouw hem steunde als het tegenzat, had hij haar vertrouwen niet moeten ondermijnen door er vriendinnetjes op na te houden.'

'Zij was degene die ontrouw was. Ze heeft nooit met De Vries gebroken,' zei de ander bitter.
'Weet u dat zeker? Er is nauwelijks een schijn van bewijs.' Hij bleef praten toen hij voelde hoe de druk op zijn rug afnam. 'Ik heb tegen John gezegd dat hij zijn aanvallen steeds op het verkeerde doel richt, maar daarmee heb ik niet gezegd dat James schuldig was aan de diefstal. Laten we eens aannemen dat hij inderdaad vermoord is, zoals u en uw zoon geloven, hoe wilt u dan dat de waarheid aan het licht komt als u steeds blijft ontkennen dat James een relatie had met Marianne Filbert? Als het bewijs daarvoor overtuigend genoeg was voor de politie, dan zou u er ook genoegen mee moeten nemen.'
In de ogen van de ander blonken tranen. 'Als we op dat punt toegeven, rest ons niets anders dan de persoon van James zoals wij die gekend hebben. En wat is de uitspraak van een vader over de eerlijkheid van zijn zoon waard? Wie zou me geloven?'
'Niemand, althans niemand die iets in de melk te brokkelen heeft,' zei Deacon botweg. 'U zult het moeten bewijzen.'
'In dit land is het zo dat schuld bewezen moet worden, niet onschuld,' zei de oude man obstinaat. 'Vijftig jaar geleden heb ik voor dat rechtssysteem gevochten, en het is een schandaal dat James veroordeeld is zonder dat het bewijs daarvoor geleverd is.'
'Ik ben het met u eens, meneer Streeter, maar tot op de dag van vandaag is zijn verdediging niet goed georganiseerd geweest. U kunt geen campagne voeren op basis van een leugen. U hebt zelfs degene die u het beste had kunnen helpen van u vervreemd.'
'U bedoelt Amanda?'
Deacon knikte.
'Wij denken dat zij heeft meegewerkt aan de moord op James.'
'Maar u hebt geen bewijs dat hij vermoord is.'
'Hij heeft nooit contact met ons opgenomen. Dat is voldoende bewijs.'
Deacon haalde het kiekje van Billy Blake uit zijn borstzakje. 'Doet deze man u misschien aan James denken?'
Het gezicht van Kenneth straalde verwarring uit. 'Hoe zou dat kunnen? Daarvoor is hij te oud.'
'Toen deze foto zes maanden geleden genomen werd was hij een jaar of vijfenveertig.'
Streeter trok de deur helemaal open om in het daglicht de foto goed te kunnen bekijken. 'Dit is mijn zoon niet,' zei hij. 'Hoe komt u er in godsnaam bij om dat te denken?'
'Hij was totaal berooid, leefde onder een valse naam en is overleden

in de garage van uw schoondochter. Hij heeft niet met haar gesproken of haar laten weten dat hij er was, maar zij heeft wel zijn crematie betaald, en ze is voortdurend bezig geweest uit te zoeken wie hij was. De enige voor de hand liggende verklaring daarvoor is dat ze bang is dat hij James was.'
Er viel een lange stilte terwijl Streeter naar het gelaat van Billy Blake staarde. 'Dat kan niet waar zijn,' zei hij ten slotte, maar hij klonk al wat minder zeker van zichzelf. 'Het is toch niet mogelijk dat hij in vijf jaar tijd zo oud zou zijn geworden! En waarom zou hij als een berooide zwerver hebben geleefd als hij hier altijd welkom was?'
'Hij zou gearresteerd zijn als hij hier was gekomen. U had hem niet voor uw buren verborgen kunnen houden.'
'Probeert u me te vertellen dat dit inderdaad James is?'
'Nee, niet per se,' antwoordde Deacon. 'Wat ik probeer duidelijk te maken is dat als uw schoondochter dacht dat hij het misschien geweest zou kunnen zijn, ze ervan overtuigd had moeten zijn dat hij nog leefde toen deze man in juni ineens dood in haar garage bleek te liggen. En dat betekent weer dat ze niet medeplichtig kan zijn geweest aan de moord op James, vijf jaar geleden.'
'Maar wat is er dan met hem gebeurd?' vroeg de oude man wanhopig. 'Hij was geen oplichter, meneer Deacon. Wij hebben hem opgevoed met de gedachte dat je je brood eerlijk moet verdienen. Het is gewoon nooit bij hem opgekomen om op een slinkse manier rijk te willen worden. Hij wilde wel graag de status hebben die hoort bij de rijkdom, net zo goed als hij die rijkdom zelf wilde, maar oplichting en het risico in de gevangenis te moeten zitten hebben hem ongetwijfeld nooit aangesproken.' Hij fronste zijn voorhoofd weer. 'Op het moment dat hij verdween hadden Amanda en hij net al hun geld gestoken in een oud schoolgebouw in Teddington aan de Theems, waar ze luxe appartementen in wilden gaan bouwen. James was er net zo enthousiast over als zij. Als het project door was gegaan, zouden ze er een aardig bedrag aan over hebben gehouden. Waarom zou hij enthousiast zijn geweest over een half miljoen pond als hij al tien miljoen bezat?'
Omdat het een mooie dekmantel was om de rest wit te wassen, dacht Deacon cynisch. 'Hoe is het afgelopen met het project?'
'In 1992 is het afgemaakt door een bedrijf dat Lowndes heet. We zijn er niet achter gekomen of Amanda het nog in beheer had of dat ze het project had overgedaan aan Lowndes. We hebben verschillende brieven gestuurd om erachter te komen, maar we hebben nooit antwoord ontvangen. Maar hoe dan ook zouden we graag willen weten

hoe ze het geld bij elkaar heeft gekregen om in 1991 het huis te kopen waar ze nu nog woont. Als ze de school eerst heeft verkocht, kan ze er nooit meer voor hebben gekregen dan de vierhonderdduizend pond die James en zij daarvoor op tafel hebben gelegd. Na negen maanden rente betalen voor het geld dat ze van de bank geleend hadden moet ze zelfs een stuk minder over hebben gehouden, en in ieder geval niet genoeg om zo'n duur huis aan de Theems te kunnen kopen. En als ze de school niet verkocht heeft en is doorgegaan met het project, dan zou ze in 1991 helemaal geen kapitaal gehad hebben.' Hij glimlachte wrang. 'Begrijpt u nu waarom we haar verdenken?'
'Misschien hadden zij en James wel andere beleggingen, waar ze met u nooit over gepraat hebben.'
Maar dat wilde er niet in bij Kenneth. Vierhonderdduizend pond was al meer dan de meeste jonge stellen konden opbrengen, vond hij, en het was nog eerlijk verdiend ook. James had zijn aandelen en obligaties te gelde gemaakt om met het project te kunnen beginnen. Deacon knikte terwijl hij bedacht dat dat zou verklaren waarom Amanda niet had willen scheiden. Als de beleggingen inderdaad van hen samen waren, dan had ze er de volledige beschikking over zolang ze maar niet het huwelijk liet ontbinden voordat hij officieel was doodverklaard. En als er ook sprake was van andere beleggingen op James' naam – *die dan misschien niet eerlijk verdiend waren* – moest ze nog twee jaar wachten voordat ze daarover als weduwe zou kunnen beschikken.
Het was allemaal veel eenvoudiger als hij zes maanden geleden in haar garage aan zijn eind was gekomen...
'Hebt u misschien een foto van James die ik even van u zou mogen lenen, meneer Streeter? Het liefst eentje *en face*. Dan krijgt u die dinsdag van me terug.'
... en wat vervelend zou het zijn als ze dat niet kon bewijzen...
'De politie zal ongetwijfeld de bankrekeningen van James zijn nagegaan toen hij verdwenen was,' zei hij terwijl hij het kiekje dat Kenneth hem toestak aanpakte. 'Hebben ze toen nog iets gevonden dat er niet had moeten wezen?'
'Natuurlijk niet. Er was niets bijzonders.'
'Hebt u hun verteld over uw verdenkingen naar aanleiding van Amanda's rijkdom?'
Op het gezicht van de oude man verscheen een vermoeide uitdrukking. 'Zo vaak dat ik zelfs een officiële waarschuwing heb gehad dat ik de politie niet steeds lastig moest vallen. Het is moeilijker dan u denkt om iemands onschuld te bewijzen, meneer Deacon.'

Hij belde een inmiddels gepensioneerde ex-collega, die een groot deel van zijn werkende leven had doorgebracht op de financiële redacties van verschillende kranten, en maakte voor diezelfde avond een afspraak met hem in een café in Camden Town. 'Ik mag officieel niet meer drinken, dus ik kan je niet hier uitnodigen,' had Alan Parker gezegd. 'Er is hier geen druppel drank in huis.'
'Ach, van een kopje koffie ga ik heus niet dood,' zei Deacon.
'Maar ík wel. Ik zie je om acht uur bij de Three Pigeons. Bestel voor mij maar vast een dubbele whisky als jij er toevallig als eerste bent.'
Deacon had Alan al een paar jaar niet meer gezien en schrok bij de aanblik van zijn oude vriend. Hij was broodmager en zijn huid zag gelig. 'Is het wel verstandig dat ik dit doe?' vroeg hij terwijl hij hun whisky's afrekende.
'Zeg niet tegen me dat ik eruitzie als een lijk, Mike.'
Zo zag hij er inderdaad uit, maar Deacon glimlachte alleen en schoof hem zijn whisky toe. 'Hoe is het met Maggie?' vroeg hij.
'Ze zou me levend villen als ze wist waar ik was en wat ik deed.' Hij hief zijn glas en nam een slok. 'Ik krijg het dat mens maar niet aan haar verstand dat ik veel beter weet wat goed voor me is dan die stomme doktoren.'
'Wat is er dan aan de hand? Waarom hebben ze tegen je gezegd dat je niks meer mag drinken?'
Alan grinnikte. 'Het is gewoon hedendaagse tirannie, Mike. Niemand mag meer dood, dus wordt er van je verwacht dat je de laatste maanden van je leven in ellende slijt. Ik mag niet roken, ik mag niet drinken en ik mag niks eten wat ook maar een klein beetje ergens naar smaakt, voor het geval ik eraan zou overlijden. Kennelijk is doodgaan van verveling nog wel acceptabel, maar overlijden aan iets waar je lol aan beleeft niet.'
'Nou, laat in godsnaam niet weten dat je hier met mij rondhangt, anders vilt ze míj levend. Waar denkt ze trouwens dat je naartoe bent, naar de kerk?'
'Ze weet precies waar ik ben, maar ze is een zachtmoedige tiran. Ik krijg de wind van voren als ik weer thuis ben, maar in haar hart is ze blij voor me dat ik even een verzetje heb. Maar goed, waar wilde je me over spreken?'
'Over een man die Nigel de Vries heet. Het enige wat ik van hem weet is dat hij in Hampshire ergens in een buitenhuis woont dat hij in '91 heeft gekocht en dat hij in de raad van bestuur van Lowensteins Bank heeft gezeten, waar hij inmiddels weg is. Ken je hem? Ik wil graag weten waar hij het geld vandaan had waarmee hij dat buitenhuis heeft gekocht.'

'O, dat is niet zo moeilijk. Hij heeft het niet gekocht; het was al van hem. Als ik het me goed herinner, is zijn vrouw in de echtelijke woning in Hampstead blijven wonen, en heeft hij Halcombe House betrokken. Ik weet alleen niet meer of het zijn eerste echtscheiding was of zijn tweede.. Waarschijnlijk de tweede, want het was een boedelscheiding zonder problemen. De kinderen die hij heeft, waren uit zijn eerste huwelijk.'
'Mij hebben ze verteld dat hij het gekocht heeft.'
'Ja, dat klopt ook wel, maar dat was een jaar of twintig geleden, toen hij zijn eerste miljoen had verdiend. Hij heeft in de jaren tachtig een beetje pech gehad, toen hij had geïnvesteerd in een transatlantische luchtvaartmaatschappij. Die is over de kop gegaan tijdens het gedoe met de kartelwetgeving, maar hij heeft de bezittingen van het bedrijf weten te houden. De reden dat hij bij Lowenstein in dienst trad was dat hij rustig wilde afwachten tot de markt zich herstelde. In ruil voor een fraai salaris heeft hij toen hun activiteiten in het Verre Oosten uitgebreid en ze een voet aan de grond bezorgd in de landen rondom de Pacific. Hij heeft het niet slecht gedaan. De bank heeft het aan De Vries te danken dat ze meedoen op de markt.'
'En hoe zat het met die James Streeter, die vent die de bank voor tien miljoen pond heeft opgelicht?'
'Ach, wat zal ik ervan zeggen? Tien miljoen pond is tegenwoordig maar een habbekrats. Barings Bank is ten onder gegaan door een tekort van achthonderd miljoen.' Alan nam nog een slok van zijn whisky. 'Bij Lowenstein hebben ze de fout gemaakt die vent te dwingen te ontsnappen en het hele schandaal in de openbaarheid te brengen. Die tien miljoen hadden ze binnen achtenveertig uur weer terugverdiend in de valutahandel, maar de negatieve publiciteit heeft ze een gevoelige deuk bezorgd in hun geloofwaardigheid.'
Deacon haalde zijn pakje sigaretten te voorschijn en hield het Alan met opgetrokken wenkbrauwen voor. 'Ik zal het niet tegen Maggie zeggen als jij het ook niet doet.'
'Je bent een goeie vent, Mike.' Hij stak de sigaret met een zekere eerbied tussen zijn lippen. 'De enige reden dat ik gestopt ben, is dat dat stomme ouwe mens maar bezwaar bleef maken. Dat is toch niet te geloven! Ik sterf van ellende om te voorkomen dat zij zich niet ellendig voelt terwijl ik sterf. En ze heeft altijd gezegd dat ik de meest egoïstische man ben die er op aarde rondloopt.'
Deacon slaagde er op een of andere manier in om te lachen – *God mocht weten hoe.* 'Ze heeft gelijk,' zei hij. 'Ik zal nooit vergeten dat je me een keer te eten uitnodigde en me toen de rekening liet betalen

omdat je zogenaamd je portemonnee thuis had laten liggen.'
'Dat was echt waar.'
'Bullshit! Ik zag hem in je binnenzak zitten.'
'Ach, in die tijd was je nog maar een groentje, Mike.'
'Ja, en jij hebt daar misbruik van gemaakt, ouwe smeerlap.'
'Je bent een goede vriend voor me geweest.'
'Wat bedoel je, "geweest"? Dat ben ik nog steeds. Wie heeft die whisky voor je betaald?' Hij zag Alans gezicht betrekken en veranderde snel van onderwerp. 'Wat doet die De Vries nu?'
'Hij heeft een softwarebedrijf gekocht. Softworks heette het, maar hij heeft het omgedoopt tot De Vries Softworks, ofwel DVS. Hij heeft de helft van het personeel de laan uit gestuurd en de zaak binnen twee jaar helemaal omgeturnd en gericht op de productie van een eenvoudige versie van Windows voor de PC-markt. Hij is een arrogante klootzak, maar hij weet wel hoe je geld moet verdienen. Op zijn dertiende is hij een krantenwijk begonnen, en sindsdien is het hem praktisch alleen maar voor de wind gegaan.'
'Je zei dat hij in de jaren tachtig een beetje pech had gehad,' bracht Deacon hem in herinnering.
'Even een kleine terugslag, meer niet. Vandaar dat baantje bij Lowenstein. Nu is hij weer terug op het niveau van voor de crash. Zijn aandelen zijn weer op het oude niveau, en hij verdient lekker met DVS.'
'Vroeger werkte er een vrouw bij Softworks die Marianne Filbert heette. Zegt die naam je iets?'
Alan schudde zijn hoofd. 'Wat heeft zij met De Vries te maken?'
Deacon legde in het kort uit wat John Streeters samenzweringstheorie behelsde. 'Ik denk dat de hele theorie voortkomt uit hun vooringenomenheid, maar het is wel interessant dat De Vries het bedrijf heeft gekocht waar James Streeter zijn computerdeskundige vandaan had.'
'Het is heel voorspelbaar als je De Vries een beetje kent. Ik denk dat Softworks wel onder de microscoop is gelegd om te kijken of het geld van de bank op een of andere manier daar terecht was gekomen, en daarin heeft De Vries vast een mogelijkheid gezien om er beter van te worden. Hij is ontzettend gehaaid.'
'Zo te horen lijkt het wel alsof je hem bewondert.'
'Ja, doe ik ook. Het is een vent met kloten. Ik mag hem niet – er zijn maar weinig mensen die hem mogen – maar daar ligt hij niet wakker van. Vrouwen houden van hem, en dat is het enige wat hij belangrijk vindt. Het is een geil mannetje.' Hij grinnikte weer. 'Dat zie je trou-

wens vaak bij rijke mannen. Zíj kunnen zich vergissingen veroorloven, wij niet.'
'Wat ben je toch nog steeds een cynische hufter,' zei Deacon vertederd.
'Ik ga dood aan leverkanker, Mike, maar mijn cynisme is nog kerngezond.'
'Hoe lang heb je nog te leven?'
'Zes maanden.'
'Maak je je er erg druk over?'
'Ik ben doodsbang, ouwe jongen. Maar ik houd me maar vast aan de woorden die Heinrich Heine op zijn sterfbed uitsprak: "God zal het me vergeven; dat is tenslotte zijn werk."'

Barry Grover hield het kiekje van James Streeter onder de lamp en keek er aandachtig naar. 'Deze is beter,' zei hij terughoudend. 'Zo heb je een betere kans om een goede vergelijking te maken dan onder die andere hoek.'
Deacon ging ongedwongen op de rand van het bureau zitten, boog zich over Barry heen op een manier die de kleine man haatte en stak een sigaret in zijn mond. 'Jij bent de expert,' zei hij. 'Is dat Billy of niet?'
'Ik had graag dat je hier niet rookte,' mopperde Barry, geïrriteerd wijzend op de sticker met de tekst *Gelieve in het belang van mijn gezondheid hier niet te roken.* 'Ik heb last van astma en ik heb er last van als er gerookt wordt.'
'Had dat dan meteen gezegd.'
'Ik dacht dat je kon lezen.' Hij schoof de map tegen Deacons dijbeen aan, in de hoop dat hij dan van zijn bureau zou opstaan, maar Deacon glimlachte alleen maar naar hem.
'De geur van sigarettenrook is te allen tijde te verkiezen boven de lucht van jouw voeten. Wanneer heb je voor het laatst nieuwe schoenen gekocht?'
'Dat gaat je niks aan.'
'Je draagt altijd alleen maar zwarte schoenen, en als het mij is opgevallen kan je er vergif op innemen dat het iedereen hier in het gebouw is opgevallen. Ik begin zo langzamerhand te geloven dat je maar één paar hebt. Waarschijnlijk heb je daar ook je astma aan te danken.'
'Je bent wel heel erg onbeschoft.'
Deacons grijns werd een stuk breder. 'Je bent gisteren zeker wezen stappen? Vandaar waarschijnlijk dat rothumeur van je.'
'Ja,' loog de kleine man bitter. 'Ik ben even wat gaan drinken met een paar vrienden.'

'Nou, als je een kater hebt, moet je zo maar even bij me langs lopen, Ik heb wat codeïne op mijn kamer. En als het geen kater is, verman je dan maar even en zeg me in godsnaam nou eens of die man volgens jou Billy is of niet.'
'Nee, volgens mij niet.'
'Ze lijken wel behoorlijk veel op elkaar.'
'De monden zijn anders.'
'Met tien miljoen pond kan je heel wat plastisch chirurgen aan het werk zetten.'
Barry deed zijn bril af en wreef zich in zijn ogen. 'Als je iemand wilt identificeren, doe je meer dan alleen een paar foto's vergelijken en alles wat niet in het beeld past wijten aan plastische chirurgie. Het gaat er wel even iets wetenschappelijker aan toe, Mike.'
'Ik luister.'
'Veel mensen lijken op elkaar, zeker op foto's, dus moet je ook rekening houden met wat je verder nog van hen weet. Het heeft bijvoorbeeld helemaal geen zin om foto's te vergelijken als een van de mensen in de Verenigde Staten thuishoort en de andere in Frankrijk.'
'Maar daar gaat het nou juist om. James is in 1990 verdwenen, en Billy is pas in 1991 opgedoken met vingers als klauwen omdat hij zijn vingerafdrukken had vernietigd. Het is best mogelijk dat Billy en James identiek zijn.'
'Maar wel uiterst onwaarschijnlijk.' Barry bekeek de foto nog eens. 'Wat is er met de rest van het geld gebeurd?'
'Hoe bedoel je?'
'Hoe heeft hij binnen enkele maanden nadat hij zijn gezicht door een plastisch chirurg had laten behandelen een berooide zwerver kunnen worden? Wat is er met de rest van het geld gebeurd?'
'Daar ben ik ook nog niet uit.' Deacon interpreteerde Barry's oogopslag terecht als uiting van een diepgeworteld wantrouwen, al straalde zijn gezicht zoals gewoonlijk iets doms uit. 'Oké, oké, ik geef toe dat het onwaarschijnlijk klinkt.' Hij stond op. 'Ik had beloofd het kiekje vandaag terug te zullen sturen. Heb je misschien tijd om er nog een negatief van te maken?'
'Op het ogenblik heb ik het druk.' Barry schoof wat papieren op zijn bureau heen en weer, alsof hij wilde bewijzen wat hij zojuist gezegd had.
Deacon knikte. 'Geeft niet. Ik loop wel even bij Lisa langs. Zij kan het waarschijnlijk wel even voor me doen.'
Toen Deacon weg was, haalde Barry zijn eigen duidelijke foto van James Streeter uit de bovenste la van zijn bureau te voorschijn. Als

Deacon deze foto had gezien, zou hij niet meer te houden zijn geweest, bedacht hij. De gelijkenis met Billy was buitengewoon groot.

Uit pure nieuwsgierigheid draaide Deacon het nummer van Lowndes Bouw- en Projectontwikkeling en vroeg iemand te spreken over een flatgebouw in Teddington aan de Theems dat door het bedrijf was verbouwd. Men wilde hem wel het adres van het gebouw geven, maar hij kreeg te horen dat er niemand aanwezig was die iets zou kunnen zeggen over de bouw op zich. 'Misschien was het wel meneer Merton die de zaak toen onder zich had,' zei de nerveuze secretaresse, 'maar hij is twee jaar geleden ontslagen.'
'Waarom?'
'Ik weet het niet zeker, maar er werd gezegd dat hij cocaïne gebruikte.'
'Hebt u enig idee waar ik hem kan bereiken?'
'Hij is ergens naartoe geëmigreerd, maar ik geloof niet dat we hier zijn adres hebben.'
Deacon noteerde de naam Merton. Na Kerstmis moest hij maar eens kijken of hij van hem iets te weten kon komen, evenals van Nigel de Vries.

Het was eenentwintig december. Deacon zat midden in een zich stapvoets voortbewegende file. Naarmate hij dichter in de buurt kwam van het verplichte kerstfeest op kantoor werd hij steeds zwartgalliger. God, wat haatte hij Kerstmis! Kerstmis was het beste bewijs dat het leven zinloos was.
Hij had de middag besteed aan een gesprek met een prostituee die onder het mom van 'onderzoeker' regelmatig toegang had gehad tot de parlementsgebouwen om zich daar tegen betaling te lenen voor seksuele uitspattingen met parlementsleden. *Goede God, was dit nou nog nieuws?* Met afschuw dacht hij aan de Britse hang naar vunzigheid, die meer zei over de onderdrukte seksualiteit van de gemiddelde Brit dan over de mannen en vrouwen wier zonden breed uitgemeten werden in de pers. In ieder geval was hij er zeker van dat de vrouw loog (misschien niet over de betaalde seks, maar in ieder geval wel over de regelmaat), want ze wist niet hoe de parlementsgebouwen er van binnen uitzagen. Aan de andere kant wist hij zeker dat JP, die een aanhanger was van de journalistieke school die wilde dat je 'nooit een goed verhaal moet laten bederven door de feiten', hem wekenlang achter al deze kleine beschuldigingen aan zou sturen in de hoop dat er enige waarheid in school. Jezus! Was dat nou alles in het leven?

Hij weet zijn depressie maar aan het jaargetijde omdat hij geen zin had om ervan uit te gaan dat het een overgeërfde geestelijke stoornis was. Alles wat er in zijn leven mis was gegaan, was in december gebeurd. Dat kon geen toeval zijn. Zijn vader was in december overleden, zijn beide vrouwen hadden hem in december verlaten, hij was in december bij de *Independent* ontslagen. En waarom? Omdat hij tegen Kerstmis de drank nooit kon laten staan en tijdens een woordenwisseling over een artikel zijn hoofdredacteur een klap had gegeven. (Als hij niet oppaste zou het hem met JP net zo vergaan.) 's Zomers was hij wel zo objectief om in te zien dat hij gevangen zat in een vicieuze cirkel – het ging met Kerstmis steeds verkeerd omdat hij dan dronken was, en hij was dronken omdat alles steeds verkeerd ging – maar aan objectiviteit ontbrak het hem nou juist het meest als hij er de grootste behoefte aan had.
Hij liet de verkeersopstopping op Whitehall voor wat die was en sloeg af in de richting van het paleis. De snijdende oostenwind van de afgelopen dagen was overgegaan in regen en natte sneeuw, maar achter de metronoom van zijn ruitenwissers leek Londen klaar voor het feest. Op alle mogelijke plekken was versiering aangebracht. Zo was daar de schitterend verlichte Noorse kerstboom, die in dit jaargetijde altijd Nelsons overheersende plaats op Trafalgar Square naar de kroon stak, glommen de gekleurde lichtjes voor de ramen van alle kantoren en winkels en waren de trottoirs gevuld met mensen. Hij bekeek het alles met een onheilspellende blik en dacht na over wat hem te wachten stond als zijn kantoor met Kerstmis dicht zou zijn.
Dagenlang wachten totdat het ellendige gebouw weer openging.
Een lege woning.
Woestijn.

JP besloot dat het verhaal van de prostituee 'body' had en instrueerde hem om zoveel mogelijk vuil te spuien.

Als het feestje op kantoor iets vrolijks had, dan was dat zeker in een van de andere ruimtes. Deacon voelde zich als een indringer bij een of andere eindeloze dodenwake, en toen hij een halfzachte poging deed om Lisa te versieren, kreeg hij als dank voor de moeite een klap.
'Gedraag je toch eens in overeenstemming met je leeftijd,' zei ze boos. 'Je bent oud genoeg om mijn vader te kunnen zijn.'
Met een verbitterd soort voldaanheid besloot hij zich helemaal lam te zuipen.

7

HET WAS BIJNA MIDDERNACHT. AMANDA POWELL ZOU NIET OP DE DEURbel hebben gereageerd als degene die bij de voordeur stond de wellevendheid had gehad de knop niet ingedrukt te houden. Na dertig seconden liep ze de hal in en keek door het kijkgaatje. Toen ze gezien had wie er stond, wierp ze eerst een bedachtzame blik op de trap, alsof ze de voor- en nadelen van een heimelijke terugtocht overwoog, maar ten slotte opende ze toch de deur op een kier. 'Wat wilt u, meneer Deacon?'

Hij haalde zijn vinger van de bel en leunde tegen de deur, die daardoor geheel openging. Hij drong langs haar heen en viel neer op een sierlijk rieten stoeltje in de hal. Hij gebaarde naar buiten. 'Ik kwam toevallig langs.' Hij deed moeite om een nuchtere indruk te wekken. 'Ik dacht, het is misschien wel aardig om even aan te wippen, want misschien voelt u zich wel eenzaam, zo zonder meneer Streeter.'

Ze keek hem even aan en sloot toen de deur. 'De stoel waar u op zit is een heel waardevol antiek meubel,' zei ze onaangedaan. 'Misschien is het wel beter als u even meegaat naar de huiskamer. De stoelen die daar staan zijn niet zo breekbaar. Dan zal ik een taxi voor u bellen.'

Hij maakte zich belachelijk door met zijn ogen heen en weer te rollen. 'U bent een pracht van een vrouw, mevrouw Streeter. Heeft James dat ooit tegen u gezegd?'

'Hij zei niet anders. Dat bespaarde hem de moeite iets originelers te bedenken.' Ze pakte hem onder zijn elleboog en probeerde hem te bewegen op te staan.

'Wat hij gedaan heeft was wel heel slecht,' zei Deacon, die haar sarcasme niet had opgemerkt. 'U zal zich wel afvragen waar u dat allemaal aan te danken had.' Zijn adem rook zwaar naar whisky.

'Ja,' zei ze, haar hoofd afwendend, 'dat klopt.'

Er blonken tranen in zijn ogen. 'Hij hield eigenlijk helemaal niet van u, hè?' Hij legde zijn hand op de hare en begon haar hand onhandig te strelen. 'Arme Amanda. Ik weet wat het is, begrijp je? Je voelt je heel eenzaam als niemand van je houdt.'

Met een plotselinge beweging kromde ze de vingers van haar andere hand en stak haar scherpe nagels onder zijn kin. 'U maakt mijn stoel kapot, meneer Deacon. Bent u nog van plan op te staan, of moet ik geweld gebruiken?'
'Ach, het is maar geld.'
'Zuurverdiend geld.'
'Niet volgens Kenneth en John.' Hij loerde naar haar. 'Zij zeggen dat het gestolen geld is, en dat jij en Nigel die arme James hebben vermoord om er de hand op te kunnen leggen.'
Ze bleef zijn hoofd omhoog drukken, hem zo dwingend haar aan te kijken. 'En wat denkt u daar zelf van, meneer Deacon?'
'Ik denk persoonlijk dat je nooit gedacht zou hebben dat Billy James was als James al dood was.'
Haar gezicht stond ineens weer volstrekt neutraal. 'U bent een slimme man.'
'Je moet gewoon goed nadenken. Er zijn in Londen vijf miljoen vrouwen, en Billy is uitgerekend naar jou toe gekomen.' Hij stak zijn wijsvinger op. 'Waarom zou hij dat gedaan hebben, Amanda, als hij jou niet had gekend? Dat zou ik wel eens willen weten.'
Meteen groef ze haar nagels weer in zijn hals. Hij probeerde in haar ijskoude blauwe ogen te kijken, maar dat lukte niet goed.
'Je lijkt ontzettend veel op mijn moeder. Zij is ook een mooie vrouw.'
Ze deed hem pijn, zodat hij moeite deed om overeind te komen. 'Alleen niet als ze boos is. Als ze boos is, is ze een verschrikking.'
'Ik ook.' Amanda trok hem de zitkamer in en duwde hem zonder veel plichtplegingen op de bank. 'Hoe bent u hier?'
'Ik ben komen lopen.' Hij ging op de bank liggen en legde zijn hoofd op een armsteun.
'Waarom bent u niet naar huis gegaan?'
'Ik wilde hiernaartoe.'
'Nou, u kunt hier niet blijven. Ik zal een taxi bellen.' Ze reikte naar de telefoon. 'Waar woont u?'
'Ik woon nergens,' zei hij met zijn gezicht tegen het zachte leer gevleid. 'Ik besta alleen maar.'
'In mijn huis kunt u niet bestaan.'
Maar dat bleek hij wel te kunnen. Hij was al buiten westen en met geen mogelijkheid meer wakker te krijgen.

Toen hij zijn ogen weer opende, zag hij grijs ochtendlicht. Hij keek om zich heen. Hij bestierf het van de kou, maar was zo lethargisch dat hij er niets aan deed. Nietsdoen verschafte tenminste nog enig genoegen, activiteit in het geheel niet. Een klok op het glazen plaatje gaf aan dat het halfacht was. De kamer kwam hem niet onbekend voor, maar waar hij precies was en waarom, wist hij niet. Hij dacht dat hij stemmen hoorde – *in zijn hoofd?* – maar de kou verdoofde al zijn nieuwsgierigheid en hij viel weer in slaap.

Hij droomde dat hij verdronk in een kolkende zee.
'Word wakker! WORD WAKKER, ROTZAK!'
Iemand sloeg hem op zijn wang. Hij opende zijn ogen. Hij lag op de vloer, opgerold als een foetus, omgeven door de zure lucht van verrotting. Maagzuur kwam door zijn slokdarm naar boven. 'Verzwelger van uw ouders,' mompelde hij, 'thans begint uw onuitsprekelijke kwelling opnieuw.'
'Ik dacht dat u dood was,' zei Amanda.
Het duurde even voordat zijn geheugen functioneerde, en Deacon vroeg zich af wie ze was. 'Ik ben nat,' zei hij, de druipend natte kraag van zijn overhemd betastend.
'Ik heb wat water over u heen gegooid.' Hij zag dat ze een lege kan in haar hand hield. 'Ik heb zeker tien minuten aan u staan rukken en trekken, maar u bewoog niet.' Ze zag doodsbleek. 'Ik dacht dat u dood was,' herhaalde ze.
'Dode mensen zijn niet angstaanjagend,' zei hij met een vreemde stem. 'Die zien er alleen niet uit.' Met moeite kwam hij overeind. Hij verborg zijn gezicht in zijn handen. 'Hoe laat is het?'
'Negen uur.'
Zijn maag begon op te spelen. 'Ik moet naar de wc.'
'Rechts, aan het einde van de gang.' Ze ging opzij om hem door te laten. 'Als u moet overgeven, maak de pot dan even schoon met de borstel. Schoonmaken doe ik niet voor ongenode gasten.'
Terwijl Deacon de gang door strompelde zocht hij naar een verklaring. *Lieve hemel, wat deed hij hier in godsnaam?*

Toen hij terugkwam in de kamer had ze de ramen geopend en de kamer met een spray met een geurverdrijver bespoten. Hij had zijn gezicht gewassen en zijn kleding op orde gebracht en zag er nu enigszins gefatsoeneerd uit, maar zijn handen trilden en zijn huid zag grauw van onpasselijkheid. 'Ik weet niet wat ik tegen je zeggen moet,' wist hij vanuit de deuropening uit te brengen. 'Sorry.'
'Waarvoor?' Ze zat op de stoel waar hij gezeten had en maakte op Deacon een oogverblindend mooie en levendige indruk. Haar haren en haar huid leken te gloeien. Haar jurk viel in heldergele plooien om

haar kuiten en hing als een tros citroenen op de herfstbladeren van het roodbruine tapijt.
Te veel kleur. Het deed pijn aan zijn ogen. Zachtjes streek hij met zijn vingers over zijn oogleden. 'Ik heb me misdragen en jou te schande gemaakt.'
'U hebt zich zeker misdragen, maar mij hebt u daarmee absoluut niet te schande gezet.'
Wat een ijskoude, dacht hij bij zichzelf. Gemeen zelfs misschien? Hij verlangde naar een vriendelijk woord van haar. 'Gelukkig dan maar,' zei hij zwakjes. 'Nou, dan ga ik maar.'
'U kunt net zo goed even uw koffie opdrinken voordat u weggaat.'
Hij wilde eigenlijk wel graag weg. De kamer rook weer naar rozen, en hij kon het niet over zijn hart verkrijgen de geparfumeerde lucht weer binnen te dringen met zijn smerige adem en zijn zure lichaamsgeur. *Wat had hij gisteravond tegen haar gezegd?* 'Als ik eerlijk ben, moet ik zeggen dat ik nu eigenlijk liever wegga.'
'Dat kan ik me wel voorstellen,' zei ze met enige nadruk, 'maar wees tenminste zo beleefd de koffie op te drinken die ik voor u heb gezet. Dat zou dan het enige wellevende gebaar van u zijn sinds u hier binnen bent.'
Hij liep de kamer in, maar ging niet zitten. 'Het spijt me.' Hij stak zijn hand uit om het kopje op te pakken.
'Alstublieft,' zei ze, op de bank wijzend, 'maak het uzelf gemakkelijk. Of wilt u misschien nog een keer proberen dat antieke stoeltje in de hal kapot te krijgen?'
Had hij geweld gebruikt? Hij glimlachte verontschuldigend. 'Het spijt me.'
'Ik wou dat u dat niet steeds zei.'
'Wat kan ik anders zeggen? Ik weet niet wat ik hier doe of waarom ik hiernaartoe ben gekomen.'
'Denkt u dat ík dat wel weet?'
Hij schudde zijn hoofd langzaam om te voorkomen dat de onpasselijkheid die hij in zijn maag voelde hem te veel zou worden. 'Je zal het wel heel raar van me vinden,' mompelde hij voor zich uit.
'Goeie hemel, nee,' zei ze met loodzware ironie. 'Hoe komt u daar nou bij? Het is voor mij tegenwoordig heel normaal om dronkelappen van middelbare leeftijd in mijn huis aan te treffen. Billy had de garage uitgekozen, en u de zitkamer. Maakt niks uit, alleen had u het fatsoen om niet dood te gaan.' Haar ogen vernauwden zich, maar of ze dat deed omdat ze kwaad was of omdat ze nadacht, kon hij niet uitmaken. 'Hebben ik of mijn huis soms iets wat dat soort gedrag uit-

nodigt? En ga nou toch eens een keer zitten, verdorie!' riep ze ineens ongeduldig. 'Ik vind het heel vervelend om steeds naar u te moeten opkijken.'
Hij ging op de armleuning van de bank zitten en probeerde de gaten in zijn geheugen te dichten. Dat kostte hem echter te veel moeite. Er verscheen een verkrampt lachje om zijn lippen. 'Ik geloof dat ik weer moet overgeven.'
Vanachter haar rug haalde ze een handdoek te voorschijn en reikte hem die aan. 'Het is volgens mij beter om te blijven zitten, maar als u het niet meer redt, weet u waar u moet zijn.' Ze wachtte zwijgend totdat hij zijn onpasselijkheid had overwonnen. 'Waarom zei u dat u uw ouders had verzwolgen en dat uw onuitsprekelijke kwelling opnieuw begon? Dat vond ik nogal raar.'
Hij keek haar onbewogen aan en veegde het zweet van zijn voorhoofd. 'Ik weet het niet.' Hij zag aan haar gezicht dat ze geïrriteerd was. 'Ik weet het écht niet!' zei hij, ineens geërgerd. 'Ik was in de war. Ik wist niet waar ik was. Begrijp je? Mág dat soms, hier in dit huis? Of moet iedereen zichzelf hier verdomme voortdurend onder controle houden?' Hij boog zich voorover en hield de handdoek voor zijn ogen. 'Het spijt me,' zei hij even later. 'Ik wilde niet vervelend zijn. Waar het om gaat is dat ik het nu even moeilijk heb. Ik kan me niets meer herinneren van gisteravond.'
'U kwam hier om een uur of twaalf.'
'Was ik alleen?'
'Ja.'
'Waarom heb je me binnengelaten?'
'Omdat u uw vinger niet van de bel wilde halen.'
Goeie hemel! Wat was hij van plan geweest? 'Wat heb ik nog meer gezegd?'
'Dat ik u aan uw moeder deed denken.'
Hij legde de handdoek op zijn schoot en begon hem op te vouwen. 'Heb ik dat als reden voor mijn komst opgegeven?'
'Nee.'
'Wat voor reden heb ik dan opgegeven?'
'Geen.' Hij keek haar aan met zo'n opgeluchte uitdrukking op zijn gespannen, bezwete gezicht dat ze even glimlachte. 'Maar u noemde me mevrouw Streeter, u had het over mijn man, mijn zwager en mijn schoonvader en u insinueerde dat dit huis en alles wat erin staat betaald is met geld dat afkomstig is van diefstal.'
Verdomme! 'Heb ik je aan het schrikken gemaakt?'
'Nee,' zei ze onaangedaan, 'ik schrik nergens meer van.'

Hij vroeg zich af waarom niet. Het leven zelf was schrikaanjagend, vond hij. 'Op de redactie was iemand die zich je gezicht wist te herinneren van de keer dat je verhoord werd in verband met de verdwijning van James,' zei hij ter verklaring. 'En ik was zo in de zaak geïnteresseerd dat ik verder op onderzoek ben uitgegaan.'
De zenuwtrek aan haar bovenlip deed zich weer gelden, maar ze zei niets.
'John Streeter leek me de aangewezen figuur om mee te gaan praten, dus ik heb hem gebeld en zijn versie van het verhaal aangehoord. Hij heeft... eh... zijn bedenkingen wat jou betreft.'
'Ik zou je schoonzuster een hoer, een moordenares en een dievegge noemen niet bepaald willen omschrijven als "bedenkingen", maar misschien bent u wel banger dan hij om aangeklaagd te worden wegens smaad.'
Deacon hield de handdoek weer voor zijn mond. Hij kon een gesprek als dit absoluut niet aan, bedacht hij. Hij voelde zich als een halfdode op de ontleedtafel, slechts in staat te wachten op de laatste snede van het ontleedmes. 'Je zou een enorme schadevergoeding kunnen afdwingen als je hem voor de rechter zou slepen,' zei hij tegen haar. 'Zijn beschuldigingen zijn totaal ongegrond.'
'Natuurlijk zijn ze ongegrond. Ze zijn stuk voor stuk onwaar.'
Hij dronk zijn koffiekopje leeg en zette het op tafel. 'Die zin over het verzwelgen van je ouders en het opnieuw beginnen van een onuitsprekelijke kwelling is afkomstig uit een gedicht van William Blake,' zei hij ineens, alsof hij aan niets anders dan dat had zitten denken. 'Die regel staat in een van zijn visionaire gedichten over sociale en maatschappelijke omwenteling. Het zoeken naar vrijheid houdt de vernietiging van de bestaande autoriteit in, met andere woorden die van de ouders, en het streven naar vrijheid veroorzaakt bij elke generatie dezelfde kwelling.' Hij stond op en keek uit het raam naar de rivier. 'William Blake... Billy Blake. Jouw ongenode gast was een liefhebber van een dichter die al bijna tweehonderd jaar dood is. Waarom is het hier in huis eigenlijk zo koud?' vroeg hij ineens, terwijl hij zijn jas dichter om zich heen trok.
'Het is niet koud. Dat komt door uw kater. Daarom zit u zo te bibberen.'
Hij keek hoe ze daar zat, in haar dure haute-couture jurk en in haar dure, geparfumeerde huis, als een stralende zon. Maar die straling was maar oppervlakkig, bedacht hij. Onder de vlekkeloze façade van haarzelf en haar huis voelde hij de wanhoop. 'Ik rook de dood toen ik wakker werd,' zei hij. 'Wilde je die verdrijven met een spuitbus?'

Ze keek heel verbaasd. 'Ik begrijp niet waar u het over hebt.'
'Misschien fantaseer ik maar wat.'
Ze glimlachte afwezig. 'Dan is het maar te hopen dat die fantasie tegelijk met de alcohol verdwijnt. Tot ziens, meneer Deacon.'
Hij liep naar de deur. 'Tot ziens, mevrouw Streeter.'
Een eindje bij het huis vandaan vond hij een klein grasveldje met een bankje met uitzicht over de Theems. Hij huiverde en liet zich de giftige alcohol door de wind uit zijn lijf zuigen. Het was eb en op het modderige strandje voor hem doorzochten vier mannen de dingen die daar in de afgelopen nacht waren aangespoeld. Ze waren van onbestemde leeftijd en waren, net als hij, gekleed in zware jassen. Aan hun uiterlijk was volstrekt niet te zien wie ze waren of waar ze vandaan kwamen en wat hij over hen dacht zou waarschijnlijk net zo bezijden de waarheid zijn als wat zij van hem dachten. Deacon verbaasde zich er weer over, net als die keer dat hij Terry ontmoet had, hoe onopvallend de gezichten van de meeste mensen waren. Hij bedacht dat hij deze mannen waarschijnlijk niet zou herkennen als hij ze in een andere omgeving terug zou zien. Uiteindelijk waren in alle verschillende combinaties van ogen, oren, neus en mond meer overeenkomsten dan verschillen te zien, en waren het slechts versieringen en uitdrukkingen die er de individualiteit aan verleenden. Als je die weghaalde, bedacht hij, dan was anonimiteit gegarandeerd.
'En wat denk jij ervan, Michael?' vroeg een zachte stem naast hem. 'Zijn er onder ons nog die het waard zijn om gered te worden of zijn we allemaal verdoemd?'
Deacon draaide zich naar de breekbare oude man met het zilverkleurige haar die stilletjes naast hem op de bank was komen zitten en die met eenzelfde concentratie als hij de activiteiten van de mannen op het strandje bestudeerde. Hij fronste zijn voorhoofd en probeerde zich het gezicht te herinneren. Het was iemand met wie hij een vraaggesprek had gehad, bedacht hij. Maar hij praatte met zoveel mensen, en het was maar zelden dat hij hun naam naderhand nog wist.
'Lawrence Greenhill,' zei de oude man. 'Je hebt me tien jaar geleden eens geïnterviewd voor een artikel over euthanasie. "De vrijheid om te sterven," heette het. Ik werkte toen nog als advocaat en *The Times* had een ingezonden brief van mij afgedrukt waarin ik inging op de praktische en ethische bezwaren van gelegaliseerde zelfmoord, zowel voor het individu als voor de familie. Je was het niet met me eens en noemde me "een scherprechter die zichzelf op een moreel voetstuk plaatst". Ik was niet blij met die omschrijving en ben hem ook nooit vergeten.'

Deacon voelde hoe het hart hem in de schoenen zonk. *Dit had hij niet verdiend... niet nog eens, nu hij zich die ochtend al zo schuldig had gevoeld.* 'Ja, ik herinner het me,' zei hij. *Te goed zelfs.* De oude gek was zo overtuigd geweest van de bijbelse rechtvaardiging van zijn mening dat Deacon hem wel had kunnen wurgen. Maar Greenhill had ook niet kunnen bevroeden hoe lichtgeraakt hij was wat dit onderwerp betreft. *Zelfmoord is altijd verkeerd, meneer Deacon... we verdoemen onszelf wanneer we Gods autoriteit in ons leven ontkennen...*

'Nou, het spijt me,' vervolgde hij ineens, 'maar ik ben het nog steeds niet met u eens. In mijn levensvisie is geen plaats voor verdoemenis.' Hij trapte zijn sigaret uit en vroeg zich af of hij zelf wel geloofde in wat hij zei. *Voor Billy Blake was de verdoemenis heel reëel geweest.* 'En trouwens ook niet voor verlossing. Het hele idee staat me tegen. Worden we gered *van* iets of *voor* iets? In het eerste geval wordt ons recht om te leven volgens onze eigen moraal bedreigd door een morele dictatuur, en in het tweede geval moeten we ons blindelings houden aan de negatieve logica dat ons na de dood iets beters te wachten staat.' Hij keek uitdrukkelijk op zijn horloge. 'Nu moet u me helaas excuseren.'

De oude man glimlachte. 'Je geeft het te snel op, beste man. Is jouw levensvisie zo makkelijk onderuit te halen dat we er niet over kunnen praten?'

'Integendeel,' zei Deacon, 'maar ik heb iets beters te doen dan te oordelen over het leven van anderen.'

'En dat geldt niet voor mij, dacht je?'

'Nee.'

De ander glimlachte. 'Ik probeer juist niemand te beoordelen.' Hij zweeg even. 'Ken je de uitspraak van John Donne: "Ieders dood tast mijzelf aan, aangezien ik deel uitmaak van de mensheid"?'

Deacon maakte het citaat af: '"Vraag daarom nooit voor wie de doodsklok luidt; hij luidt voor u."'

'Vindt u het dan verkeerd om iemand te vragen te blijven leven, ook al lijdt hij pijn, omdat zijn leven me dierbaarder is dan zijn dood?'

Deacon voelde zich ineens heel verward. De woorden dreunden door zijn hersenen. *Verzwelger van je ouders... nu begint je onuitsprekelijke kwelling opnieuw... Is het leven van een mens dan zo waardeloos dat het enige interessante aan hem zijn dood is...* Hij staarde Greenhill aan. 'Wat doet u hier? Toen ik u destijds interviewde, woonde u in Knightsbridge, herinner ik me.'

'Zeven jaar geleden, toen mijn vrouw overleed, ben ik hiernaartoe verhuisd.'
'Aha.' Hij wreef heftig over zijn gezicht om zijn gedachten op een rijtje te krijgen. 'Nou, het spijt me, maar ik moet nu helaas weg.' Hij stond op. 'Leuk u weer eens gesproken te hebben. Prettige kerstdagen.'
Er blonk een lichtje in de ogen van de oude man. 'Hoezo "prettige kerstdagen"? Dat zeg je tegen een jood? Denk je soms dat ik het leuk vind om eraan herinnerd te worden dat praktisch de hele beschaafde wereld mijn volk veroordeelt voor wat het tweeduizend jaar geleden heeft gedaan?'
'Haalt u Kerstmis en Pasen niet door elkaar?'
'Mijn God, ik heb het over tweeduizend jaar uitstoting en hij valt over een paar maanden.'
Deacon aarzelde, verleid door de glinstering in de ogen van de ander en de krankzinnige racistische chantage. 'Prettige Chanoeka dan. Of gaat u dan zeggen dat dat ook onmogelijk is omdat er niemand is om het mee te vieren?'
'Tja, wat kan je als kinderloze weduwnaar anders verwachten?' Hij zag de aarzeling in het gezicht van de ander en klopte op de plaats waar hij zojuist nog had gezeten. 'Kom, ga nog even zitten en gun me het plezier een paar minuten met je te praten. We zijn tenslotte oude bekenden, en het komt niet vaak voor dat ik de gelegenheid heb met een intelligent mens te praten. Misschien heb je er iets aan als ik je zeg dat ik mijn vak van jurist altijd serieuzer heb opgevat dan mijn joodzijn. Je ziel loopt dus geen gevaar. En houd eens op steeds maar u tegen me te zeggen. Zeg maar gewoon Lawrence.'
Deacon probeerde zichzelf voor te houden dat hij alleen uit nieuwsgierigheid weer ging zitten, maar de werkelijkheid was dat hij weerloos was tegenover Lawrence' kwetsbaarheid. In het gezicht van de oude man was even duidelijk als in dat van Alan Parker de dood te herkennen, en Deacon was bij het naderen van Kerstmis altijd veel gevoeliger voor alles wat met de dood te maken had.

'Ik zat net te denken hoe we allemaal op elkaar lijken en hoe makkelijk het zou zijn om ons vervelende leven vaarwel te zeggen en opnieuw te beginnen,' zei Deacon terwijl hij knikte in de richting van de mannen die op het strandje aan het werk waren. 'Zou jij hen herkennen als je ze bijvoorbeeld terug zou zien in een chic hotel in de binnenstad?'
'Hun vrienden zouden ze wel herkennen.'

'Niet als ze hen in een totaal andere omgeving tegen zouden komen. Herkenning heeft te maken met het verbinden van een aantal bekende gegevens. Als je die gegevens verandert, wordt herkenning moeilijker.'
'Is dat wat je wilt, Michael, een nieuwe identiteit?'
Hij wreef over zijn ongeschoren kin. 'Dat heeft zeker zijn voordelen. Heb jij er nooit eens over gedacht hoe het zou zijn om met een schone lei te beginnen?'
'Natuurlijk wel. We krijgen allemaal te maken met een midlifecrisis. Het zou niet normaal zijn als dat niet het geval was.'
Deacon lachte. 'Eerlijk gezegd zou ik het prettiger hebben gevonden als je dat ontkend had. Het laatste wat een viriele vent wil horen, die in zijn leven van alles niet heeft waargemaakt, is dat hij normaal is. Ik heb niks van mijn leven gemaakt, en dat maakt me krankzinnig.'

'Ik neem het niet zo nauw met Kerstmis,' zei Deacon terwijl hij nog een sigaret opstak. 'Ik werk liever dan dat ik doe alsof ik me amuseer.'
'En wat houdt dat over het algemeen in, het niet zo nauw nemen?'
Deacon haalde zijn schouders op. 'Gewoon doen alsof het niet bestaat, eigenlijk. Ik houd me maar een beetje gedeisd totdat het voorbij is en ik me weer een beetje mens voel. Ik heb geen kinderen. Misschien zou het allemaal heel anders zijn als ik kinderen had gehad.'
'Ja, we lijden als we niemand hebben om van te houden.'
'Ik dacht dat het andersom was,' zei hij, ondertussen toekijkend hoe een van de mannen aan een half onder de modder schuilgaand stuk hout stond te sjorren. *Geen vrouw had hem ooit zo stevig vastgehouden als de modder dat stuk hout.* 'Dat we lijden als niemand van óns houdt.'
'Misschien heb je gelijk.'
'Ik weet zeker dat ik gelijk heb. Ik ben twee keer getrouwd geweest en ik heb me suf geneukt om aan allebei te bewijzen hoeveel ik van hen hield. Het was tijdverspilling.'
Lawrence glimlachte. 'Ach, jongen,' mompelde hij. 'Zo veel neuken, en zo weinig resultaat. Een uitputtingsslag moet dat voor je geweest zijn.'
Deacon grijnsde. 'Als het jou amuseert is het kennelijk niet helemaal voor niets geweest.'
'Doet me denken aan de boerin die haar man een weckfles gaf toen hij zei dat hij de pruimen op sap wilde zetten.'
'En heeft dat verhaal nog een moraal?'

'O, minstens vijf of zes. Dat hangt ervan af of je ervan uitgaat dat het echt een misverstand was of dat de vrouw haar man een lesje wilde leren.'
'Je bedoelt dat zij dacht dat hij het allemaal te vanzelfsprekend vond? Nou, ik kan je zeggen dat ik het bij mijn beide mevrouwen nooit vanzelfsprekend heb gevonden, tenminste niet totdat het duidelijk was dat het huwelijk aan het mislopen was. Het was eerder zo dat zij mij uitbuitten.' Hij trok met een sombere blik aan zijn sigaret. 'Ze hebben me helemaal uitgekleed. Ik heb twee huizen moeten verkopen om ze ieder de helft van mijn kapitaal te kunnen geven. Toen was ik zowat helemaal blut en nu zit ik in een miserabel huurappartement in Islington. Voorziet die moraal van jou ook in een verklaring daarvoor?'
Lawrence grinnikte. 'Weet ik niet. Uit jouw verhaal valt niet precies op te maken wie door wie genaaid werd. Wat was het doel van die huwelijken, Michael?'
'Hoe bedoel je, het doel? Ik hield van hen. Dat dacht ik tenminste.'
'Ik houd van mijn katten, maar ik ben niet van plan om met ze te trouwen.'
'Wat ís het doel van het huwelijk dan?'
'Is dat niet de vraag die je voor jezelf moet beantwoorden voordat je het weer probeert?'
'Zeg, doe mij een lol,' zei Deacon. 'Ik ben niet van plan me voor een derde keer te laten ontmannen.'
'Het lijkt wel alsof je zit te mokken, Michael.'

'Clara, mijn tweede vrouw, zei altijd dat ik in de overgang was. Ze zei dat seks het enige was waar ik in geïnteresseerd was.'
'Natuurlijk. Het zijn niet alleen vrouwen die kinderen willen. Ik wil nog steeds kinderen hebben, en ik ben al drieëntachtig. Waarom heeft God me sperma gegeven, als het niet was om kinderen mee te verwekken? Denk eens aan Abraham. Die was stokoud toen hij Isaac verwekte.'
Er brak een glimlach door op Deacons verweerde gezicht. 'Nou zit jij te mokken, Lawrence.'
'Nee, Michael, ik klaag. Maar oude mannen mogen klagen, want het maakt niet uit hoe positief hun houding is, ze moeten vrouwen onder de veertig toch altijd overreden om met hen naar bed te gaan. En dat is niet zo eenvoudig als het klinkt. Ik kan dat weten, want ik heb het geprobeerd.'
'Ik moet zeggen dat het pure wellust was. Clara was – en is – heel mooi.'

‘Maar wie ben ik? Ik heb mijn kater zes maanden geleden laten castreren omdat mijn buren steeds maar klaagden dat hij een onverzadigbare zin had in hun mooie poesjes.’
‘Maar zo slecht was ik nou ook weer niet, Lawrence.’
‘Mijn kater ook niet, Michael. Hij deed alleen waar God hem toe geprogrammeerd had, en het feit dat hij de mooie poesjes uitkoos bewijst alleen dat hij smaak had.’
‘Ik geloof niet dat ik Clara ooit verteld heb dat ik kinderen wilde. Tegen Julia heb ik het wel een paar keer gezegd, maar zij zei altijd dat we daar nog tijd genoeg voor hadden.’
‘Dat was ook zo, totdat je haar in de steek liet voor Clara.’
‘Ik dacht dat je ervoor wilde zorgen dat ik me er minder schuldig om zou voelen. Ik deed het toch uit wanhoop, omdat ik het geslacht Deacon wilde voortzetten?’
‘Geen resultaat boeken is onvergeeflijk, Michael. Als je kinderen wil, moet je zorgen dat je een vrouw hebt die dat ook wil. De moraal van mijn verhaaltje is in ieder geval dat niet iedereen dezelfde prioriteiten heeft in het leven.’
‘Maar wat moet ik dan nu?’ vroeg Deacon met een wrang soort humor. ‘Naar een vrijgezellenbar? Een advertentie plaatsen? Of naar een bureau stappen?’
‘Volgens mij was het de Grote Roerganger die gezegd heeft: “Elke reis begint met de eerste stap.” Waarom maak je die eerste stap zo moeilijk?’
‘Hoe bedoel je?’
‘Je moet een beetje oefenen voordat je weer in het diepe springt. Je bent vergeten hoe eenvoudig de liefde is. Daar moet je je eerst weer bewust van worden.’
‘En hoe pak ik dat aan?’
‘Zoals ik al zei, ik houd van mijn katten, maar ik ben niet van plan met ze te trouwen.’
‘Bedoel je dat ik een huisdier moet nemen?’
‘Van mij moet je helemaal niets, Michael. Je bent slim genoeg om dit zelf uit te knobbelen.’ Lawrence haalde een kaartje uit zijn binnenzak. ‘Dit is mijn telefoonnummer. Je kunt me altijd bellen. Ik ben er bijna altijd.’
‘Daar krijg je misschien spijt van. Je weet nooit of ik niet op je aanbod inga en je gek zal maken met eindeloze telefoontjes?’
De oude ogen van de ander straalden; Deacon dacht dat het uit pure vriendschap was. ‘Ik hoop dat je dat doet. Het komt tegenwoordig nog maar zo zelden voor dat ik het gevoel heb dat ik me nuttig maak.’

'Wat ben je toch een vreselijke man!'
'Waarom zeg je dat?'
'"Het komt tegenwoordig nog maar zo zelden voor dat ik het gevoel heb dat ik me nuttig maak,"' papegaaide hij. 'Ik durf te wedden dat je dat tegen alle loslopende schoonheden zegt die je mee naar huis neemt. Even voor de statistiek: pleeg je bij iedereen zo'n emotionele chantage, of ben ik bevoorrecht?'
De oude man grinnikte vrolijk. 'Alleen degenen die me inspireren en hoop geven. Alleen de hongerigen kunnen gevoed worden, Michael.'
Deacons geheugen werd door deze uitspraak ineens geactiveerd. Plotseling kwamen beelden van de uitgeteerde Billy Blake bij hem bovendrijven. Hij pakte zijn portefeuille en haalde het kiekje van de dode te voorschijn. 'Heb jij ooit met deze man gepraat? Hij was een zwerver die in een leegstaand pakhuis sliep, ruim een kilometer hier vandaan. Zes maanden geleden is hij in een huis hierachter van de honger omgekomen. Hij noemde zich Billy Blake, maar ik geloof niet dat dat zijn echte naam was. Ik moet weten wie hij was.'
Lawrence bestudeerde de foto een paar seconden lang, maar schudde toen spijtig zijn hoofd. 'Ik ben bang van niet. Ik weet zeker dat ik me hem zou herinneren als dat wel het geval was geweest. Hij heeft niet bepaald een gezicht dat je gemakkelijk vergeet, hè?'
'Nee.'
'Ik herinner me het verhaal wel. Het heeft hier in de buurt een dag of twee voor flink wat beroering gezorgd. Waarom is hij voor jou zo belangrijk?'
'De vrouw in wier garage hij is overleden heeft me gevraagd uit te zoeken wie hij was,' zei Deacon.
'Mevrouw Powell?'
'Ja.'
'Ik heb haar een paar keer gezien. Ze rijdt in een zwarte BMW.'
'Ja, zij is het.'
'Vind je haar aardig, Michael?'
Deacon dacht over de vraag na. 'Dat weet ik nog niet. Ze is een gecompliceerde vrouw.' Hij haalde zijn schouders op. 'Het is een lang verhaal.'
'Nou, vertel het me maar een keer als je me belt.'
'Dat gebeurt misschien helemaal nooit, Lawrence. Volgens mijn exechtgenotes scoor ik uiterst laag op het punt betrouwbaarheid.'
'Eén enkel telefoontje, Michael. Is dat soms te veel gevraagd?'
'Het gaat jou helemaal niet om één enkel telefoontje. Jij bent op jacht naar zielen; denk maar niet dat ik dat niet in de gaten heb.'

Lawrence keek naar de achterkant van de foto. 'Mag ik hem houden? Ik ken heel wat daklozen, en misschien herkent een van hen hem wel.'

'Natuurlijk.' Deacon stond op. 'Maar dat betekent niet dat ik je zal bellen, dus hoop daar maar niet op. Ik zal me hier morgen diep voor schamen, denk ik.' Hij schudde de oude man de hand. 'Sjalom, Lawrence, en bedankt. Ga naar huis, voordat je doodvriest.'

'Zal ik doen. Sjalom, vriend van me.'

Hij keek hoe de ander het gras over liep en glimlachte terwijl hij zijn notitieboekje uit zijn zak haalde en zorgvuldig Deacons naam opschreef, gevolgd door het adres en het telefoonnummer van *The Street*, die Barry Grover uiteraard op de achterkant van de foto had gestempeld. Niet dat hij verwachtte dat hij daar gebruik van zou hoeven maken. Lawrence had een absoluut vertrouwen in Gods wonderbare wegen, en hij wist dat het slechts een kwestie van tijd was voordat Michael hem zou bellen.

De oude man keek naar de rivier en luisterde hoe de wind en de golven tegen elkaar tekeergingen.

8

DE VECHTPARTIJ DIE IN HET PAKHUIS DOOR EEN AGRESSIEVE SCHIZOFREEN was begonnen, was een bloederige aangelegenheid. Hij had het idee dat zijn buurman hem naar het leven stond en had een stiletto getrokken en die in de buik van zijn belager gestoken. Het geschreeuw van de man had op de andere bewoners de uitwerking van een snerpend alarm. Sommigen snelden hem te hulp terwijl anderen angstig een goed heenkomen zochten. Terry Dalton en de oude Tom raapten een paar loden pijpen op en renden op het rumoer af om de vechtenden te scheiden, maar de agressieveling was als een dolle hond en negeerde de regen van slagen die op zijn rug neerkwam en concentreerde al zijn energie op zijn slachtoffer. De vechtpartij eindigde zoals in soortgelijke gevallen zo vaak het geval was pas toen de man geen energie meer over had en hij zich gehavend terugtrok om zijn wonden te verzorgen.

Tom knielde neer naast de zielige, ineengekrompen figuur die neergestoken was. 'Het is de oude Walter,' zei hij. 'Die schoft van een Denning heeft hem goed te grazen genomen. Hij is misschien nog niet dood, maar lang zal het niet duren.'

Terry, wiens hele lichaam als gevolg van de plotselinge adrenalinestoot beefde, gooide de loden pijp die hij in zijn hand had op de grond en stroopte zijn overjas van zijn magere lijf. 'Leg dit over Walter heen en probeer hem warm te houden. Ik ga een ambulance bellen,' zei hij. 'En bereiden jullie je erop voor dat de smerissen hier zometeen ook komen. Deze keer zal ik zorgen dat Denning goed opgeborgen wordt. Die klerelijer is veel te gevaarlijk.'

'Hou toch op met dat soort praatjes, jongen,' zei Tom terwijl hij de jas over het lichaam legde. 'Niemand zal je dankbaar zijn dat je de boel hier laat overstromen met smerissen. We leggen Walt wel buiten neer, dan denken ze bij de politie dat het op straat gebeurd is. De arme drommel is zo lek als een mandje, dus er ligt dan zo veel bloed op de stoep dat ze zullen denken dat hij is overvallen door een bende straatrovers.'

'Nee!' blafte Terry. 'Als je hem verplaatst is hij des te sneller dood.' Hij balde zijn vuisten. 'Wij hebben ook rechten, Tom. Net als alle andere mensen. Walt heeft het recht op een kans om in leven te blijven, en wij hebben het recht om van die psychoot verlost te worden.'
'In de hel heeft niemand rechten, m'n jongen,' zei Tom laatdunkend. 'Ook al liep Billy altijd maar te ouwehoeren over menselijke waardigheid en zo. Als jij hier de politie binnenhaalt, is Denning niet de enige die ze grijpen. Denk eerst maar eens goed na voordat je ze gaat bellen.' Hij streek met zijn misvormde hand over het gezicht van de gewonde. 'Walt is sowieso ten dode opgeschreven, dus het maakt geen moer uit waar hij sterft. Denning lozen we zelf wel. Die sturen we gewoon weer de straat op, dan sterft hij daar waarschijnlijk binnenkort vanzelf van de kou. Hij is nu zo mak als een lammetje, dus problemen zal hij niet geven.'
Hij had gesproken met de autoriteit van een man die gewend was gehoorzaamd te worden. Deacon had de indruk gehad dat Terry, met zijn snelle geest, de dominante figuur in de groep was, maar in feite was Tom degene die het voor het zeggen had in het pakhuis, en in Toms levensvisie was geen plaats voor dit soort gevoeligheden. Hij had te veel zwervers zien sterven om zich er nog erg druk over te kunnen maken.
'NEE!' schreeuwde Terry, naar de deur lopend. 'Als jij Walt verplaatst, krijg je met mij te maken. We zijn geen wilden, dus gedragen we ons ook niet als wilden. HOOR JE ME?' Hij baande zich woedend een weg door het groepje mannen dat zich voor de deur verzameld had.

Toen Deacon thuis onder de douche vandaan kwam ging de telefoon.
'Ik moet Michael Deacon hebben,' zei iemand dringend.
'Spreekt u mee,' zei hij, onderwijl zijn haar droog wrijvend met een handdoek.
'Herinner je je dat pakhuis nog waar je een paar weken terug geweest bent?'
'Jawel.' Hij herkende de stem van de beller. 'Ik spreek met Terry, hè?'
'Ja. Luister eens, ben je nog steeds geïnteresseerd in informatie over Billy Blake?'
'Jazeker.'
'Kom dan binnen een halfuur naar het pakhuis en neem een fototoestel mee. Lukt dat?'
'Vanwaar die haast?'
'Omdat de smerissen ook onderweg zijn, en er hier nog spullen liggen

die van Billy zijn geweest. Ik denk dat over een halfuur de hele boel hier gebarricadeerd is. Kom je?'
'Ik kom eraan.'

Terry Dalton stond gehuld in een oude duffelse jas en met een zwarte wollen muts over zijn kaalgeschoren hoofd op een hoek tegen het pakhuis geleund te wachten op de komst van Deacon. Toen Deacon zijn auto voor de lege politiewagen tegen de stoeprand parkeerde, kwam Terry in beweging en liep naar Deacon toe om hem te begroeten.
'Er is hier een steekpartij geweest,' zei hij gehaast terwijl Deacon uit zijn auto stapte, 'en ik was degene die de politie gewaarschuwd heeft. Ik dacht dat het geen kwaad zou kunnen als er ook een journalist bij was. Tom denkt dat ze dit zullen aangrijpen om ons eruit te zetten en ons allerlei andere dingen in de schoenen te schuiven, maar wij hebben onze rechten, en die wil ik graag verdedigd hebben. In ruil daarvoor zal ik je alles geven wat betrekking heeft op Billy. Is het een deal?' Hij keek de straat in, waar inmiddels een tweede politieauto de hoek om kwam. 'Kom op. We hebben niet veel tijd meer. Heb je een fototoestel bij je?'
In verwarring door deze plotselinge informatiestroom liet Deacon zich het gebouw in leiden. 'Ja, in mijn zak.'
Terry wees voor zich uit. 'Er is nog een ingang waar de smerissen niks van weten. Als ik je daardoor naar binnen kan krijgen, zullen ze denken dat je er de hele tijd al was.'
'En de politiemannen die al binnen zijn dan?'
'Die zijn maar met z'n tweeën, en ze zijn pas gekomen toen de jongens van de ambulance er al waren. Ze hebben geen idee wie er allemaal binnen waren en wie niet. Daarvoor is het veel te donker, en bovendien hebben ze al hun aandacht besteed aan het in leven houden van Walt. Pas vijf minuten geleden, toen de ziekenauto weg was, zijn ze begonnen vragen te stellen.' Hij boog een stuk board opzij. 'Luister, het volgende moet je onthouden. Walter is degene die neergestoken is, en Denning is de psychoot die het gedaan heeft. Dat moet je weten als je al een tijdje binnen bent.'
Om hem tegen te houden legde Deacon een hand op de schouder van de jongen, die al aanstalten maakte om door het raam naar binnen te klimmen. 'Wacht even. Ik ben geen advocaat. Wat zijn dat voor rechten die je door mij verdedigd wilt hebben? En hoe moet ik dat doen?'
Terry draaide zich naar hem toe. 'Neem een paar foto's of zo. Jezus, weet ik het? Laat je fantasie werken.' Hij keek boos toen Deacon kri-

tisch zijn hoofd schudde. 'Luister eens, klootzak, je hebt gezegd dat je wilde bewijzen dat Billy's leven waardevol was. Nou, dan heb je nu mooi de gelegenheid om te gaan bewijzen dat ook de levens van Walt, Tom, mijzelf en al die andere stumpers hier binnen waardevol zijn. Ik weet best dat het een gore troep is, maar wij wonen hier en we hebben als krakers onze rechten. Ik heb de politie gebeld. Ze zijn hier niet uit zichzelf gekomen, dus ze hebben niet het recht ons als uitschot te behandelen.' Zijn lichte ogen vernauwden zich plotseling toen hij begon te twijfelen. 'Billy zei altijd dat persvrijheid het sterkste wapen van het volk was. Wil jij me nu vertellen dat dat niet waar is?'

'Kom op, jullie. Naar buiten allemaal,' zei de nerveuze politieagent, tegen de onwilligen aan duwend. 'Gaan jullie eens in het licht staan, waar we jullie kunnen zien.' Hij greep iemand bij de arm en rukte de man in de richting van de deur. 'Kom op, naar buiten!'
Hij schrok van het flitslicht van Deacons fototoestel en draaide zich met open mond om, waarop Deacon nogmaals afdrukte. Er viel een stilte in het pakhuis toen de flitser snel achter elkaar nog een aantal keren afging.
'Ik laat ze naast elkaar bovenaan op de voorpagina afdrukken,' zei Deacon terwijl hij zijn camera richtte op de andere agent, die net met zijn voet een slapende man probeerde te wekken, 'met als onderschrift: politie gebruikt concentratiekamp-methoden tegenover daklozen.' Hij richtte de lens weer op de eerste agent en zoomde op hem in. 'Wat dacht u van een tekst als: *'raus, 'raus, 'raus*? Dat zet de mensen aan het denken, dacht u niet?'
'Wie bent u in godsnaam?'
'Wie bent ú in godsnaam, menéér?' vroeg Deacon terwijl hij zijn toestel liet zakken en zijn visitekaartje naar voren stak. 'Michael Deacon is mijn naam; ik ben journalist. Mag ik uw naam, alstublieft, en ook de namen van de andere agenten?' Hij haalde zijn notitieblok te voorschijn.
Een rechercheur in burger kwam naar voren. 'Ik ben adjudant Harrison, meneer. Kan ik u misschien ergens mee van dienst zijn?' Hij was een sympathiek ogende dertiger, stevig gebouwd en met dun blond haar dat bewoog in de tocht die vanaf de ingang van het gebouw op hen af kwam. Hij glimlachte vriendelijk, waarbij om zijn ogen tal van kleine rimpeltjes zichtbaar werden.
'Om te beginnen zou u me eens kunnen vertellen wat er hier aan de hand is.'

'Zeker, meneer. We hebben deze heren gevraagd deze plek, waar zich een poging tot moord heeft afgespeeld, te verlaten. We hebben ze dus gevraagd naar buiten te gaan.'
Deacon hief zijn fototoestel weer, richtte de lens naar de gigantisch grote ruimte van het pakhuis en drukte af. 'Weet u wel zeker dat dat nodig is, adjudant? Mij lijkt het dat er hier binnen nog een zee van ruimte is waar ze kunnen gaan zitten. Ik zou trouwens wel eens willen weten wanneer de politie eigenlijk met dit beleid is begonnen?'
'Welk beleid bedoelt u?'
'De mensen hun huis uit jagen als er binnen een misdaad is gepleegd. Is de normale gang van zaken niet dat hun gevraagd wordt zolang even in een ander gedeelte van het huis te gaan zitten, meestal de keuken, waar ze dan een kopje thee kunnen drinken en op verhaal kunnen komen?'
'Maar meneer, dit zijn geen gewone omstandigheden, hier. Dat ziet u toch ook wel? We stellen een onderzoek in naar een ernstige misdaad, en er is hier geen licht. De helft van deze mannen ligt in een soort coma vanwege drank of drugs. De enige manier om erachter te komen wat er gebeurd is, is iedereen naar buiten te sturen en zo enige orde in deze chaos te scheppen.'
'O ja?' Deacon bleef foto's maken. 'Ik dacht dat de gebruikelijke eerste stap was om te vragen of er getuigen zijn die een verklaring willen afleggen.'
De adjudant liet zijn opgelegde vriendelijkheid even varen. Deacon drukte af en vatte zijn minachtende blik. 'Deze mannen weten niet eens wat het woord samenwerking betekent. Maar goed, om kort te gaan,' – hij ging luider spreken – 'ongeveer een uur geleden is hier een man neergestoken. Zijn er misschien getuigen of mensen die informatie hebben over het gebeurde? Zo ja, willen die zich dan nu melden?' Hij wachtte enkele seconden en keek toen kritisch naar Deacon. 'Tevreden, meneer? Misschien wilt u ons nu ons werk laten doen.'
'Ik heb het gezien,' zei Terry, die achter Deacon vandaan kwam. In het donker speurde hij naar Tom. 'En ik was niet de enige, al zou u dat misschien denken als u dit stelletje lafaards hier voor u ziet.'
Zijn opmerking werd beantwoord met stilzwijgen.
'Jezus, wat zijn jullie zielig!' vervolgde hij sarcastisch. 'Geen wonder dat de smerissen jullie als oud vuil behandelen. Meer kunnen jullie niet, hè? In de goot liggen en iedereen over je heen laten lopen.' Hij spuugde op de vloer. 'Zo denk ik over mannen die liever een psychoot los laten lopen dan eens één enkele keer in hun leven van zich te laten horen.'

'Oké, oké,' klonk een mopperende stem uit de groep. 'Hou maar op, jongen, alsjeblieft.' Tom baande zich een weg naar voren en keek Terry boosaardig aan. 'Je zou haast denken dat je de koningin was als je jou zo hoort praten.' Hij knikte naar de adjudant. 'Ik heb het ook gezien. Hoe is het er trouwens mee, Harrison?'
De stemming van de adjudant sloeg ineens om. Er verscheen een brede glimlach om zijn lippen. 'Mijn god! Tom Beale! Ik dacht dat je dood was, man. Je vrouw denkt dat trouwens ook.'
Tom trok een vies gezicht. 'Dat zou haar geen reet kunnen schelen. Ze heeft me de bons gegeven toen jij me de laatste keer te grazen had genomen. Sindsdien heb ik haar nooit meer gezien en ook nooit meer iets van haar gehoord.'
'Onzin! Ze heeft me na je vrijlating maandenlang aan m'n kop gezeurd of ik je niet kon opsporen. Waarom ben je in godsnaam niet gewoon naar huis gegaan?'
'Dat had geen enkele zin,' zei Tom somber. 'Ze had me goed duidelijk gemaakt dat ze me niet meer wilde. In ieder geval is het stomme wijf nu dood. Een paar jaar geleden dacht ik, ik ga eens een keer bij haar langs, maar toen woonden er allemaal vreemden in het huis. Kapot was ik ervan, al zou jij dat misschien niet geloven.'
'Maar dat betekent verdomme toch niet dat ze dood is! Zes maanden nadat jij verdween heeft ze van de gemeente een flatje toegewezen gekregen.'
Tom leek oprecht blij te zijn. 'Is dat echt waar? En denk je dat ze me wil zien?'
'Ik zou er zelfs wel geld op willen zetten.' De adjudant lachte. 'Wat dacht je ervan als we zouden proberen je met Kerstmis thuis te krijgen? God mag weten waarom, maar jij bent waarschijnlijk het enige cadeautje waar het ouwe mens op zit te wachten.' Hij hield zijn horloge in het licht. 'Maar ik weet nog wat beters. Als we hier nou een beetje snel klaar zijn, kunnen we er zelfs wel voor zorgen dat je nog voor het avondeten thuis bent. Wat dacht je daarvan?'
'Lijkt me wel wat, Harrison.'
'Oké, laten we beginnen met de namen en adressen van alle betrokkenen.'
'Er was er maar een.' Tom knikte in de richting van de slapende man en de politieagent die voor hem stond. 'Dat is de klootzak die je moet hebben. Denning heet hij. Hij is nu uitgeteld omdat hij zich zo vreselijk opwindt, maar pas op als je hem aanpakt. Zoals Terry al zei, hij is psychotisch, en hij heeft dat mes nog op zak.' Hij grinnikte weer en haalde een sigaar uit een van zijn zakken. 'We willen hier niet van dat

soort ongelukken, niet nu we het net zo goed met elkaar kunnen vinden. Ik zal je eens wat zeggen, Harrison. Ik ben van mijn leven nog nooit zo blij geweest om de politie te zien. Hier, neem een sigaar van me.'

Deacon – die tenslotte een vakman was – legde de hele voorstelling vast met zijn camera en wist er uiteindelijk nog een bedragje aan over te houden door de reportage te verkopen aan een fotopersbureau. Na Kerstmis verscheen het bericht onder de kop *Sigaartje, adjudant?* in een van de roddelbladen. Er was een sentimenteel verhaal van gemaakt, met de hereniging van Tom en zijn vrouw, en een uitgebreid verslag van de rol die adjudant Harrison daarin gespeeld had. De journalist had er een zoetsappig geheel van gemaakt en daartoe de waarheid geweld aangedaan, want in werkelijkheid bleef Tom de voorkeur geven aan het gezelschap van mannen, zat zijn vrouw liever met de kat op schoot en was adjudant Harrison in woede ontstoken toen hij erachter kwam dat de hem aangeboden sigaar afkomstig was van een partij uit een vrachtwagen gestolen goederen.

De hele geschiedenis liet bij Deacon een wrange nasmaak na. Het stoorde hem dat de onverschilligheid van de politie werd verward met de warmte die een individuele adjudant voor een aan lager wal geraakte zwerver had weten op te brengen. Zo zat de werkelijkheid niet in elkaar. De werkelijkheid was Terry's stinkende pakhuis, waar armoede en verval regeerden en de wijze waarop een man stierf het meest interessante aan hem was.

Terry kwam naar hem toe toen hij zijn autoportier openmaakte. 'Ze zeggen dat ik mee moet naar het bureau om een verklaring af te leggen.'

'Vind je dat vervelend?'

'Ja, ik wil daar niet heen.'

Deacon keek langs Terry heen naar de politieagent die achter hem aan was gekomen. 'Tja, je zult er toch aan moeten geloven als je op je rechten wilt staan. Dan zal je ook een beetje mee moeten werken.'

'Ik wil er alleen heen als jij ook meegaat.'

'Dat zou geen zin hebben. De enigen die bij een verhoor aanwezig mogen zijn, zijn advocaten.' Hij keek de nerveuze jongen onderzoekend aan. 'Waarom trek je je nou ineens terug? Twintig minuten geleden wilde je nog uit alle macht een verklaring afleggen.'

'Jawel, maar niet in mijn eentje op het bureau.'

'Tom is er toch ook.'

Op het gezicht van de jongen verscheen een uitdrukking van grote te-

leurstelling. 'Hij maalt niet om mij of om Walt. Het enige waar hij in geïnteresseerd is, is een bruine arm halen bij die adjudant en zorgen dat hij weer lekker thuis bij zijn vrouwtje komt te zitten. Zodra het hem uitkomt, douwt hij mij weer de stront in.'
'Wat weet hij dan wat andere mensen niet weten?'
'Dat ik nog maar veertien ben en geen Terry Dalton heet. Ik ben uit een kindertehuis weggelopen toen ik twaalf was, en ik ben niet van plan daar ooit weer heen te gaan.'
Verdomme! 'Waarom niet? Wat was er zo slecht aan?'
'Die klootzak die het er voor het zeggen had, was een vieze vuile flikker, dat was er slecht aan.' Terry balde zijn vuisten. 'Ik heb gezworen dat ik die viezerik vermoord als ik daar ooit de kans toe krijg, en als ze me er weer heen sturen, dan zal ik dat zeker doen. Geloof mij maar.' Er sprak een enorme agressie uit zijn woorden. 'Billy geloofde me wel. Daarom hield hij me ook een beetje in de gaten. Hij zei dat hij niet nog een moord op zijn geweten wilde hebben.'
Deacon sloot zijn auto weer af. 'Waarom heb ik nou het gevoel dat mijn lot onverbrekelijk verbonden is met dat van Billy Blake?'
'Ik begrijp niet wat je bedoelt.'
'Zegt het begrip hongerdood je niets?' Hij streek de jongen even over zijn achterhoofd. 'Ik heb geen eten in huis,' mopperde hij, 'en ik was van plan al mijn boodschappen vanmiddag te gaan doen. Morgen wordt het een gekkenhuis.' Hij liep met Terry naar de politieagent. 'Wees maar niet bang,' zei hij vriendelijk toen hij voelde hoe gespannen de knaap was, 'ik zal je niet in de steek laten. Ik ben niet zoals Tom, ik heb geen behoefte aan een weerzien met mijn twee vrouwen.'

'Ben jij dat, Lawrence? Je spreekt met Michael... Michael Deacon... Ja, dat klopt, ik heb inderdaad een probleem. Ik heb een gerespecteerde advocaat nodig die een paar kleine leugentjes om bestwil voor mij wil vertellen... alleen aan de politie.' Hij hield zijn zaktelefoon een eindje van zijn oor af. 'Luister eens, jij was degene die tegen me zei dat ik een huisdier moest nemen, dus dan mag ik toch wel een beetje morele steun van je vragen... Nee, het is geen gevaarlijke hond, en hij heeft ook niemand gebeten... Het is een onschuldig zwervertje... Ik kan niet bewijzen dat hij van mij is, en nou willen ze hem met Kerstmis in het asiel opsluiten... Ja, ben ik met je eens, het is een schandaal... Ja, precies. Ik heb alleen iemand nodig die een verklaring aflegt dat het waar is wat ik zeg... Doe je het? Geweldig. Je moet bij het politiebureau op het Isle of Dogs zijn. Ik zal je het geld voor de taxi terugbetalen zodra je er bent.'

Terry zat onderuitgezakt naast Deacon in diens auto, die geparkeerd stond in een achterafstraatje in East End. 'Je had hem de waarheid moeten vertellen. Hij springt uit zijn vel als hij ziet dat ik een mens ben en geen dier. Hij zal nooit willen liegen voor iemand die hij niet kent.' Hij legde zijn vingers op de deurknop. 'Het lijkt me het beste om er maar vandoor te gaan, nu het nog kan.'
'Je haalt het niet in je hoofd, hoor,' zei Deacon effen. 'Ik heb adjudant Harrison beloofd dat jij om vijf uur op het bureau zou zijn, en ik zal ervoor zorgen dat je er dan ook bent.' Hij bood de jongen een sigaret aan en nam er zelf ook een. 'Luister, niemand dwingt je om deze verklaring af te leggen. Je doet het vrijwillig, dus ze zullen niet in je verleden gaan wroeten, tenzij Tom je verlinkt heeft. En zelfs dan zal je met zachtheid behandeld worden, want kinderen mogen niet eens verhoord worden zonder dat er een volwassene bij is. Maar ik garandeer je dat het zover niet komt. En mocht dat wel zo zijn, dan zorgt Lawrence dat je eruit komt.'
'Ja, maar...'
'Vertrouw maar op mij. Als Lawrence zegt dat jij Terry Dalton heet en dat je achttien bent, neemt de politie dat zonder meer van hem aan. Hij is heel overtuigend. Hij is een soort kruising tussen de paus en Albert Einstein.'
'Hij is een klote-advocaat. Als je hem de waarheid vertelt, moet hij die ook aan de politie doorgeven. Dat doen advocaten altijd.'
'Nee, dat is niet waar,' zei Deacon met meer overtuiging in zijn stem dan hij voelde. 'Ze zijn ervoor om de belangen van hun cliënten te behartigen. En in ieder geval ben ik niet van plan het aan Lawrence te vertellen, tenzij het niet anders kan.'

Terry grijnsde breed toen hij de verhoorkamer uit kwam. 'Gaan jullie mee?' vroeg hij op weg naar de uitgang van het bureau in het voorbijgaan aan Deacon en Lawrence, die in de wachtkamer zaten.
Ze haalden hem pas op straat in. 'En?' vroeg Deacon.
'Niks aan de hand. Ze kwamen zelfs niet op het idee dat ik misschien niet de persoon was die ik zei dat ik was.' Hij begon te lachen.
'Wat is er zo grappig?'
'Ze waarschuwden me voor jou en Lawrence omdat ze dachten dat jullie een stelletje bruinwerkers waren die achter mijn gat aan liepen. Waarom bleven jullie anders zo rondhangen op het bureau terwijl ik daar alleen maar een verklaring aflegde?'
'Godverdomme!' zei Deacon. 'En wat heb je toen gezegd?'
'Ik heb gezegd dat ze zich maar geen zorgen moesten maken want dat ik dat soort dingen niet deed.'

'O, leuk zeg! Onze reputatie is naar de knoppen, en jij bent het heertje.'
'Tja, daar komt het wel op neer, ja,' zei Terry, voor de zekerheid dekking zoekend achter de rug van Lawrence.
Lawrence grinnikte vrolijk. 'Om eerlijk te zijn voel ik me gevleid dat er nog mensen zijn die denken dat ik de energie heb om dat soort activiteiten na te streven.' Hij pakte Terry bij de arm en troonde hem mee naar een café op de hoek van de straat. 'Welke term gebruikte je nou daarnet? Bruinwerker? Ik ben natuurlijk een oude man, en helemaal niet op de hoogte van het moderne taalgebruik, maar ik geloof toch dat homofiel een beter woord is.' Voor de deur van het café bleef hij staan wachten totdat Terry die voor hem opende. 'Dank je wel,' zei hij terwijl hij de hand van de jongen pakte om zichzelf in evenwicht te houden bij het beklimmen van het stoepje voor de deur.
Terry keek met een gekwelde blik over zijn schouder naar Deacon. Het was duidelijk wat hij dacht. *Deze oude kerel houdt mijn hand vast en ik weet haast wel zeker dat hij een ruigpoot is.* Deacon ontblootte alleen zijn tanden en grijnsde naar hem. 'Je verdiende loon,' zei hij stemloos terwijl hij achter hen aan naar binnen ging.

Barry Grover keek enigszins schuldbewust op toen de bewaker van het knipselarchief de deur opende en naar binnen stapte. 'Zo, jongen, het wordt tijd dat je eens vertrekt,' zei Glen Hopkins vastberaden. 'Het kantoor is dicht, en jij wordt geacht vakantie te gaan vieren.'
Hij was een rondborstige gepensioneerde onderofficier, die alle roddelverhalen van de vrouwen over Barry had aangehoord en nadat hij erover had nagedacht, was hij tot het besluit gekomen dat hij de kleine man een beetje in een bepaalde richting zou duwen. Hij wist precies wat zijn probleem was, en dat was niet iets wat niet door er ronduit over te praten en met wat praktische raadgevingen uit de wereld geholpen zou kunnen worden. Hij kende Barry's type wel uit zijn tijd bij de marine, al waren ze daar meestal wel wat jonger.
Barry dekte de foto die hij voor zich had liggen met een map af. 'Ik ben met iets belangrijks bezig,' zei hij parmantig.
'Nee, dat ben je niet. We weten allebei waar je mee bezig bent, en met werken heeft het niets te maken.'
Barry zette zijn bril af en keek met nietsziende ogen de ruimte in. 'Ik geloof niet dat ik begrijp wat u bedoelt.'
'O, jawel, dat begrijp je best. En gezond is het niet, m'n jongen.' Hopkins schoof de kamer door. 'Luister eens naar me. Een man van jouw leeftijd moet eigenlijk de stad in en lol maken en zou zich niet

in het donker moeten opsluiten om naar foto's te kijken. Kijk, ik heb hier een paar kaartjes met adressen en telefoonnummers erop, en mijn advies aan jou is om er eentje uit te zoeken die je bevalt en haar een belletje te geven. Dat zal je een paar centen kosten en je moet een condoom om, maar zo'n vrouw geeft je waar voor je geld, als je begrijpt wat ik bedoel. Het is helemaal geen schande om in het begin de natuur een handje te helpen.' Hij legde de visitekaartjes van de prostituees voor Barry op tafel en gaf hem een vaderlijk klopje op de schouder. 'Je zal zien dat je van echt van bil gaan een stuk meer geniet dan van een doos met plaatjes.'
Barry werd vuurrood. 'U begrijpt het niet. Ik ben bezig aan een project van Michael Deacon.' Hij schoof de map weg, waardoor de foto's van Billy Blake en James Streeter zichtbaar werden. 'Het wordt een belangrijk verhaal.'
'O ja, daarom zit Mike hier natuurlijk ook zo hard te werken,' zei Hopkins ironisch, 'in plaats van in de kroeg te hangen, zoals gewoonlijk. Kom op, jongen, er is geen verhaal zo belangrijk dat het niet kan wachten tot na de kerst. Je zal misschien zeggen dat het me niet aangaat, maar ik heb altijd heel goed in de gaten waar je als man mee kan zitten, en jij lost dat niet op door hier te blijven zitten.'
Barry keerde zich van hem af. 'Het is niet wat u denkt,' mompelde hij.
'Je bent gewoon eenzaam, jongen, en je weet niet wat je eraan moet doen. Je moeder is waarschijnlijk altijd nieuwsgierig en ze bemoeit zich veel te veel met je. Je weet toch wel dat ik 's avonds altijd de telefoon aanneem als ze belt, hè? Je moet me maar vergeven dat ik het je ronduit zeg, maar je had al jaren geleden achter haar rokken vandaan gemoeten. Je moet in het begin alleen een beetje zelfvertrouwen opbouwen, en nergens staat geschreven dat dat niet tegen betaling mag.' Op zijn sombere gezicht verscheen een glimlach. 'Kom op, de deur uit, en geef jezelf voor de kerst iets cadeau dat je nooit zal vergeten.'
Barry voelde zich diep vernederd en had geen andere keus dan de visitekaartjes op te rapen en te vertrekken. Hij voelde zo'n schaamte dat zijn ogen vol tranen stonden en hij niet goed wist waar hij kijken moest toen hij op de stoep stond en hoorde hoe de voordeur achter zich afgesloten werd. Hij was zo bang dat Hopkins hem naderhand zou vragen hoe het gegaan was, dat hij ten slotte maar naar een telefooncel liep en het nummer draaide van het bovenste kaartje van het stapeltje dat de man hem gegeven had. Als Barry geweten had dat Hopkins in zijn simpele overtuiging dat seks voor alles de oplossing

was regelmatig kaartjes van prostituees doorgaf aan collega's van wie hij dacht dat ze het moeilijk hadden, zou hij wel twee keer nagedacht hebben voordat hij tot actie overging. Hij vreesde echter dat zijn maagdelijkheid het gesprek van de dag zou worden als hij niet deed wat Hopkins voor hem had bedacht, en het was meer uit angst om op kantoor het voorwerp van spot te worden dan uit verlangen naar plezier dat hij voor £100 een afspraak maakte met Fatima, ook wel *Turkish Delight* genoemd.

9

'ZO,' ZEI LAWRENCE TOEN ZE AAN EEN TAFELTJE ZATEN MET IEDER EEN drankje voor zich. 'Misschien zou Terry me nu willen vertellen waarom ik moest komen.'

Terry ontweek de vraag door een forse slok van zijn bier te nemen.

'Het is heel eenvoudig...' wilde Deacon beginnen.

'Dan had ik liever dat Terry het me uitlegde,' zei de oude man met een verrassende doortastendheid. 'Ik houd van eenvoud, Michael, maar tot dusver heb jij wat mij betreft alleen maar voor verwarring gezorgd. Ik betwijfel ten zeerste of Terry wel degene is die hij zegt dat hij is, wat betekent dat wij tweeën ons in de vervelende positie bevinden medeplichtig te zijn aan de misdaad die hij eerder gepleegd heeft.'

Terry keek gelaten voor zich uit. 'Ik wist wel dat het geen goed idee was,' zei hij somber tegen Deacon. 'Om te beginnen begrijp ik geen woord van wat hij zegt. Het is net alsof ik naar Billy zit te luisteren. Hij gebruikte ook altijd woorden die de anderen nooit hadden gehoord. Ik heb een keer tegen hem gezegd dat hij verdomme eens normaal moest praten, maar toen lachte hij zo hard dat je zou denken dat ik een ontzettend goede mop had verteld.' Zijn lichte ogen waren op Lawrence gefixeerd. 'De mensen vinden namen altijd vreselijk belangrijk, maar waarom eigenlijk? En wat doet het er bovendien toe hoe oud iemand is? Het gaat erom hoe je je gedraagt, niet om je echte leeftijd. Ik wil misschien best toegeven dat ik geen Terry heet en geen achttien ben, maar ik zeg dat altijd graag omdat ik het beter vind klinken en omdat de mensen me erom respecteren. Op een goede dag bén ik echt iemand, en dan willen mensen als jullie me graag kennen, hoe ik dan ook mag heten. Het gaat om míj,' zei hij, op zijn borst kloppend, 'niet om mijn naam.'

Deacon gaf Terry een sigaret. 'Er is geen sprake van een misdaad, Lawrence,' zei hij zakelijk.

'Hoe weet jij dat?'

'Nou, wat zei ik je?' vroeg Terry agressief. 'Klote-advocaten. Nou zitie me voor leugenaar uit te maken.'

Deacon maakte een geruststellend gebaar met zijn hand. 'Terry is twee jaar geleden op twaalfjarige leeftijd weggelopen uit een kindertehuis, en hij wil daar niet weer heen gestuurd worden omdat de man die het er voor het zeggen heeft een pedofiel is. Om te voorkomen dat dat zou gebeuren zegt hij dat hij vier jaar ouder is dan hij in werkelijkheid is en leeft hij sindsdien onder een valse naam in kraakpanden. Zo eenvoudig is het.'
Lawrence klakte ongeduldig met zijn tong. Hij was volstrekt niet onder de indruk van de ziedende Terry naast zich. 'Noem je dat eenvoudig, dat een kind in de belangrijkste jaren van zijn leven zonder ouderlijke liefde en zonder onderwijs in de meest erbarmelijke omstandigheden leeft? Misschien moet ik je eraan herinneren, Michael, dat het nog geen vijf uur geleden is dat je me zat te vertellen dat je zo graag vader had willen zijn.' Hij wees met een dunne, haast doorschijnende hand op Terry. 'Deze jongeman is geen onschuldig zwervertje dat weer aan zijn lot kan worden overgelaten nu je hebt weten te voorkomen dat de politie de verantwoordelijkheid voor hem op zich neemt. Hij heeft de zorg en de bescherming nodig die een beschaafde samenleving...'
'Billy heeft voor me gezorgd. Billy was wel zorgzaam.'
Lawrence keek hem even aan en haalde toen de foto die Deacon hem had gegeven uit zijn portefeuille. 'Is dit Billy?'
Terry wierp een korte blik op het verweerde gezicht en keek toen opzij. 'Ja.'
'Het zal je wel pijn hebben gedaan dat je hem kwijtraakte.'
'Het was niet aan me te merken.' Hij boog zijn hoofd. 'Zo geweldig was hij nou ook weer niet. De helft van de tijd was hij krankjorum, dus toen leek het wel alsof ik voor hém zorgde.'
'Maar je hield wel van hem.'
De knaap balde zijn vuisten weer. 'Als je wilt beweren dat Billy en ik vieze flikkers waren, dan sla ik je in mekaar.'
'Beste jongen,' mompelde de oude man sussend, 'dat is geen moment bij me opgekomen. Ik moet er niet aan denken hoe een wereld eruit zou zien waar mannen vrees hebben om hun gevoelens van vriendschap te uiten omdat ze bang zijn voor wat een ander daarvan zou denken. Er zijn duizenden manieren waarop je van iemand kunt houden; slechts een daarvan is seksueel. Je hebt waarschijnlijk van Billy gehouden als van een vader, en uit de manier waarop je hem omschrijft, denk ik dat hij van jou hield als van een zoon. Dat is toch geen schande?'
Terry reageerde niet. Er viel een stilte, die Deacon na verloop van tijd

verbrak omdat hij zich er ongemakkelijk bij ging voelen.
'Luister eens, ik weet niet hoe het met jullie is,' zei hij, 'maar ik heb een zware nacht achter de rug, en zou er geen bezwaar tegen hebben om nu af te nokken. Ik vind persoonlijk dat Terry een slimme knaap is, die het in het leven zeker zal redden. Hij heeft in ieder geval meer *spirit* dan ik op zijn leeftijd had. Ik heb thuis een logeerbed staan, en omdat ik toch tegen een eenzame kerst zit aan te hikken, zou ik zeggen dat je welkom bent, Terry. Wat denk je ervan? Kom je een paar dagen bij mij logeren of ga je weer terug naar het pakhuis? Dan maken we het leuk en laten we de zorgen om de toekomst over aan Lawrence.'
'Ik dacht dat je zei dat je geen eten in huis had,' mompelde hij dwars.
'Klopt, is er ook niet. Vanavond halen we bij de Chinees en morgen gaan we wel kijken of we ergens kalkoen kunnen eten.'
'Eigenlijk wil je me niet bij je over de vloer hebben. Het is alleen omdat Lawrence denkt dat jij als vader niet zou deugen omdat je op het idee gekomen bent.'
'Klopt. Maar het blijft een feit dat ik eraan heb gedacht. Dus wat doe je?' Hij keek naar het gebogen hoofd van de jongen. 'Luister eens, kleine gek dat je bent. Zo slecht heb je het er dankzij mij vandaag niet afgebracht. Ik geef toe, ik weet niks van het ouderschap, maar een klein bedankje voor mijn moeite zou er toch wel af kunnen, of niet?'
Terry begon ineens te glimlachen en keek op. 'Bedankt, papa. Je doet je best. Wat dacht je van de Indiër in plaats van de Chinees?'
In de ogen van de jongen was heel even een blik van triomf te zien geweest. Deacon was het niet opgevallen, maar Lawrence wel. Omdat hij ouder en wijzer was, had hij die blik wel verwacht.

Lawrence sloeg Deacons aanbod om hem thuis af te zetten af, maar noteerde wel zijn adres in Islington voor het geval de politie contact met hem zou opnemen. Hij gaf Terry het advies er een paar dagen over na te denken of terugkeren naar het pakhuis wel zo verstandig was, waarschuwde hem dat zijn werkelijke leeftijd en identiteit toch wel aan het licht zouden komen als hij voor de rechtbank tegen Denning zou moeten getuigen en raadde hem aan eens na te denken hoe hij zijn leven het beste vrijwillig wat op orde zou kunnen brengen, voordat hij ertoe gedwongen zou worden. Toen vroeg hij Terry om op het telefoontoestel achter de bar een taxi voor hem te gaan bellen, waarna hij, terwijl de jongen buiten gehoorsafstand was, Deacon waarschuwde niet naïef te zijn. 'Zorg dat je een gezonde dosis scepsis behoudt, Michael. Denk aan het leven dat Terry heeft geleid en

vergeet niet dat je eigenlijk maar heel weinig van hem weet.'
Deacon glimlachte even. 'Ik was bang dat je tegen me zou gaan zeggen dat ik hem aan mijn borst moest drukken en tegen hem moest zeggen hoeveel ik van hem houd. Maar een gezonde dosis scepsis kan ik altijd wel opbrengen. Da's m'n tweede natuur.'
'Beste man, ik geloof absoluut niet dat je zo gehard bent als je het wilt doen voorkomen. Je accepteert alles wat hij zegt zonder blikken of blozen.'
'Denk je dat hij liegt?'
Lawrence haalde zijn schouders op. 'Het zit me dwars dat het in het gesprek steeds maar weer ging over homoseksualiteit. Als je hem meeneemt naar huis stel je je erg kwetsbaar op. Dan heb je misschien zo een aanklacht wegens poging tot verkrachting aan je broek, en dan heb je geen andere keus meer dan hem het bedrag te betalen dat hij van je eist.'
Deacon fronste zijn voorhoofd. 'Toe nou, Lawrence, hij is helemaal paranoïde op dat punt. Hij laat me heus niet zo dicht bij zich komen dat ik hem kan aanraken, dus hoe kan hij me dan beschuldigen van verkrachting?'
'Poging tot verkrachting, beste man. En bedenk alsjeblieft hoe effectief hij met die paranoia van hem omgaat. Hij heeft jou zover weten te krijgen dat je denkt dat het een goed idee is om hem mee naar huis te nemen, terwijl ik daar absoluut geen vertrouwen in zou hebben.'
'Waarom heb je dan aandrang op me uitgeoefend om het te doen?'
Lawrence zuchtte. 'Dat deed ik niet, Michael. Ik hoopte alleen dat ik je ervan zou kunnen overtuigen dat het het beste was om Terry weer in een tehuis te laten plaatsen.' Terwijl hij sprak keek hij naar de jongen. De barman wilde hem een telefoonboek aanreiken, maar het leek wel alsof hij het niet wilde aanpakken. 'Hoe zou je reageren als hij ineens gaat schreeuwen en zijn kleren verscheurt en dreigt naar je buren te gaan om ze te vertellen dat jij hem gevangenhoudt en seksueel misbruikt?'
'Waarom zou hij dat in godsnaam doen?'
'Ik stel me zo voor dat hij dat wel eens eerder heeft gedaan en weet dat het werkt. Je moet hier echt niet blindelings in lopen, beste man.'
'Nou, leuk,' zei Deacon terwijl hij met een vermoeid gebaar zijn hoofd in zijn handen legde. 'Maar wat moet ik dan nu? Moet ik maar tegen hem zeggen dat hij op kan hoepelen?'
Lawrence grinnikte. 'Sjonge jonge, wat verlies jij snel de moed. Het zou waarschijnlijk het minst vriendelijke maar wel het verstandigste

zijn om hem weer ter beschikking te stellen van de politie en hem verder maar aan het maatschappelijk werk over te laten. Dat zou natuurlijk heel onvriendelijk zijn nu je hem net hebt aangeboden de kerst bij jou thuis door te brengen. Maar goed, een gewaarschuwd man telt voor twee. Ik vind dat je je uitnodiging wel moet handhaven, maar je moet ervoor zorgen dat je hem steeds een stap voor blijft.'
'Ik wou dat je niet steeds van gedachten veranderde,' zei Deacon. 'Een halve minuut geleden had je het nog over die arme jongen die van plan was me te chanteren.'
'Waarom zou het een het ander uitsluiten? Er is niemand die van die jongen houdt, hij heeft geen schoolopleiding, hij is een onontwikkelde puber, die door het leven op straat waarschijnlijk wel een aantal smerige trucs kent om te zorgen dat hij nooit zonder kleren, eten of drugs zit. Het zou best zo kunnen zijn dat jij de aangewezen figuur bent om hem er weer bovenop te helpen.'
'Hij kan waarschijnlijk met me doen wat hij wil,' zei Deacon somber.
'Ach, welnee,' mompelde Lawrence, terwijl hij naar de bar keek, waar Terry ten slotte de barman zover had weten te krijgen dat hij het nummer van de taxi in het telefoonboek voor hem opzocht. 'Jij hebt tenminste het voordeel dat je kan lezen en schrijven.'

Wat Barry bij Fatima meemaakte was een en al vernedering. De vrouw sprak eigenlijk alleen haar eigen taal. Het licht in de zit-slaapkamer was zwak en hij keek met misprijzen naar het sinds het bezoek van de vorige klant niet opgemaakte bed. Er hing een Turkse atmosfeer in de broeierige kamer, maar dat kwam meer door Fatima zelf dan door de wierookstokjes die op de kaptafel stonden te branden.
Ze was een volslanke vrouw van middelbare leeftijd, die geroutineerd te werk ging en duidelijk niet van plan was haar tijd te verspillen. Ze had al snel in de gaten dat ze van doen had met een maagd en wierp regelmatig een blik op de klok terwijl Barry hakkelend zijn woordje deed en ondertussen wanhopig probeerde te bedenken hoe hij zich uit de situatie kon redden zonder haar voor het hoofd te stoten.
'Honnerd,' merkte ze ongeduldig op, op haar handpalm kloppend. 'Jij broek uit. Jij Barry, maar voor mij jij heet liefje. Wat doen? Hondjes? Met olie?' Ze tuitte haar mond totdat die eruitzag als een volle, rijpe vrucht. 'Jij lekker schoon man. Voor honnerdvijftig Fatima ook zuigen. Jij houdt van zuigen? Lekker hoor, liefje.'
Doodsbang dat ze hem niet zou laten gaan voordat hij tenminste iets

had betaald, haalde Barry onhandig zijn portefeuille te voorschijn en liet haar er vijf briefjes van twintig pond uithalen. Maar dat had hij beter niet kunnen doen. Toen het geld eenmaal in haar bezit was en Barry zich niet onmiddellijk uitkleedde, begon zij hem maar van zijn kleren te ontdoen. Ze was een sterke vrouw, en vast van plan om haar aandeel in de overeenkomst na te komen.
'Kom, liefje. Niet schamen. Fatima goed. Kent alle trucs. Zie je wel, geen probleem. Jij grote jongen.' Ze greep een condoom uit een la, bracht die met vaardige hand aan en toog aan het werk.
Haar aanpak was zo vakkundig dat de zaak binnen enkele ogenblikken geklaard was.
'Alsjeblieft, liefje,' zei ze. 'Klaar. Lekker, hè? Jij echt grote jongen. Jij terugkomen als jij weer honnerd hebt, hè? Fatima altijd hier. Volgende keer minder praten, meer plezier, oké? Jij betalen voor goed seks, Fatima geven goed seks. Misschien jij houden van op z'n hondjes en van Fatima's mooie grote kont. Nu broek weer aan en dag zeggen.'
Hij was nog niet helemaal aangekleed of ze had de deur al geopend. Omdat hij niet goed wist wat hij ermee moest stak hij het condoom maar in zijn zak. Terwijl hij de deur uit liep riep ze hem na: 'Jij gauw terugkomen, Barry.' Het enige wat hij voelde was weerzin voor haar en voor vrouwen in het algemeen.

'Wat zei die ouwe tegen je terwijl ik stond te bellen?' vroeg Terry achterdochtig terwijl hij en Deacon terugliepen naar de auto.
'Niks bijzonders. Hij is bezorgd over jouw toekomst. We hadden het erover hoe we je het beste kunnen helpen.'
'Nou, als hij me een geintje flikt en naar de politie loopt, dan is-ie nog niet klaar met me.'
'Hij heeft je zijn woord gegeven dat hij dat niet zou doen. Geloof je hem niet?'
Terry schopte tegen de stoeprand. 'Ach, jawel. Maar hij raakt me te veel aan en hij doet mij te vriendelijk. Denk jij dat hij van de verkeerde kant is?'
'Nee. Maar zou het verschil maken als hij dat wel was?'
'Reken maar van wel, ja. Ik moet niks hebben van flikkers.'
Deacon stak zijn sleuteltje in het slot, maar wachtte even met het openmaken van het portier en keek over het dak van de auto zijn passagier aan. 'Waarom heb je het er dan steeds over?' vroeg hij. 'Je lijkt wel een alcoholist die over niks anders dan drank praat omdat hij hard aan zijn volgende glas toe is.'
'Ik ben geen vieze flikker,' zei Terry verontwaardigd.

'Bewijs dat dan maar door er niet meer over te praten.'
'Oké. Kunnen we even bij het pakhuis langsrijden?'
Deacon keek hem onderzoekend aan. 'Waarom?'
'Ik moet wat spulletjes ophalen. Kleren en zo.'
'Van mij hoef je je niet te verkleden.'
'Ik wil er verdomme niet altijd uitzien als een zwerver.'

Nadat Deacon tien minuten met zijn vingers op het stuurwiel had zitten trommelen en Terry maar niet naar buiten kwam uit het donkere gebouw, vroeg hij zich even af of hij hem misschien zou moeten gaan halen. In gedachten hoorde hij Lawrence spreken. *Vind je dat goed ouderschap, Michael? Je laat een jongen van veertien zomaar een roversnest binnengaan. Noem je dat verantwoordelijk gedrag?*
Hij stelde de ene moeilijke beslissing uit door een andere te nemen. Hij pakte de draagbare telefoon en toetste het nummer van zijn zuster in. 'Spreek ik met Emma?' vroeg hij toen zich aan de andere kant van de lijn een vrouw meldde.
'Nee, met Antonia.'
'Je klinkt precies als je moeder.'
'Met wie spreek ik?'
'Met je oom Michael.'
'Mijn god!' zei de stem aan de andere kant met enig ontzag. 'Blijft u even aan de lijn, alstublieft. Ik zal mama even roepen.' Hij hoorde hoe de hoorn aan de andere kant op tafel werd gegooid en het meisje haar moeder riep. 'Kom gauw. Het is Michael.'
Even later meldde zijn zuster zich buiten adem. 'Hallo, hallo? Michael?'
'Doe even rustig en kom een beetje op adem,' zei hij enigszins geamuseerd. 'Ik loop heus niet weg.'
'Ik heb naar de telefoon gerend. Waar ben je?'
'Ik zit in de auto en sta voor een pakhuis in East End.'
'Wat doe je daar?'
'Niets belangrijks.' Hij voorzag dat de conversatie zou verzanden in allerlei niet ter zake doende bijkomstigheden, want Emma was, net als hij, heel goed in het uitstellen van moeilijke kwesties. 'Luister eens,' zei hij, 'ik heb je kaart gekregen. Julia heeft me er ook een gestuurd. Ik begrijp dat het niet goed gaat met ma.'
Er viel een korte stilte. 'Julia had je dat niet mogen schrijven,' zei ze enigszins verstoord. 'Ik had gehoopt dat je belde omdat je een eind wilde maken aan die stomme ruzie, en niet omdat je je schuldig voelt vanwege ma.'

'Ik voel me niet schuldig.'
'Nou, uit medelijden dan.'
Voelde hij dan wel medelijden? De overheersende emotie was toch wel woede. 'Je komt hier niet het huis binnen met die hoer,' had zijn moeder gezegd toen hij haar had verteld dat hij met Clara getrouwd was. 'Hoe durf je de naam van je vader zo door het slijk te halen door zo'n goedkope temeier in de familie te halen? Was je nog niet tevreden toen hij dood was, Michael?' Dat was vijf jaar geleden geweest, en sindsdien had hij geen woord meer met haar gewisseld. 'Ik ben nog steeds boos, Emma, dus misschien bel ik je wel uit een soort verplichting die ik als zoon voel. Ik ben niet van plan me tegenover haar te gaan verontschuldigen – en trouwens ook niet tegenover jou – maar ik vind het naar om te horen dat ze ziek is. Wat zou je willen dat ik deed? Ik wil best bij haar op bezoek gaan. Als zij zich tenminste weet in te houden. Maar zodra ze in de fout gaat, ben ik weg. Dat is mijn absolute voorwaarde. Dus wat zal ik doen: wel of niet bij haar langsgaan?'
'Jij bent ook helemáál niet veranderd, hè?' Ze klonk boos. 'Je moeder is praktisch blind, en misschien moet er bij haar een been worden afgezet door haar suikerziekte. En dan begin jij over voorwaarden? Dat noem je je plicht als zoon? Michael, ze heeft bijna de hele maand september in het ziekenhuis gelegen, en nu moeten Hugh en ik alle beetjes bij elkaar schrapen om een verpleegster te betalen die haar op de boerderij verzorgt. Ze wil namelijk niet bij ons intrekken. Dát is je verplichting als kind nakomen: zorgen dat je moeder goed verzorgd is, ook al kost je dat zelf veel moeite.'
Deacon keek met een fronsende blik in zijn donkere ogen naar het pakhuis. 'Wat is er dan met haar geld gebeurd? Vijf jaar geleden had ze geld genoeg. Waarom betaalt ze niet zelf voor die verpleegster?'
Emma antwoordde niet.
'Ben je er nog?'
'Jawel.'
'Waarom betaalt ze niet zelf?'
'Ze had aangeboden de kostschool voor de meisjes te betalen, en toen heeft ze haar kapitaal gebruikt om dat alvast te regelen,' zei Emma met duidelijke tegenzin. 'Ze heeft nog wel iets over, maar niet voldoende om alle bijkomende kosten te betalen. Wij hebben het haar niet gevráágd, hoor,' vervolgde ze, nu duidelijk in het defensief. 'Het was haar idee. Alleen kon niemand weten dat ze zo'n klap zou krijgen. En dat er voor jou iets over zou moeten blijven, leek niet aan de orde, want jij had gezegd dat je nooit meer iets met ons te maken wilde hebben.'

'Dat klopt,' zei hij koel. 'En ik praat nu alleen maar met je omdat Julia er zo van overtuigd was dat ik dat niet zou doen.'
Emma zuchtte. 'Is dat de enige reden dat je me gebeld hebt?'
'Ja.'
'Ik geloof je niet. Waarom kan je niet gewoon zeggen dat het je spijt, en het verleden laten rusten?'
'Omdat ik mezelf niets te verwijten heb. Het is niet mijn schuld dat pa gestorven is, hoe jij en ma daar ook over mogen denken.'
'Dat was niet de reden dat ze boos was. Ze was boos over de manier waarop je Julia behandeld hebt.'
'Daar had ze niks mee te maken.'
'Julia was haar schoondochter, en ze was erg op haar gesteld. Ik ook, trouwens.'
'Maar jij was niet met haar getrouwd.'
'Dat is goedkoop, Michael.'
'Tja, daar kan ik jou en Hugh tenminste niet van beschuldigen, hè? Niet nu jij en Hugh de poet hebben binnengehaald,' zei Deacon sarcastisch. 'Ik heb nooit een cent van ma aangenomen, en ik ben ook niet van plan daar nu mee te beginnen. Dus als zij mij wil zien, dan zal dat op mijn voorwaarden moeten gebeuren. Tenslotte ben ik haar geen moer schuldig, hoeveel benen er ook bij haar worden afgezet.'
'Het is niet te geloven dat je dit zegt,' zei zijn zuster fel. 'Doet het je dan helemaal niets dat ze ziek is?'
Al zou dat wel het geval zijn, hij was niet van plan dat toe te geven. 'Op mijn voorwaarden, Emma, of anders helemaal niet. Heb je een pen bij de hand? Luister, dit is mijn telefoonnummer thuis.' Hij noemde het nummer. 'Ik neem aan dat je met Kerstmis op de boerderij bent, dus ik stel voor dat je het met ma bespreekt en me belt over de uitslag. En vergeet niet dat ik Hugh beloofd heb dat hij een pak slaag zou krijgen als ik hem weer zag, dus houd daar rekening mee bij het nemen van je beslissing.'
'Je kan Hugh geen pak slaag geven,' zei ze verontwaardigd. 'Hij is drieënvijftig.'
Deacon trok een gemeen gezicht. 'Oké, dan zal één klap wel voldoende zijn.'
Weer viel er een stilte. 'Hij wilde trouwens al heel lang zijn verontschuldigingen aanbieden,' zei ze zonder veel overtuiging. 'Hij meende niet echt wat hij zei. Het kwam min of meer door de omstandigheden van het moment. Daarna had hij er spijt van.'
'Arme Hugh. Dan wordt het dubbel zo pijnlijk voor hem als ik hem op zijn bek timmer.'

Terry kwam het pakhuis uit gelopen met twee smerige koffers die hij op de achterbank deponeerde. Ter verklaring zei hij dat hij, aangezien het pakhuis vol dieven zat, zijn bezittingen veilig moest stellen door ze mee te nemen. Deacon dacht dat het meer weg had van een grootscheepse verhuizing naar wat de jongen kennelijk een luxeleventje leek.
Ze aten de maaltijd die ze bij de Indiër hadden gehaald buiten op de motorkap van Deacons auto op. Ze liepen daarbij weliswaar het gevaar in de vrieskou om te komen, maar dat wilde hij liever dan dat zijn interieur onder de rode vlekken van de tandoori-kip zou komen te zitten. Terry wilde weten waarom ze niet in het restaurant aten.
'Ik denk niet dat we daar bediend zouden worden,' zei Deacon bars. 'Niet nadat je ze "zwartjes" had genoemd.'
Terry grijnsde. 'Hoe noem jij ze dan?'
'Gewoon, mensen.'
Zwijgend aten ze door, onderwijl over de straat kijkend. Gelukkig was er bijna niemand op straat, zodat ze geen bekijks trokken. Deacon vroeg zich af wie bij het passeren van een kennis het meest verlegen met de situatie zou zijn geweest, hij of Terry.
'En wat gaan we nu doen?' vroeg Terry terwijl hij het laatste restje van de maaltijd naar binnen werkte. 'Naar het café? Naar een club misschien? Ergens een joint roken?'
Deacon, die had gehoopt thuis rustig met de benen over elkaar voor de open haard en de televisie te kunnen hangen, kreunde inwendig. Het café, een club, een joint roken? Hij voelde zich stokoud bij alle activiteiten van de knaap naast hem tijdens het afgelopen uur – heen en weer schuiven, krabben, verzitten, van plaats veranderen. Hierdoor was hij gaan nadenken over de dreiging van vlooien, luizen en bedwantsen en over de vraag hoe hij Terry zover zou kunnen krijgen een bad te nemen en al zijn kleren in de wasmachine te deponeren zonder dat hij zijn motieven verkeerd zou interpreteren.
Een ding was in ieder geval zeker. Hij was niet van plan Terry bij hem in huis de vrije hand te laten.

De ruzie tussen Emma en Hugh Tremayne ging zoals gewoonlijk met luid geschreeuw gepaard en Hugh had zijn toevlucht weer gezocht bij de whiskyfles. 'Weet je wel wat het betekent om als enige man in een huis vol dominante vrouwen te moeten wonen?' vroeg hij op hoge toon. 'Hoe vaak heb ik niet hetzelfde als Michael willen doen en ervandoor gaan. Altijd maar dat gezeur aan te moeten horen! Dat is het enige waar jij en je moeder voor in de wieg gelegd zijn, lijkt het wel.'

'Ik was niet degene die Michael voor een hoop stront heeft uitgemaakt,' zei Emma woedend. 'Dat was een lumineus idee van jou. Maar hoe je erbij kwam dat je hem zijn eigen huis uit kon zetten, is me nog steeds een raadsel. Dat je met mijn familie te maken hebt, is alleen maar omdat je met mij getrouwd bent.'
'Dat is een waar woord,' zei hij terwijl hij zijn glas nog eens vol schonk. 'En wat doe ik hier eigenlijk nog? Soms denk ik wel eens dat je broer de enige in je familie is voor wie ik nog een klein beetje sympathie had. Hij zeurt in ieder geval niet zo.'
'Doe niet zo kinderachtig,' zei ze boos.
Hij staarde somber over de rand van zijn glas. 'Ik heb Julia nooit gemogen. Een loeder van een wijf was het, en nog frigide ook. Ik heb het Michael nooit kwalijk genomen dat hij iets met Clara begonnen is, en toch heb ik me toen door jou en je moeder op sleeptouw laten nemen, terwijl ik juist tegen hem had moeten zeggen dat hij de hele boel hier af had mogen breken, met jou en Penelope erbij. Wat mij betreft, zou hij dan volledig in zijn recht hebben gestaan. Jullie hadden zeker een uur lang tegen hem staan schreeuwen als een stelletje viswijven toen hij zijn geduld verloor, en toen had jij nog de gotspe om tegen hem te zeggen dat zijn vrouw ordinair was.' Hij schudde zijn hoofd en liep naar de deur. 'Het kan me allemaal niks meer schelen. Als jij wilt dat Michael meehelpt, moet je je moeder er maar van overtuigen dat ze hem met wat meer respect behandelt.'
Het huilen stond Emma nader dan het lachen. 'Als ik daarover begin, wil ze helemaal niet met hem praten. Het is Julia's schuld. Als zij niet tegen hem had gezegd dat ma ziek was, zou hij waarschijnlijk ook wel gebeld hebben.'
'Zo langzamerhand heb je niemand meer die je nog de schuld kunt geven.'
'Maar wat moeten we nou?' jammerde ze. 'Ze zal de boerderij moeten verkopen.'
'Het is jouw familie,' gromde hij, 'dus zoek jij het maar uit. Je weet best dat ik het geld van je moeder nooit heb willen hebben. Het was zonneklaar dat ze dat als stok achter de deur tegen ons zou gebruiken.' Hij sloeg de deur achter zich dicht. 'En met Kerstmis ga ik niet mee naar haar toe,' riep hij vanaf de gang. 'Dat heb ik nou verdomme al zestien jaar lang gedaan, en dat was zestien keer één doffe ellende.'

'Ik zal je zeggen wat we gaan doen,' zei Deacon, terwijl hij voor de deur van zijn appartement stond te hijgen omdat hij een van de

koffers drie verdiepingen naar boven had moeten zeulen. 'Jij haalt hier voor de deur alle dingen die in de wasmachine kunnen uit deze koffers. Die doen we dan in plastic vuilniszakken, die ik in de wasmachine zal leeggooien terwijl jij een bad neemt. De kleren die je aanhebt leg je voor de badkamerdeur neer, en als jij dan keurig netjes de deur achter je op slot hebt gedaan, haal ik die kleren weg en leg er spullen van mij voor in de plaats. Akkoord?'
In het halfduister van het halletje leek Terry een stuk ouder dan veertien. 'Het lijkt wel of je bang voor me bent,' merkte hij verbaasd op. 'Wat heeft die ouwe zak van een Lawrence werkelijk tegen je gezegd?'
'Hij zei tegen me hoe vies en ongewassen je waarschijnlijk zou zijn.'
'Ja, ja, dat zal wel!' Terry keek hem geamuseerd aan. 'Weet je zeker dat hij niet tegen je heeft gezegd dat je moest uitkijken dat ik je er niet bij lapte met een verkrachtingstruc?'
'Dat ook, ja,' zei Deacon.
'Dat lukt altijd, weet je. Ik heb wel eens een knaap ontmoet die zo vijfhonderd pond had los weten te krijgen. Een of andere ouwe lul had hem puur uit vriendelijkheid mee naar huis genomen, en voor hij het wist stond die jongen moord en brand te schreeuwen dat hij verkracht werd.' Hij glimlachte. 'Ik wed dat Lawrence je de wind van voren heeft gegeven dat je me hier had uitgenodigd. Hij is messcherp, die ouwe, maar hij heeft het bij het verkeerde eind als hij denkt dat ik jou te grazen zal nemen. Van Billy heb ik geleerd: bijt nooit in de hand die je voedt. Dus maak je maar geen zorgen, oké? Bij mij ben je veilig.'
Deacon opende de voordeur en tastte naar het lichtknopje. 'Dat is goed nieuws, Terry. Dan hoeven we allebei minder op onze tellen te passen.'
'O ja? Was je iets van plan als er zoiets zou gebeuren?'
'Jazeker. Wraak noemen ze dat.'
Terry's glimlach verbreedde zich tot een grijns. 'Je kan helemaal geen wraak nemen op een minderjarig kind. De politie zou je levend villen.'
Deacon glimlachte terug, maar het was geen prettige glimlach. 'Waarom denk je dat je nog minderjarig zou zijn als het gebeurt, of dat ik degene zou zijn die het doet? Billy had je nog een andere levenswijsheid moeten leren, namelijk deze: wraak is een gerecht dat ijskoud moet worden opgediend.' Hij liet zijn stem dalen. 'Je zal een seconde of twee de tijd hebben om je te realiseren wat er aan de hand is als een geval als Denning jou aandoet wat Walter vanmiddag is

overkomen. En als je geluk hebt, blijf je er niet in, zodat je er de rest van je leven spijt van zal hebben.'
'O ja, nou, maar zo ver komt het niet,' mopperde Terry, enigszins geschrokken door de toon waarop Deacon had gesproken. 'Zoals ik net al zei, bij mij ben je veilig.'

Terry had grote kritiek op Deacons appartement. Het beviel hem niet dat de voordeur meteen toegang gaf tot de huiskamer: 'Jezus, dat betekent dat je altijd moet zorgen dat alles opgeruimd is.' Ook het smalle gangetje dat naar de badkamer en de twee slaapkamers leidde deugde niet: 'Het zou een stuk ruimer zijn als er niet overal van die stomme muren stonden.' Alleen de keuken kwam er genadig af omdat die rechtstreeks in verbinding stond met de huiskamer: 'Dat is wel handig voor als je bij de tv wilt eten.' Nu hij alle luchtjes van zijn lichaam had afgewassen, liep hij parmantig rond in een veel te grote spijkerbroek en een trui en schudde hij zijn hoofd over alle burgerlijkheid om zich heen. Hij rook sterk naar 'Jazz' aftershave ('Bij een drogist gejat,' meldde hij trots), waarvan Deacon moest toegeven dat die iets toevoegde aan de atmosfeer.
Het uiteindelijke oordeel was niet misselijk: 'Jij bent geen duffe klootzak, Mike, dus hoe komt het dat je in zo'n duf zootje woont?'
'Wat is er duf aan?' Deacon duwde met een lange pollepel Terry's kleren zorgvuldig de wasmachine in. Hij lette scherp op of hij geen beestjes zag opspringen, en aangezien hij vast van plan was de eerste die hij zag met de pollepel plat te slaan, was het maar gelukkig dat ze zich niet lieten zien.
Terry zwaaide met een arm om zich heen. 'De enige kamer die er nog een beetje redelijk uitziet, is jouw slaapkamer, en dat komt dan nog alleen maar doordat er een stereo-installatie staat en stapels boeken. Ik snap niet dat jij op jouw leeftijd niet meer spullen hebt. Ik heb zelfs nog meer dan jij, en jij loopt toch minstens dubbel zo lang hier rond als ik.'
Deacon haalde zijn sigaretten te voorschijn en gaf de knaap er een. 'Dan moet je nooit trouwen. Wat je hier ziet is het resultaat van twee echtscheidingen.'
'Billy zei altijd dat vrouwen gevaarlijk waren.'
'Was hij getrouwd?'
'Waarschijnlijk wel. Maar hij praatte er nooit over.' Hij trok de deuren van de keukenkastjes open. 'Heb je hier ergens nog wat te drinken?'
'In de koelkast ligt wat bier, en in het rek daar bij de muur liggen een paar flessen wijn.'

‘Mag ik een pilsje?’
Deacon pakte twee blikjes uit de koelkast en wierp er hem een toe. ‘In de kast daar rechts van je staan glazen.’
Terry gaf er de voorkeur aan uit het blikje te drinken. Dat was Amerikaans, zei hij.
‘Weet je veel van Amerika?’ vroeg Deacon.
‘Alleen wat ik van Billy heb gehoord.’
Deacon trok een keukenstoel bij en ging er achterstevoren op zitten. ‘Wat vertelde Billy erover?’
‘Hij had er geen hoge pet van op. Dacht dat het helemaal corrupt was door de invloed van het geld. Europa beviel hem beter. Hij had het altijd over de communisten. Hij zei dat die Jezus imiteerden.’

De telefoon ging, maar toen geen van beiden de hoorn opnam, ging het antwoordapparaat aan. ‘Michael, met Hugh,’ klonk de stem van zijn zwager uit het apparaat. ‘Ik ben morgen tussen de middag in de Red Lion in Deanery Street. Ik ga me nu niet verontschuldigen, want je hebt groot gelijk dat je me eerst een pak slaag wil geven. Daarna zal ik wel zeggen dat het me spijt. Ik hoop dat je dat accepteert.’
Terry fronste zijn voorhoofd. ‘Wat was dat?’
‘Wraak,’ zei Deacon. ‘Ik zei het je toch al, die moet ijskoud worden opgediend.’

10

EEN AANTAL KILOMETERS VERDEROP, IN FLEET STREET, HIELD BARRY Grover zich verscholen totdat Glen Hopkins' dienst erop zat. Pas toen Reg Linden, de man die hem afloste, al een kwartier op zijn post zat, haastte hij zich de weg over en ging het kantoorgebouw binnen. Reg, die als nachtwaker maar weinig contact had met de medewerkers van *The Street*, vroeg Barry allang niet meer wat hij 's nachts in het gebouw kwam doen, en keek vanwege de gezelligheid zelfs een beetje uit naar zijn komst. Hij was altijd heel geïnteresseerd in de onderwerpen waar Barry mee bezig was en omdat hij niet op de hoogte was van wat de vrouwen allemaal over hem vertelden, dacht hij dat Barry's grootste probleem zijn slapeloosheid was. Hij en Barry waren zelfs in zekere zin vrienden van elkaar, zoals alleen mannen dat kunnen die niet al te veel van elkaar willen weten.
Hij glimlachte vriendelijk. 'Nog steeds bezig uit te zoeken wie die dode alcoholist geweest is?' vroeg hij.
Barry knikte. Als Reg wat beter opgelet had, zou hij zich misschien hebben afgevraagd waarom de kleine man zo opgewonden was, en zou hij Barry misschien zelfs gevraagd hebben waarom zijn gulp openstond. Maar het lot had nu eenmaal bepaald dat hij niet erg opmerkzaam was.
'Misschien heb je hier wat aan,' zei hij en haalde een paperback uit zijn bureaula. 'Het gaat om hoofdstuk vijf, dat gaat over mensen die vermist zijn. Er staan helaas geen foto's bij, maar er staat wel iets in over James Streeter. Mijn vrouw kwam het tegen in een boekwinkel en dacht dat het je wel zou interesseren. Ze heeft altijd veel belangstelling voor de projecten waar jij mee bezig bent.' Hij wuifde Barry's dankbetuigingen weg en beloofde dat hij hem, zodra hij thee gezet had, een kopje zou komen brengen.

Deacon ledigde een volgende vuilniszak met kleren in de wasmachine. 'Je zei dat er spullen in het pakhuis lagen die van Billy waren,' bracht hij Terry in herinnering. 'Was dat een trucje om me daarheen

te laten komen of was het echt waar?'
'Het is waar, maar je zal ervoor moeten betalen als je ze wil zien.'
'Waar zijn ze dan?'
Terry knikte in de richting van de zitkamer, waar zijn koffers in een hoek stonden. 'Daar.'
'Wat houdt me tegen om je koffers zelf te gaan doorzoeken?'
'Een van deze twee.' De jongen hief zijn beide vuisten. 'Ik sla je zo neer, en als je terugslaat heb ik het bewijs dat je me aangevallen hebt.' Hij glimlachte vriendelijk. 'En of ik dan zal zeggen dat je me wilde verkrachten of dat je iets anders wilde, dat laat ik dan maar van mijn stemming op dat moment afhangen.'
'Hoeveel wil je ervoor hebben?'
'Die maat van me heeft vijfhonderd los weten te krijgen van die ouwe zak.'
'Rot op, Terry. Zoveel is Billy me niet waard. De hele zaak begint me trouwens de keel uit te hangen.'
'Ga nou gauw! Je denkt aan niks anders! En mij houdt hij ook steeds bezig. Vierhonderd.'
'Twintig.'
'Honderd.'
'Vijftig, en dan moet het wel verdomd interessant zijn wat je hebt.' Deacon balde nu ook een vuist. 'Anders krijg jíj ervan langs. En dan maakt het me eerlijk gezegd niks uit wat de gevolgen eventueel zijn.'
'Oké, afgesproken. Geef me die vijftig pond dan.' Terry stak een geopende hand uit. 'Alleen contant geld, anders gaat de deal niet door.'
Deacon knikte in de richting van de keukenkastjes. 'Het derde kastje, de koektrommel op de tweede plank. Haal daar maar vijf briefjes van tien uit, en laat de rest liggen.' Hij keek hoe de jongen de trommel uit het kastje haalde, het stapeltje bankbiljetten eruit haalde en er vijftig pond afhaalde.
'Jezus, jij bent ook een rare, Mike,' zei hij toen hij weer ging zitten. 'Er ligt daar zeker tweehonderd pond. Wat houdt mij tegen om dat geld te jatten nu je me hebt gewezen waar het ligt?'
'Niks,' zei Deacon, 'behalve de wetenschap dat het van mij is, en dat jij het niet verdiend hebt. Nog niet, tenminste.'
'Wat moet ik dan doen om het te verdienen?'
'Leren lezen.' Hij zag de cynische blik in Terry's ogen. 'Ik zal het je leren.'
'Ja, dat zal wel. Dat hou je twee dagen vol, en dan word je boos en dan heb ik voor niks al die moeite gedaan.'
'Waarom heeft Billy het je niet geleerd?'

'Hij heeft het wel een paar keer geprobeerd,' zei de jongen smalend, maar hij kon niet goed genoeg zien om me iets te leren, behalve dan wat hij in zijn hoofd had. Hij had eens een keer een naald in zijn oog gestoken, en daardoor kon hij nooit lang achter elkaar lezen zonder hoofdpijn te krijgen.' Hij nam nog een sigaret. 'Ik heb je eerder al gezegd dat hij echt knettergek was. Hij kon zichzelf geen groter genoegen doen dan zichzelf pijn te doen.'

Het was een armzalig allegaartje van persoonlijke eigendommen: een verkreukelde ansichtkaart, een paar stukken krijt, een zilveren dollar en twee briefjes die, doordat ze zo vaak herlezen waren, bijna uit elkaar vielen. 'Is dat alles wat er was?' vroeg Deacon.
'Dat zei ik toch al. Hij wilde geen persoonlijke bezittingen, en die had hij ook niet. Wat dat betreft leek hij wel een beetje op jou, als je er goed over nadenkt.'
Deacon spreidde de voorwerpen op tafel uit. 'Waarom had hij deze dingen niet bij zich toen hij stierf?'
Terry haalde zijn schouders op. 'Omdat hij een paar dagen voordat hij er voor het laatst vandoor ging tegen me gezegd had dat ik ze moest verbranden. Ik heb dat niet gedaan voor het geval hij van gedachten zou veranderen.'
'Heeft hij nog gezegd waaróm hij wilde dat ze verbrand zouden worden?'
'Nee, niet met zoveel woorden. Het was tijdens een van zijn aanvallen van krankzinnigheid. Toen liep hij steeds maar te roepen dat alles stof was, en toen heeft hij tegen mij gezegd dat ik de hele boel in het vuur moest gooien.'
'Stof zijt gij, en tot stof zult gij wederkeren,' mompelde Deacon terwijl hij de ansichtkaart opraapte en omdraaide. Aan de ene kant was hij blanco, en aan de andere kant stond een reproductie van een afbeelding van Leonardo da Vinci van de Madonna met het Kind en de Heilige Anna. De kaart was aan de randen gerafeld en op het glimmende oppervlak aan de beeldzijde zaten vetvlekken, maar er zou meer nodig zijn geweest om de kracht die de tekening van Da Vinci uitstraalde teniet te doen. 'Waarom had hij dit?'
'Dit kopieerde hij altijd op het trottoir. Dit is de familie die hij altijd tekende.' Terry raakte even de zuigeling Johannes de Doper aan de rechterkant van de afbeelding aan. 'Deze baby liet hij weg.' Zijn vinger schoof op in de richting van de Heilige Anna. 'Van deze vrouw maakte hij een man, en die andere vrouw en haar baby tekende hij zoals ze zijn. En dan kleurde hij het geheel in. Hij was heel goed,

hoor. In Billy's tekeningen kon je altijd precies zien hoe het zat, terwijl deze een beetje rommelig is. Vind je ook niet?'
Deacon schoot in de lach. 'Het is een van de beroemdste meesterwerken ter wereld, Terry.'
'Toch was de manier waarop Billy het schilderde beter. Ik bedoel, kijk nou eens naar de benen; die zijn helemaal niet zo duidelijk van elkaar te onderscheiden. Billy gaf die vent bruine benen en de vrouw blauwe.'
Met een onderdrukt gesnuif boog Deacon zich voorover. Met een steelse blik pakte hij zijn zakdoek en snoot luidruchtig zijn neus, waarna hij weer rechtop ging zitten. 'Help me herinneren dat ik je een keer het origineel laat zien,' zei hij met onvaste stem. 'Dat hangt in de National Gallery op Trafalgar Square. Ik ben er niet zo zeker van dat die benen inderdaad niet goed uit elkaar te houden zijn.' Hij nam een slok uit zijn blikje bier. 'Vertel me eens hoe Billy die tekening zo goed kon reproduceren als hij niet goed kon zien.'
'O, tekenen ging altijd wel. Ik bedoel, 's avonds zat hij altijd te tekenen op stukjes papier, en trouwens, hij maakte zijn tekeningen op het trottoir altijd heel groot. Alleen van lezen kreeg hij hoofdpijn.'
'En hoe zat dat met het onderschrift dat hij volgens jou altijd onder zijn tekeningen zette?'
'Dat was ook altijd heel groot, net als de tekening. Anders konden de mensen het niet lezen.'
'Hoe kun je weten wat er stond als je niet kunt lezen?'
'Billy heeft het me voorgedaan, zodat ik het zelf ook kon schrijven.' Hij schoof Deacons notitieblok naar zich toe en schreef er de woorden op.
Zalig zijn de armen
'Als je dit kunt,' zei Deacon zo neutraal mogelijk, 'kan je binnen twee dagen leren lezen.' Hij pakte een van de twee brieven en legde die voorzichtig voor zich op tafel.

Cadogan Square
4 april,

Liefste,
Bedankt voor je prachtige brief. Wat zou ik toch graag willen dat je van het hier en nu zou kunnen genieten en de toekomst vergeten. Natuurlijk voel ik me gevleid dat je wilt dat iedereen weet dat je van me houdt, maar is datgene wat we hebben niet veel mooier omdat het een geheim is? Je zegt dat je spiegel je

er nooit van zal kunnen overtuigen dat je oud bent, zolang ik nog zo jong ben, maar lieverd, Shakespeare heeft nooit de naam van zijn geliefde genoemd omdat hij wist hoe slecht de wereld kon zijn. Wil je mij aan de schandpaal genageld zien als een gemeen berekenend wijf, dat erop uit was iedere man te verleiden die haar zekerheid kon bieden? Want dat is wat zal gebeuren wanneer je erop staat onze liefde naar buiten te brengen. Ik aanbid je met heel mijn hart, maar mijn hart zal breken als je ooit om wat de mensen zeggen ophoudt met van me te houden. Laten we alsjeblieft alles laten zoals het is. Alsjeblieft!

Je liefhebbende V.

Deacon vouwde de tweede brief open en legde die naast de eerste. Het handschrift was hetzelfde.

Parijs, vrijdag

Liefste,
Denk alsjeblieft niet dat ik gek geworden ben, maar ik ben zo vreselijk bang om dood te gaan. Af en toe heb ik een nachtmerrie waarin ik door de ruimte zweef en onbereikbaar ben voor de liefde van wie dan ook. Is dat de hel, denk je? Voor eeuwig te weten dat de liefde wel bestaat, maar tegelijkertijd voor eeuwig verdoemd te zijn zonder liefde voort te moeten leven? Als dat zo is, dan zal dat mijn straf zijn voor het geluk dat ik met jou heb beleefd. Ik kan de gedachte niet van me afzetten dat het verkeerd is als iemand zo veel van een ander houdt dat ze het niet kan verdragen van hem gescheiden te zijn. Alsjeblieft, blijf niet langer weg dan echt nodig is. Het is geen leven zonder jou.

V.

'Heeft Billy je deze brieven voorgelezen, Terry?'
De jongen schudde zijn hoofd.
'Het zijn liefdesbrieven. Heel mooie liefdesbrieven zelfs. Wil je ze horen?' Hij vatte Terry's zwijgen op als instemming en las de brieven hardop voor. Toen hij klaar was, wachtte hij op een reactie, maar die kwam niet. 'Heb je hem ooit iets horen zeggen over iemand wier naam met een V begon?' vroeg hij. 'Zo te zien was ze een stuk jonger dan hij.'

De jongen antwoordde niet meteen. 'Wie ze ook geweest mag zijn, ze is dood,' zei hij. 'Billy heeft me een keer gezegd dat de hel was om voor eeuwig alleen gelaten te worden en er niets aan te kunnen veranderen, en toen begon hij te huilen. Hij zei dat hij altijd moest huilen als hij eraan dacht dat iemand zo eenzaam kon zijn, maar ik denk dat hij in werkelijkheid om deze vrouw huilde. Triest, hè?'
'Ja,' zei Deacon langzaam, 'maar ik vraag me af waarom hij dacht dat ze in de hel was.' Hij herlas de brieven nog eens, maar kon niets vinden dat Billy's gedachte over V's lot bevestigde.
'Hij was ervan overtuigd dat híj naar de hel zou gaan. Hij keek er zelfs op een of andere vreemde manier naar uit. Hij zei dat hij alle straffen verdiende die de goden maar konden bedenken.'
'Omdat hij een moordenaar was?'
'Ik denk het. Hij praatte voortdurend maar over het leven als een heilige gift. Tom werd er altijd helemaal gallisch van. Dan zei hij met dat Cockney-accent van hem: "Als het dan zo verdomde heilig is, wat doen we dan hier in deze gribus?" En dan zei Billy met zijn nette accent: "Je bent hier uit vrije wil, omdat die gave de vrije wil omvat. Beslis nu of je wilt dat de wraak der goden over je uitgestort wordt. Zo niet, kies dan een verstandiger pad."'
Deacon grinnikte. 'Zei hij dat echt zo?'
'Jazeker. Ik zei het af en toe wel eens in zijn plaats als hij weer eens te bezopen was om uit zijn woorden te komen. Hij was een beetje een zeikerd, eigenlijk. Hij begreep niet dat hij de mensen ergerde. Of als hij het wel begreep, dan kon het hem niks schelen. Dan werd hij fel en begon hij te schreeuwen, en dat was nog vervelender, want dan begrepen we helemaal niet waar hij het over had.'
Deacon haalde nog twee pilsjes uit de koelkast en gooide de lege blikjes in de afvalemmer. 'Kan je je herinneren of hij het ooit wel eens over boetedoening heeft gehad?' vroeg hij terwijl hij tegen het aanrecht leunde.
'Is dat hetzelfde als berouw hebben?'
'Ja.'
'Daar had hij het vaak over. "We moeten berouw hebben, want het einde is meer nabij dan wij denken!" Dat zei hij ook die keer dat hij midden in de winter al zijn kleren uitdeed. Toen liep hij maar te roepen dat we berouw moeten tonen.'
'Weet je wat berouw tonen inhoudt?'
'Jawel, dat is zeggen dat het je spijt.'
Deacon knikte. 'Waarom heeft Billy dan niet zijn eigen advies opgevolgd en gezegd dat het hem speet van die moord? Dan had hij de

blik naar de hemel moeten richten in plaats van naar de hel.' *Maar hij had tegen de psychiater gezegd dat zijn eigen verlossing hem niet interesseerde...*

Terry dacht hier enige tijd over na. 'Ik begrijp wat je bedoelt,' verklaarde hij ten slotte, 'maar het is nieuw voor me. Ik heb er nooit eerder over nagedacht. De moeilijkheid met Billy was dat hij altijd zo vreselijk hard praatte, en dat je gek werd als je naar hem ging luisteren. En over die moord heeft hij het maar één keer gehad, toen hij zich ergens vreselijk over opwond.' Hij kneep zijn ogen geconcentreerd samen. 'In ieder geval, meteen daarna stak hij zijn hand in het vuur en wilde die niet terugtrekken totdat we hem er met zijn allen vandaan sleepten. Ik denk dat niemand daarom gevraagd heeft waarom hij zelf geen berouw toonde.' Hij haalde zijn schouders op. 'Het zal allemaal wel heel eenvoudig zijn. Ik denk dat het zijn schuld was dat die vrouw naar de hel is gegaan, en dat hij gedacht heeft dat hij daar dan ook naartoe moest. Het arme wijf.'

Deacon dacht weer aan de twijfel die hem had bevangen toen Terry dit verhaal voor het eerst vertelde en het duidelijk was dat de andere mannen in het pakhuis daar niets van wisten. Ze hadden zich wel herinnerd dat hij zijn hand in het vuur had gestoken, maar wisten niets van een bekentenis dat hij een moord zou hebben gepleegd. 'Maar misschien was er niets om berouw over te hebben,' opperde hij. 'Een andere manier om naar de hel te gaan is door de goddelijke gave van het leven teniet te doen door *jezelf* te doden. Eeuwenlang mochten zelfmoordenaars niet in gewijde aarde begraven worden omdat ze zichzelf buiten Gods barmhartigheid hadden geplaatst. Is dat niet de weg die Billy volgde?'

'Dat heb je me al een keer gevraagd, en ik heb het je al een keer gezegd: Billy heeft nooit geprobeerd zichzelf van het leven te beroven.'

'Hij heeft zichzelf uitgehongerd.'

'Nee. Hij heeft er alleen niet aan gedacht dat hij moest eten. Dat is heel wat anders. Meestal was hij gewoon te dronken om te weten wat hij deed.'

Deacon dacht aan wat hij eerder had gezegd. 'Je zei dat hij iemand had gewurgd omdat de goden dat lot voor hem hadden uitgestippeld. Waren dat de woorden die hij zelf gebruikte?'

'Weet ik niet meer.'

'Probeer het je eens te herinneren.'

'Ja, of iets wat erop leek.'

Deacon keek sceptisch. 'Je hebt ook gezegd dat hij zijn hand had verbrand als een offer, om de toorn van de goden af te wenden. Maar

waarom zou hij dat doen als hij naar de hel wilde?'
'Jezus!' riep Terry geërgerd. 'Hoe moet ik dat weten? De man was gek!'
'Alleen is jouw definitie van een gek niet dezelfde als die van mij,' zei Deacon ongeduldig. 'Is het nooit bij je opgekomen dat Billy steeds maar liep te schelden en te vloeken omdat hij daar tussen een stelletje dronkaards zat die geen snars begrepen van wat hij zei? Mij verbaast het niks dat hij aan de drank is geraakt.'
'Onze schuld was het niet,' zei de jongen vermoeid. 'Wij hebben ons best gedaan voor die arme idioot, en ik kan je verzekeren dat het niet makkelijk was om het hoofd koel te houden als hij tegen ons tekeerging.'
'Oké. Maar wat is dan het antwoord op de volgende vraag? Je zei dat hij vlak voordat hij je van die moord vertelde, opgewonden was over iets. Wat was dat dan?'
Terry antwoordde niet.
'Was het iets persoonlijks tussen hem en jou?' vroeg Deacon, die ineens het gevoel had dat hij iets op het spoor was. 'Is dat de reden dat de anderen er niets van wisten?' Hij zweeg even. 'Wat was er gebeurd? Hadden jullie ruzie gemaakt of gevochten? Had hij misschien geprobeerd jou te wurgen, en heeft hij toen uit wroeging zijn hand in het vuur gestoken?'
'Nee, het was andersom,' zei de jongen met een sombere gelaatsuitdrukking. 'Ik had geprobeerd hém te wurgen. Hij heeft zijn hand alleen maar in het vuur gestoken om mij eraan te herinneren hoe weinig het had gescheeld of ik was een moordenaar geweest.'

De afschuwelijke ironie van de situatie waarin Barry zich bevond, drong zich in het halfduister van het knipselarchief ineens met kracht aan hem op toen hij zich realiseerde dat hij niet langer tevreden was met het kijken naar foto's van mooie mannen en zijn onschuldige fantasieën over wat zij voor hem konden betekenen.
Zijn handen beefden een beetje toen hij de foto's van Amanda Powell bij elkaar zocht.
Hij wist alles van haar. Hij wist waar ze woonde en ook dat ze alleen woonde.

Voorzover Terry zich kon herinneren was het twee weken na zijn veertiende verjaardag gebeurd, tijdens het laatste weekend van februari. Het was al een aantal dagen bitter koud geweest en de stemming in het pakhuis was om te snijden geweest. Het was altijd erger als het koud was, legde hij uit, want overleven ging niet zonder een dagelijks bezoek aan een van de gaarkeukens. Vaak weigerden de oudere zwervers en de gekken om uit de cocon te komen die ze voor zichzelf hadden gesponnen, waarop Terry en Tom het op zich namen om hen te dwingen in beweging te komen. Maar, zoals Terry zei, was dat een snelle manier om mensen tegen je in het harnas te jagen, en bij Billy ging dat nog makkelijker dan bij de meesten.

'Een van de redenen dat Tom vanmiddag niet wilde dat ik de politie zou roepen was dat er iets in het pakhuis verborgen was.' Hij haalde een met zilverpapier ingepakt pakje uit zijn zak en legde dat op tafel. 'Ik rook wel eens een joint,' zei hij, in de richting van het pakje knikkend, 'en soms neem ik ook nog wel eens een ecstasy pilletje als ik uit m'n dak wil gaan. Maar dat is allemaal kinderspul vergeleken met de rotzooi die sommige anderen daar gebruiken. Bijna elke dag liggen er in het pakhuis overal figuren die allerlei hard spul gebruiken, van heroïne tot weet ik wat, en de helft van die klootzakken woont er niet eens, maar komt er alleen maar om te spuiten omdat ze denken dat ze daar veiliger zitten dan op straat. En dan ligt er nog allerlei gejat spul – drank en sigaretten en zo – dat de lui daar tussen de troep verborgen hebben. Je moet verdomd goed uitkijken dat je niet over iemands voorraad struikelt, want voor je het weet heb je een mes tussen je ribben, net als Walter overkomen is. Soms loopt het de spuigaten uit. Deze week hebben we bijvoorbeeld twee vechtpartijen en een steekpartij gehad, en soms wordt dat je gewoon te veel.'

'Heb je daarom vandaag de politie gebeld?'

'Ja, en vanwege Billy. Ik heb de laatste tijd veel aan hem zitten denken.' Hij ging weer verder met zijn verhaal. 'Maar goed, het was toen in februari ongeveer net als nu, alleen was het nog kouder, dus waren er meer slapers dan gewoonlijk. Als ze op straat bleven slapen, vroren ze dood, dus Tom en de anderen knepen een oogje dicht en lieten ze makkelijker binnen om te slapen.'

'Waarom gingen ze niet naar de tehuizen die door de overheid worden gerund? Een echt bed is toch altijd te verkiezen boven de vloer van een oud pakhuis?'

'Waarom denk je?' vroeg Terry minachtend. 'We hebben te maken met drugsverslaafden en patiënten die verdomme hun eigen schaduw nog niet eens vertrouwen.' Hij streek met zijn vingers over het zilverpapier. 'Tom voer daar wel bij. Hij liet iedere klootzak binnen op voorwaarde dat hij hem daarvoor iets in ruil gaf. Hij heeft zelfs eens een keer iemands jas aangenomen omdat hij verder niks bij zich had, en toen is die arme klootzak 's nachts toch nog doodgevroren. Tom

wilde hem 's morgens naar buiten brengen – zoals hij met Walter ook had gewild – voor het geval de politie binnen zou komen. En toen is Billy helemaal over de rooie gegaan. Hij was door het dolle heen en zei dat al dat gedoe moest ophouden.'
'Wat deed hij toen?' vroeg Deacon toen de jongen niet verder ging.
'Het ergste wat hij had kunnen doen. Hij begon flessen van de mannen stuk te slaan en in de rotzooi te zoeken naar verborgen spullen. Hij riep steeds maar dat we een einde moesten maken aan al het kwaad, voordat het ons allemaal zou overweldigen. Toen heb ik die stomme gek aangepakt en hem op mijn slaapplaats vastgebonden om te voorkomen dat een van die psychiatrische gevallen hem zou vermoorden. En toen begon hij tegen mij.' Terry pakte nog een sigaret en stak hem met bevende vingers aan. 'Zelfs jij zou gezegd hebben dat hij krankzinnig was als je hem die dag gezien had. Hij was helemaal doorgedraaid. Hij beefde en hij schreeuwde als een dolleman. Hij kon niet meer ophouden, begrijp je wel. Meestal ging hij door totdat hij zo uitgeput was dat hij het op moest geven, maar deze keer stopte hij niet. Hij bleef maar naar me spugen en zei steeds maar dat ik het grootste uitschot was dat er bestond, en toen ik me er niks van aantrok ging hij me uitmaken voor schandknaap en zei hij dat iedereen die me wilde naaien me zo kon hebben.' Hij nam een forse trek van de sigaret. 'Ik wilde hem doden, dus legde ik mijn handen om zijn nek en kneep ze dicht.'
'Waardoor ben je opgehouden?'
'Niets. Ik ben doorgegaan met knijpen totdat ik dacht dat hij dood was.' Hij bleef lang zwijgen, en ook Deacon zei niets. 'Toen werd ik bang. Ik wist niet wat ik moest doen, dus toen heb ik hem maar losgemaakt en een beetje aan hem getrokken om te zien of hij echt dood was, en toen deed hij ineens zijn ogen open en glimlachte hij naar me. Toen heeft hij me het verhaal verteld van die vent die hij had vermoord, en dat mensen soms in hun woede dingen deden die hun leven konden verwoesten. Daarna zei hij dat hij de goden wilde laten zien dat het zijn schuld was, en niet de mijne, en toen is hij naar buiten gegaan en heeft hij zijn hand in het vuur gestoken.'
Deacon wilde dat er een vrouw was geweest om naar Terry's verhaal te luisteren, iemand die hem dan in haar armen had kunnen nemen en tegen hem had kunnen zeggen dat hij zich nergens zorgen over hoefde te maken, want die voor de hand liggende reactie was voor hem niet weggelegd. Het enige wat hij kon doen, was moeite doen om niet naar de tranen in de ogen van de jongen te kijken en maar wat onbenullige opmerkingen te maken over de manier waarop ze

zonder wasdroger Terry's kleren het snelst droog zouden kunnen krijgen.

Reg bracht Barry een beker thee en zette die op het bureau naast het boek dat zijn vrouw had gekocht. Het boek lag met de voorkant op het bureaublad, wat hem de gelegenheid gaf Barry opmerkzaam te maken op de aanbeveling achterop. *Zeer lezenswaardig.* Charles Lamb, *The Street.*
'Mijn vrouw vindt het altijd prettig als er een aanbeveling op een boek staat,' zei hij. 'Maar ik heb tegen haar gezegd dat die hier voor meneer Lamb wel heel kort was uitgevallen. Als hij een boek goed vindt, pakt hij meestal flink uit. Zou het kunnen zijn dat "zeer lezenswaardig" de enige positieve woorden in de recensie geweest zijn? Dat de uitgever in dit geval heel creatief te werk is gegaan?'
Een van de redenen dat Reg zo op Barry's gezelschap gesteld was, was dat Barry hem altijd zijn gang liet gaan als hij zijn slimmigheden debiteerde. Barry grinnikte plichtmatig, pakte het boek op en keek op de achterkant van de titelpagina. *Oorspronkelijk uitgegeven bij Macmillan in 1994*, stond er. De recensie moest dus dit jaar zijn verschenen. 'Ik zal hem voor je opzoeken,' bood hij aan. 'Beschouw dat dan maar als een klein bedankje voor het boek en de thee.'
'Zou best interessant kunnen zijn,' zei Reg profetisch.

> ... Een volgend boek waar men gemengde gevoelens over kan hebben is Roger Hyde's *Onopgeloste moorden in de twintigste eeuw.* Het is een zeer lezenswaardig boek, maar het stelt ook hier en daar teleur omdat er, zoals de titel al aangeeft, te veel onopgeloste vragen aan bod komen en andere schrijvers in incidentele gevallen al wat meer licht hebben kunnen werpen op sommige van deze 'onopgeloste' zaken...
> ... Zo is er ook de zaak van de diplomaat Peter Fenton, die in juli 1988 zijn huis verliet nadat zijn vrouw Verity zelfmoord had gepleegd. Ook hier geeft Hyde een gedetailleerde beschrijving van de gebeurtenissen en maakt hij melding van het bestaan van het Driberg-syndicaat en van het feit dat Fenton toegang had tot geheime stukken van de NAVO. Hij noemt echter niet het artikel van Anne Cattrell in de *Sunday Times, De waarheid omtrent Verity Fenton* (17 juni 1990), waarin uit de doeken wordt gedaan hoe Verity geleden heeft onder het brute gedrag van Geoffrey Standish, haar eerste echtgenoot, die later, in 1972, onder onduidelijke omstandigheden

is omgekomen bij een ongeluk. Als het waar is wat Anne Cattrell schrijft, dan is dit echter geen ongeluk geweest, en als Verity en Fenton elkaar inderdaad zes jaar eerder hebben ontmoet dan zij beiden ooit hebben willen toegeven, dan is de sleutel tot haar zelfmoord en zijn verdwijning te vinden in de kist van Geoffrey Standish, en niet in de cel van Nathan Driberg...

Barry's belangstelling was gewekt. Onmiddellijk ging hij in het bestand van microfiches op zoek naar de *Sunday Times* van 17 juni 1990. Hij hield zijn adem in toen het artikel van Anne Cattrell voor hem verscheen en er een portretfoto van Peter Fenton naast bleek te staan.
Hij was er voor de volle honderd procent zeker van dat hij een foto van Billy Blake voor zich had.

De waarheid omtrent Verity Fenton

door Anne Cattrell

Zelden zal iemand zo'n effectief rookgordijn hebben achtergelaten als Peter Fenton toen hij op 3 juli 1988 verdween uit zijn woning terwijl zijn vrouw dood op het echtelijke bed lag. Aanvankelijk leek de jacht op de moordenaar zich te zullen ontwikkelen als een ouderwetse speurdersroman, maar na korte tijd kon worden vastgesteld dat Verity Fenton zelfmoord had gepleegd. Vervolgens is er een uitgebreid onderzoek ingesteld naar Peter Fentons verleden en heeft men geprobeerd na te gaan of er sprake was van vriendinnen en mogelijk spionage. Daarbij ontdekte men dat hij toegang had tot geheime stukken van de NAVO. De belangstelling spitste zich toe op zijn plotselinge reis naar Washington, en al gauw werd verband gelegd met het Driberg-syndicaat.

Hoe moet Verity Fentons zelfmoord tegen deze achtergrond geïnterpreteerd worden? Er valt weinig over te zeggen, moet het antwoord waarschijnlijk luiden, want iedereen heeft zich beziggehouden met de onverklaarbare verdwijning van Peter Fenton, en praktisch niemand heeft aandacht gehad voor de redenen die een 'neurotische' vrouw daarvoor gehad zou kunnen hebben. De patholoog-anatoom heeft als doodsoorzaak opgegeven: zelfmoord ten gevolge van een verstoring van haar geestelijk evenwicht, waarbij hij zich voornamelijk heeft gebaseerd op de uitspraken van haar dochter, die heeft verklaard dat haar moeder tijdens het bezoek van haar man aan Washington uitzonderlijk depressief was. Voor het ontstaan van die depressie is geen verdere verklaring gezocht aangezien men ervan uitging dat de verdwijning van haar man betekende dat de verwijzingen naar zijn ontrouw in haar afscheidsbrief gegrond waren en dat die ontrouw op zich voldoende reden voor zelfmoord was.

Nu, twee jaar na de merkwaardige gebeurtenissen van juli 1988, is het wellicht de moeite waard nog eens na te gaan wat er nu precies bekend is van Peter en Verity Fenton. Het voor de onderzoeker het meest in het oog springende feit is het volstrekte gebrek aan bewijs voor de veronderstelling dat Peter Fenton een landverrader zou zijn geweest. Hij had in de jaren 1985 tot 1987 inderdaad toegang tot vertrouwelijke stukken van de NAVO, maar zegslieden van deze organisatie stellen dat men in drie afzonderlijk ondernomen onderzoeken niet heeft kunnen aantonen dat informatie via hem of via zijn afdeling naar buiten is gekomen.

Er is daarentegen een overmaat aan bewijs voor de veronderstelling dat zijn eind juni ondernomen 'plotselinge' reis naar Washington diende om uit te zoeken of Driberg de namen van zijn medewerkers had genoemd.

De bijzonderheden van zijn reis zijn destijds door zijn onmiddellijke superieuren bekendgemaakt, maar daaraan is toen verder weinig aandacht besteed omdat men wilde aantonen dat Peter Fenton een spion was. De feiten zijn dat hij op 6 juni de opdracht gekregen om naar Washington te gaan teneinde daar tussen 29 juni en 2 juli een gesprek op hoog niveau te voeren. Het is van deze afstand moeilijk te begrijpen hoe bij een aankondiging drie weken van tevoren nog sprake heeft kunnen zijn van een plotselinge reis of waarom hij, als hij inderdaad deel uitmaakte van het Driberg-syndicaat, acht weken gewacht zou hebben alvorens ter plaatse op onderzoek uit te gaan.

De tragedie in het gezin Fenton komt echter in een geheel ander perspectief te staan wanneer men aanneemt dat Peter Fenton geen spion was. De vraag die dan gesteld moet worden is: aan welk verraad refereert Verity Fenton in haar afscheidsbrief? Ze schreef: *Vergeef me, lieverd, ik kan het niet meer aan. Verwijt het jezelf alsjeblieft niet. Jouw verraad is niets vergeleken met het mijne.*

Maar waarom is dan de ontrouw van Verity Fenton zo systematisch genegeerd? Het antwoord is eenvoudig dat zij als diplomatenvrouw altijd minder interessant was dan haar man. Tegenover wie of wat zou een 'neurotische' vrouw nou zo ontrouw geweest kunnen zijn dat ze daarmee een mogelijk landverrader in de schaduw zou hebben gesteld? Toch is het absoluut noodzakelijk dat haar ontrouw of verraad onderzocht wordt omdat zij beweerde dat die ernstiger was dan die van haar man, en híj is nota bene aangemerkt als spion.

Verity Parnell is op 28 september 1936 in Londen geboren. Na het overlijden van haar vader, kolonel Parnell, tijdens de evacuatie vanuit Duinkerken, werd Verity door haar moeder alleen opgevoed. Naar verluidt hebben zij en haar moeder de oorlogsjaren doorgebracht in het graafschap Suffolk, en zijn ze in 1945 naar Londen teruggekeerd. Verity bezocht de Mary Bartholomew School voor Meisjes vanaf mei 1950. Ze werd intelligent genoeg geacht om naar de universiteit te kunnen, maar in plaats daarvan verkoos ze in augustus 1955 in het huwelijk te treden met Geoffrey Standish, een knappe effectenhandelaar die veertien jaar ouder was dan zij. Door dit huwelijk raakten zij en haar moeder van elkaar vervreemd. Het is niet duidelijk of ze haar voor haar dood, aan het eind van de jaren vijftig, nog gezien heeft. Verity schonk in 1960 het leven aan een dochter, Marilyn geheten, en in 1966 aan een zoon, Anthony.

Het huwelijk was een regelrechte ramp. Geoffrey werd zelfs door goede vrienden omschreven als onvoorspelbaar. Hij gokte, dronk en zat achter de vrouwen aan, en al gauw was het voor degenen die hem kenden duidelijk dat hij zijn frustraties botvierde op zijn jonge vrouw. Er kwamen regelmatig 'ongelukjes' voor, ze wilde niets doen waar Geoffrey het misschien niet mee eens zou zijn, en ze stelde zich zeer beschermend op tegenover haar kinderen. Het hoeft dan ook geen verbazing te wekken dat Verity volgens haar buren de dood van haar man in maart 1971 een opluchting noemde.

Zoals zoveel in deze geschiedenis zijn ook de omstandigheden waaronder Geoffrey om het leven kwam duister. De enige verifieerbare feiten zijn de volgende. Hij had afgesproken het weekend alleen door te zullen brengen met vrienden in Huntingdon. Hij heeft ze vrijdagmiddag om vijf uur gebeld om te melden dat hij pas de volgende dag zou komen. Zaterdagochtend om halfzeven trof een politiepatrouille een leegstaande auto met een lege benzinetank aan langs de A11 in de buurt van Newmarket. Om halfelf werd zijn verminkte lichaam gevonden in een sloot, ongeveer drie kilometer van zijn auto. Zijn verwondingen zouden veroorzaakt kunnen zijn doordat hij door een auto was overreden.

De toedracht lijkt op het eerste gezicht deze: Standish is aangereden terwijl hij langs de weg liep op zoek naar een benzinestation. De politie heeft zich wel afgevraagd wat hij deed in de buurt van Newmarket, maar onderzoek heeft daarin geen klaarheid kunnen brengen. Men is daarentegen wel op veel bijzonderheden omtrent het karakter en de manier van leven van de man gestoten. Het bewijs ervoor was niet te leveren, maar uit het rapport van de politie van Cambridgeshire wordt wel duidelijk dat men aanneemt dat hij vermoord is.

Zijn echtgenote Verity had een ijzersterk alibi. Zij was namelijk op de woensdag voor het ongeluk opgenomen in het St. Thomas ziekenhuis met een gebroken sleutelbeen, gebroken ribben en een geperforeerde long, en werd pas zondag uit het ziekenhuis ontslagen. Een van haar buren heeft in die periode voor haar kinderen gezorgd, dus er bestaat enige onzekerheid omtrent de verblijfplaats van Geoffrey Standish op vrijdag. Hij is in ieder geval die dag niet naar zijn werk gegaan, wat de politie op het idee had gebracht dat iemand die Verity graag mocht hem wellicht donderdagavond uit zijn huis heeft gehaald en hem vrijdag in koelen bloede heeft vermoord.

Helaas is de politie niet in staat geweest zo'n sympathisant aan te wijzen, en is het dossier uiteindelijk gesloten wegens gebrek aan bewijs. De patholoog-anatoom heeft in zijn rapport als doodsoorzaak vermeld: doodslag door onbekende persoon of personen, en zo is de dood van Geoffrey Standish tot op de dag van vandaag onbestraft gebleven.

Nu wij echter op de hoogte zijn van de gebeurtenissen van de derde juli 1988, is het logisch de zelfmoord van een wanhopige vrouw en de verdwijning van haar tweede echtgenoot te bezien in het licht van deze eerdere feiten en ons af te vragen of de persoon wiens sympathieën destijds zo duidelijk aan de kant van Verity lagen niet de jonge, indrukwekkende student uit Cambridge, Peter Fenton, geweest kan zijn. Newmarket ligt nog geen dertig kilometer van Cambridge, en het is bekend dat Peter Fenton vaak op bezoek ging bij de ouders van een vriend die hij nog kende uit zijn tijd in Winchester en die vlak bij Geoffrey en Verity Standish aan Cadogan Square woonden. Er is geen bewijs dat het onwaar zou zijn dat Peter en Verity, zoals zij beweren, elkaar in pas 1978 op een feestje ten huize van de ouders van Peters vriend hebben ontmoet, maar het zou wel vreemd zijn als hun wegen elkaar niet eerder gekruist hadden. Peters vriend Harry Grisham herinnert zich in ieder geval wel dat het echtpaar Standish regelmatig te gast was bij etentjes die zijn ouders organiseerden.

Wanneer Peter daar werkelijk bij betrokken is geweest, blijft evenwel de vraag wat er zeventien jaar later gebeurd kan zijn waardoor Verity zelfmoord heeft gepleegd en Peter verdwenen is. Heeft een van beiden de ander wellicht per ongeluk verraden? Wist Verity misschien niet wat Peter had gedaan, en is ze er bij toeval achter gekomen dat ze met de moordenaar van haar eerste man was getrouwd? Wellicht zullen we het nooit weten, maar het is wel een merkwaardig toeval dat de volgende advertentie twee dagen voor Peters vertrek uit Washington in de rubriek Persoonlijke mededelingen van *The Times* verscheen.

Geoffrey Standish. Degenen die inlichtingen kunnen verschaffen over de moord op Geoffrey Standish op de A11 in de buurt van Newmarket op 10.3.1971 wordt verzocht contact op te nemen via nr. 431, bureau van dit blad.

11

TOEN TERRY EINDELIJK IN EEN OUD T-SHIRT EN EEN KORTE BROEK VAN Mike de logeerkamer uit kwam strompelen was hij teleurgesteld dat zijn kleren nog niet droog waren. Hij krabde op zijn gladgeschoren hoofd en geeuwde. 'In die afschuwelijke kleren van jou kan ik toch niet de straat op, Mike,' zei hij. 'Ik bedoel, ik moet een beetje om mijn reputatie denken. Begrijp je wat ik bedoel? Je zal alleen boodschappen moeten gaan doen. Dan wacht ik wel tot die spullen hier droog zijn.'

'Oké.' Deacon keek op zijn horloge. 'Dan ga ik maar, anders loop ik de kans nog mis om Hugh in elkaar te slaan.'

'Ben je dat echt van plan?'

'Zeker wel. Ik ben ook van plan wat nieuwe kleren voor jou te kopen, bij wijze van kerstcadeautje. Maar als je niet meegaat, kan je ze ook niet passen...' Hij haalde zijn schouders op. 'Dus dan koop ik in plaats daarvan maar wat boeken voor je, denk ik.'

Binnen drie minuten was Terry weer terug, geheel gekleed nu. 'Waar heb je m'n jas gelaten?'

'Die heb ik beneden in de vuilnisbak gegooid terwijl jij in bad zat.'

'Waarom heb je dat nou gedaan?'

'Hij zat onder het bloed van Walter.' Hij pakte een waxjas van de kapstok. 'Je kan deze wel zolang aan, totdat je een nieuwe hebt.'

'Die kan ik niet aan,' zei Terry met een blik van afkeer. Hij weigerde hem aan te pakken. 'Jezus, Mike, dan lijk ik zo'n pooier die altijd in een Range Rover rondrijdt. Stel je voor dat we iemand tegenkomen die ik ken!'

'Eerlijk gezegd maak ik me er meer zorgen over dat we iemand tegenkomen die ík ken. Ik weet nog niet wat ik dan moet zeggen om uit te leggen waarom een vloekend, kaalgeschoren jongmens A: bij mij logeert, en B: in mijn kleren rondloopt.'

Terry trok de waxjas mopperend aan.

'Als ik naga hoeveel sigaretten je gisteren van me hebt gerookt, zou je wel wat aardiger mogen zijn,' merkte Deacon op.

Barry lag in bed en luisterde hoe zijn moeder moeizaam de trap opkwam. Hij hield zijn adem in terwijl zij aan de andere kant van de deur hetzelfde deed. 'Ik weet heus wel dat je wakker bent, hoor,' zei ze met een afgeknepen stemgeluid, dat uit haar omvangrijke buik leek te komen en via haar mond naar buiten werd geperst. De stem zwakte af tot een dreigend gefluister. 'Als je weer met jezelf ligt te spelen, kom ik er heus wel achter, Barry.'
Hij gaf geen antwoord, maar bleef naar de deur liggen staren terwijl hij in gedachten zijn vingers om haar nek spande. Hij fantaseerde hoe makkelijk het zou zijn om haar te vermoorden en haar lichaam ergens te verstoppen – in de voorkamer beneden bijvoorbeeld – waar het maandenlang zou kunnen liggen zonder dat iemand het zou vinden omdat er toch nooit bezoek was. Waarom mocht iemand die zo afgrijselijk was zomaar leven? En wie zou haar missen als ze er niet meer was?
Haar zoon in ieder geval niet.
Barry tastte naar zijn bril en zorgde ervoor dat hij de wereld weer scherp zag. De schrik sloeg hem om het hart toen hij zag dat zijn handen weer trilden.

'Waarom ben jij eigenlijk nooit aangehouden?' vroeg Deacon toen Terry een spijkerbroek had uitgekozen en opmerkte dat hij precies wist hoe hij die achterover zou kunnen drukken. Het was Deacon al opgevallen dat hij de gewoonte had te kijken waar de camera's van de beveiliging hingen en ervoor zorgde dat hij buiten hun bereik bleef.
'Waarom denk je dat ik nooit ben aangehouden?'
'Dan zouden ze je terug hebben gestuurd naar het kindertehuis.'
De jongen schudde zijn hoofd. 'Niet als ik ze niet de waarheid zou hebben verteld. En dat heb ik nooit gedaan. Natuurlijk ben ik wel eens gearresteerd, maar ik was altijd in het gezelschap van Billy als dat gebeurde, en dan nam hij de schuld op zich. Hij dacht dat ik moeilijkheden zou krijgen met de flikkers als ik naar een gevangenis voor volwassenen gestuurd zou worden, of teruggestuurd zou worden naar die kinderverkrachter als ik zei hoe oud ik echt was, dus dan was hij het die zich liet arresteren, en niet ik.' Hij liet zijn blik rusteloos door de winkel dwalen. 'Zullen we eens naar de jacks kijken. Die hangen aan de andere kant.' Hij liep er rechtstreeks op af.
Deacon liep achter hem aan. Waren alle pubers zo door en door egocentrisch? Hij zag ineens voor zich hoe dit vervelende kind zich als een bloedzuiger hechtte aan een ieder die iets voor hem wilde doen en

bedacht dat het advies van Lawrence om hem steeds een stap voor te blijven in feite ondoenlijk was. Iedereen die maar een beetje fatsoen in zijn lijf had, was als was in Terry's handen, bedacht hij.
'Deze vind ik wel mooi,' zei Terry, die een duffelse jas van een hangertje haalde en zijn armen in de mouwen stak. 'Wat vind jij?'
'Hij is ongeveer tien maten te groot voor je.'
'Maar ik groei nog steeds.'
'Ik wil niet naast iemand lopen die er zo belachelijk uitziet.'
'Je weet helemaal niks van mode, hè? Iedereen draagt tegenwoordig dingen die veel te groot zijn.' Hij paste een exemplaar dat een maat kleiner was. 'Strakke dingen, daar liep jouw soort in de jaren zeventig in rond, met wijd uitlopende pijpen en kralen en lang haar en hoeden en zo. Billy zei dat het toen leuk was om jong te zijn, maar volgens mij zagen jullie er toen allemaal uit als flikkers.'
Deacon grijnsde naar hem. 'Nou, dan hoef jij je geen zorgen te maken. Jij ziet eruit als een fascist.'
Terry keek tevreden. 'Daar heb ik geen enkel probleem mee.'

Barry stond in de deuropening en keek naar het onderuitgezakte lichaam van zijn moeder, die in een stoel met haar voeten op een apart bankje voor de tv zat. Op haar roze schedel groeiden nog wat rechtopstaande plukjes haar en uit haar mond steeg een diep geronk op. De rommelige kamer rook naar de scheten die ze voortdurend liet. Barry voelde zich overvallen door een groot gevoel van onrechtvaardigheid. Het lot was hem slecht gezind geweest door hem zijn vader te ontnemen en hem over te laten aan de luimen van dit...
Zijn vingers kromden zich onwillekeurig.
... VARKEN!

Terry wist een winkel waar ze kerstversieringen en posters verkochten. Hij koos een reproductie uit van *Vrouw in nachthemd* van Picasso en stond erop dat Deacon die zou kopen.
'Waarom deze speciaal?' vroeg Deacon.
'Omdat ze zo mooi is.'
Het was inderdaad een schitterend schilderij, maar of de vrouw zelf nu wel zo mooi was, was een kwestie van smaak. Het schilderij markeerde de overgang tussen zijn blauwe en zijn roze periode, wat betekende dat de figuur het koude, uitgeteerde en melancholische uiterlijk had van de voorgaande periode, maar wel verlevendigd met het roze en oker van de volgende. 'Ik houd persoonlijk van een beetje meer body,' zei Deacon, 'maar ik wil haar met alle plezier thuis aan de muur hangen.'

'Billy heeft haar het meest nagetekend,' zei Terry tot Deacons verrassing.
'Op de stoep?'
'Nee, op de stukjes papier die we na afloop verbrandden. Eerst tekende hij haar na van een kaart, maar na een tijdje was hij er zo goed in dat hij haar uit zijn hoofd kon tekenen.' Hij liet zijn wijsvinger langs de klare lijnen gaan die gezicht en lijf van de vrouw aangaven. 'Kijk maar, ze is echt makkelijk te tekenen. Billy zei altijd dat er geen rommel voorkomt in dit schilderij.'
'En dat was bij Da Vinci anders?'
'Ja.'
Het was waar, dacht Deacon. Picasso's vrouwen glorieerden in hun eenvoud, en waren bovendien veel breekbaarder afgebeeld dan de toch wat vollere Madonna van Leonardo da Vinci. 'Misschien moest jij ook maar kunstenaar worden, Terry. Je schijnt een goed oog voor kunst te hebben.'
'Ik ben wel eens een paar keer naar Green Park geweest om te kijken wat ze daar hadden hangen, maar dat is allemaal rotzooi. Billy zei altijd dat hij me wel eens mee zou nemen naar een echte galerie, maar daar is het nooit van gekomen. Ze zouden ons er trouwens waarschijnlijk toch niet binnen hebben gelaten, tenminste Billy niet, die toen erg vaak stomlazarus was.' Hij keek het rek met posters door. 'Wat vind je hiervan? Denk je dat deze schilder de hel net zo zag als Billy's dame? Alleen en bang zijn op een plek die je niks zegt?'
Hij had Edvard Munchs *De schreeuw* voor zich, met de afbeelding van een verwrongen gezicht dat uit angst voor de elementaire natuurkrachten schreeuwt. 'Je hebt er echt oog voor,' zei Deacon vol bewondering. 'Tekende Billy dit ook na?'
'Nee, hier zou hij niet van gehouden hebben. Er zit te veel rood in. Hij had een afkeer van de kleur rood omdat die hem aan bloed deed denken.'
'Nou, die wil ik in ieder geval niet bij mij aan de muur hebben. Anders word ik voortdurend aan de hel herinnerd.' En aan bloed, dacht hij erbij. Hadden Billy en hij maar niet zoveel gemeen.
Ze kochten uiteindelijk de reproductie van Picasso (vanwege de eenvoud), Manets *Middagmaal in de studio* (vanwege de harmonische symmetrie – 'Heeft hij goed getroffen,' meende Terry), de *Tuin der lusten* van Jeroen Bosch (om de kleuren en om wat erop stond afgebeeld – 'Heel briljant,' vond Terry) en ten slotte nog Turners *De Téméraire in de strijd* (om zijn perfectie in elk opzicht – 'Shit!' zei Terry, 'een prachtig schilderij').

'Wat is er gebeurd met Billy's kaart van Picasso?' vroeg Deacon terwijl hij afrekende.
'Tom heeft hem verbrand.'
'Waarom?'
'Omdat hij over de rooie was. Hij en Billy waren apezat en hadden ruzie gemaakt over vrouwen. Tom zei dat Billy te lelijk was om er ooit een gehad te hebben, en Billy zei dat hij niet zo lelijk kon zijn als de vrouw van Tom, want dat Tom dan niet bij haar weggelopen zou zijn. Iedereen lachte, en Tom was boos.'
'Maar wat had die kaart daar mee te maken?'
'Niet zoveel. Alleen dat Billy er veel van hield. Soms kuste hij die kaart als hij dronken was. Tom was zo aangeslagen vanwege de belediging van zijn vrouw dat hij op zoek is gegaan naar iets waar Billy woedend om zou worden. En het is hem gelukt ook. Billy heeft hem zowat gewurgd omdat hij die kaart in brand had gestoken, en toen barstte hij in tranen uit en zei hij dat de waarheid toch dood was en dat het allemaal niks meer uitmaakte. Dat is het hele verhaal.'

Het was zes jaar geleden dat Deacon voor het laatst een bezoek had gebracht aan de Red Lion. Toen hij met Julia in Fulham woonde, was het zijn stamcafé geweest, en Hugh had toen de gewoonte hem daar een paar keer per maand op te komen zoeken als hij erlangs kwam op weg naar zijn huis in Putney. Het exterieur was in de loop der jaren maar weinig veranderd en Deacon verwachtte dan ook min of meer dezelfde eigenaar en dezelfde stamgasten te zullen aantreffen toe hij de deur open duwde. Hij zag echter bijna alleen onbekenden; het enige gezicht dat hij herkende was dat van Hugh. Hij zat achterin aan een tafeltje in de hoek en stak aarzelend zijn hand op toen hij Deacon zag.
'Hallo, Michael,' zei hij. Hij stond op toen ze naderbij kwamen. 'Ik wist niet zeker of je zou komen.'
'Ik zou de gelegenheid voor geen goud hebben willen missen. Misschien krijg ik nooit meer de kans om je in elkaar te slaan.' Hij gebaarde tegen Terry dat hij erbij moest komen. 'Dit is Terry Dalton. Hij logeert met Kerstmis bij mij. Terry, dit is Hugh Tremayne, mijn zwager.'
Terry grijnsde vriendelijk en stak zijn benige hand uit. 'Hoi, hoe is het?'
Hugh keek verbaasd maar nam de uitgestoken hand aan. 'Heel goed, dank je. Zijn wij... familie van elkaar?'
Terry keek schattend naar het ronde hoofd en het te zware lijf van de

man. 'Lijkt me niet, tenzij jij vijftien jaar geleden een scheve schaats hebt gereden in Birmingham. Nee, volgens mij was mijn pa een beetje groter en magerder. Ik bedoel het niet rot, hoor.'

Deacon schoot in de lach. 'Ik denk dat Hugh zich afvroeg of jij familie was van mijn tweede vrouw, Terry.'

'O, nou begrijp ik het. Waarom zei hij dat dan niet?'

Deacon draaide zich om en sloeg met een theatraal gebaar zijn handen voor zijn ogen. Toen haalde hij diep adem, veegde zijn ogen af met zijn zakdoek en keek hen weer aan. 'Dat is een heikel onderwerp,' verklaarde hij. 'Mijn familie was niet zo dol op Clara.'

'Wat mankeerde er aan haar?'

'Niets,' zei Hugh strak, bang dat Deacon met verhalen over hoeren zou beginnen en hem in verlegenheid zou brengen. 'Wat drinken jullie? Bier?' Hij maakte zich uit de voeten en verdween in de richting van de bar terwijl zij hun jassen uittrokken en gingen zitten.

'Hém kan je niet in elkaar slaan hoor,' zei Terry. 'Hij is een eikel, dat ben ik met je eens, maar hij is zeker vijftien centimeter kleiner dan jij en tien jaar ouder. Wat heeft hij je trouwens aangedaan?'

Deacon legde zijn voeten op een stoel en vouwde zijn handen achter zijn hoofd. 'Hij heeft me in het huis van mijn moeder beledigd, en me toen weggestuurd.' Hij glimlachte vaag. 'Ik heb gezworen dat ik hem de volgende keer dat ik hem zag een pak slaag zou geven, en dit is die volgende keer.'

'Nou, ik zou het niet doen als ik jou was. Jij wordt er niet flinker van, weet je. En ik voelde me kloten toen ik Billy had aangevallen.' Hij knikte Hugh toe toen hij terugkwam met hun bier.

Er viel een pijnlijke stilte. Hugh probeerde te bedenken wat hij zou gaan zeggen en Deacon grijnsde een beetje vaag voor zich uit. Hij genoot zichtbaar van de ongemakkelijke situatie waarin zijn zwager zich bevond.

Terry bood Hugh een sigaret aan, die hij weigerde. 'Misschien vergeet hij dat pak slaag wel als je je verontschuldigingen aanbiedt,' opperde hij terwijl hij zijn eigen sigaret aanstak. 'Billy zei altijd dat het moeilijker was iemand een klap te geven als je een babbeltje met hem had gemaakt. Daarom zeggen types die gewelddadig zijn ook altijd dat de mensen hun mond moeten houden. Ze zijn doodsbang dat ze dan het initiatief verliezen.'

'Wie is Billy?'

'Een ouwe kerel die ik vroeger kende. Hij vond altijd dat praten beter was dan vechten, en dan raakte hij vervolgens door het dolle heen en begon hij mensen aan te vallen. Hij was natuurlijk een beetje een

gek, dus echt kwalijk kon je het hem niet nemen. Maar zijn advies was goed, moet ik zeggen.'
'Houd eens op met je ermee te bemoeien, Terry,' zei Deacon vriendelijk. 'Ik wil een paar vragen beantwoord hebben voordat we zelfs maar over verontschuldigingen kunnen beginnen.' Hij haalde zijn voeten van de stoel en boog zich over de tafel heen. 'Wat gebeurt er allemaal, Hugh? Waarom ben ik ineens zo geliefd?'
Hugh nam een grote slok bier en overwoog ondertussen wat hij zou gaan zeggen. 'Het gaat niet goed met je moeder,' zei hij voorzichtig.
'Ja, dat zei Emma ook al.'
'En ze wil graag dat jullie de strijdbijl begraven.'
'Echt waar?' Hij stak zijn hand uit om de sigaretten te pakken. 'Is dat de verklaring voor die dagelijkse telefoontjes naar mijn kantoor?'
Hugh keek verbaasd op. 'Doet ze dat dan?'
'Nee, natuurlijk doet ze dat niet. Ik heb al vijf jaar geen woord van haar vernomen, niet sinds die keer dat ze zei dat ik schuldig was aan de dood van mijn vader. Dus dan is het wel raar dat zij de strijdbijl wil begraven, vind je niet?' Hij boog zich wat verder naar voren.
'Jij kent moeder net zo goed als ik.' Hugh zuchtte. 'In zestien jaar tijd heb ik haar geen enkele keer horen toegeven dat zij het bij het verkeerde eind had, en ik denk niet dat ze daar nu nog mee begint. Ik denk dus dat er van jou verwacht wordt dat jij als eerste bakzeil haalt.'
Deacons ogen vernauwden zich tot spleetjes. 'En dat is niet wat ma wil, hè? Het is wat Emma wil. Voelt ze zich misschien schuldig omdat ze ma van haar centjes heeft beroofd? Gaat het daarom?'
Hugh schoof onrustig met zijn bierglas heen en weer. 'Eerlijk gezegd heb ik mijn buik vol van die ruzies in jouw familie, Michael. Getrouwd zijn met een Deacon is net zoiets als op een slagveld wonen.'
Deacon grinnikte zachtjes. 'Wees dan maar blij dat je pas na de dood van mijn vader in de familie bent gekomen. Daarvoor was het nog veel erger.' Hij tikte zijn sigaret tegen de asbak. 'Je kunt er net zo goed maar mee voor de dag komen. Ik ben niet van plan naar ma toe te gaan tenzij ik weet waarom Emma dat graag heeft.'
Weer dacht Hugh na over zijn antwoord. 'Ach, wat kan het ook schelen!' riep hij ineens. 'Je vader had wel een nieuw testament gemaakt. Emma heeft het gevonden, of liever gezegd de snippers ervan, toen ze de papieren van je moeder aan het bekijken was terwijl zij in het ziekenhuis lag. Ze had ons gevraagd de rekeningen te betalen en alles gaande te houden terwijl zij uitgeschakeld was. Ik denk dat ze vergeten was dat dat testament er nog lag, maar ik begrijp niet dat ze het

niet heeft verbrand of weggegooid...' Hij lachte hol. 'We hebben de snippers weer aan elkaar geplakt. De eerste twee dingen die in het testament genoemd staan, heeft hij uit plichtsgevoel gelegateerd. Hij had aan Penelope het huisje in Cornwall vermaakt plus een kapitaal voldoende voor een jaargeld van tienduizend pond, Emma kreeg een eenmalig bedrag van twintigduizend pond. Het derde wat hij heeft nagelaten heeft hij uit liefde gedaan. Hij heeft aan jou de boerderij en de rest van zijn bezit nagelaten omdat, en nu citeer ik: "Michael de enige is die het wat kan schelen of ik er wel of niet ben." Hij had het twee weken voordat hij zelfmoord pleegde opgesteld, en wij denken dat je moeder het heeft verscheurd omdat zij de enige was die belang had bij het oude testament.'
Deacon trok nadenkend aan zijn sigaret. 'Had hij David en Harriet Price aangewezen als executeurs-testamentair?'
'Ja.'
'Nou, dan is die arme David ten minste alsnog in het gelijk gesteld.' Hij dacht terug aan de hevige ruzie die zijn moeder had gehad met hun toenmalige naaste buren toen David Price de euvele moed had gehad aan te geven dat Francis Deacon had gezegd dat hij een nieuw testament wilde opmaken, waarbij hij als executeur zou worden genoemd. 'Laat het me dan maar zien,' had ze gezegd. 'Zeg me dan maar wat erin staat.' En toen had David moeten toegeven dat hij het nooit had gezien, maar alleen in principe had toegezegd om als executeur te willen optreden als Francis zijn oude testament wilde herroepen. 'Wie heeft het opgesteld?'
'Volgens ons heeft je vader het zelf opgesteld. Het is zijn eigen handschrift.'
'Is het rechtsgeldig?'
'Een vriend van ons, die advocaat is, zegt dat de formuleringen in orde zijn en dat het ook wat de getuigen betreft in orde is. De getuigen zijn twee medewerkers van de openbare bibliotheek van Bedford. De enige bedenking die onze vriend had was of je vader wel in het bezit was van al zijn geestelijke vermogens, gezien zijn zelfmoord twee weken later.' Hij haalde zijn schouders op. 'Maar volgens Emma was er voor zijn zelfmoord maanden lang geen vuiltje aan de lucht, en was hij pas de dag voordat hij de trekker overhaalde echt depressief.'
Deacon keek even naar Terry, die met wijd open ogen van nieuwsgierigheid het verhaal zat aan te horen. 'Het is een heel lang verhaal,' zei hij, 'en jij zal er wel geen belangstelling voor hebben.'
'Je kan het toch inkorten,' zei hij. 'Ik bedoel, je weet alles van mij.

Dan is het toch normaal als ik ook een beetje van jouw achtergrond op de hoogte ben.'
Het lag Deacon op het puntje van zijn tong om te zeggen dat hij niet eens wist hoe Terry echt heette, maar hij besloot dat niet te doen. 'Mijn vader was manisch-depressief. Hij moest medicijnen nemen om zijn kwaal te onderdrukken, maar dat deed hij lang niet altijd, en daar moesten wij dan onder lijden.' Hij zag dat Terry het niet begreep. 'Iemand die manisch-depressief is, heeft last van stemmingswisselingen. In de manische fase kan je je ontzettend goed voelen – net alsof je stoned bent – maar in de depressieve fase kan je makkelijk zelfmoord plegen.' Hij nam een trek van zijn sigaret en trapte toen met zijn hak de peuk uit. 'Op Eerste Kerstdag 1976, toen hij depressief was, heeft mijn vader om vier uur 's ochtends een pistool in zijn mond gestoken en zich een kogel door het hoofd geschoten.' Hij glimlachte even. 'Het gebeurde heel snel, het maakte een hoop kabaal en gaf een hoop rommel, en daarom probeer ik altijd te vergeten dat Kerstmis zelfs maar bestaat.'
Terry was onder de indruk. 'Shit!' zei hij.
'En dat is ook de reden dat Emma en Michael van die moeilijke mensen zijn om mee samen te leven,' zei Hugh droog. 'Ze zijn allebei als de dood dat ze die manisch-depressieve psychose geërfd hebben, en daarom verzetten ze zich tegen iedere vorm van geluk in hun leven en denken ze iedere keer als ze zich ongelukkig voelen dat ze een klinische depressie hebben.'
'Zit het in de genen, dan? Billy wist alles van genen. Hij zei altijd dat er geen ontkomen was aan wat je ouders bij je geprogrammeerd hadden.'
'Nee, het zit níet in de genen,' zei Hugh geërgerd. 'Er zijn wel aanwijzingen voor een erfelijke aanleg, maar er moeten ontelbare andere factoren meespelen willen Emma en Michael last krijgen van dezelfde psychose die hun vader had.'
Deacon lachte. 'Dat betekent dat ik nog geen krankzinnige ben,' zei hij tegen Terry. 'Hugh is ambtenaar, dus hij wil altijd graag exact zijn in zijn omschrijvingen.'
Terry fronste zijn voorhoofd. 'Maar waarom heeft je moeder je ervan beschuldigd dat jij verantwoordelijk bent voor de dood van je vader als hij zichzelf van kant heeft gemaakt?'
Deacon dronk zijn bier zwijgend op.
'Omdat ze een vals wijf is,' zei Hugh zonder omhaal.
Deacon opende zijn mond. 'Ze zei het omdat het waar is. Hij heeft me op kerstavond om elf uur gezegd dat hij er een eind aan wilde ma-

ken, en toen heb ik hem gezegd dat hij zijn gang maar moest gaan. Vijf uur later was hij dood. Mijn moeder vindt dat ik had moeten proberen hem over te halen het niet te doen.'
'Waarom heb je dat niet gedaan?'
'Omdat hij me vroeg om het niet te doen.'
'Ja, maar...' De jongen keek Deacon onderzoekend aan. 'Kon het je dan niet schelen of hij doodging? Ik voelde me altijd heel rot als Billy zichzelf weer eens wat had aangedaan. Ik bedoel, je voelt je toch verantwoordelijk.'
Deacon bleef hem even aankijken en keek toen in zijn glas. 'Ja, zo voelde ik me ook toen ik het schot hoorde. En ja, natuurlijk kon het me wat schelen. Maar ik had hem al eens eerder tegengehouden, deze keer echter zei hij dat hij het toch zou doen, maar dat hij het liever mét dan zonder mijn goedkeuring wilde doen.' Hij schudde zijn hoofd. 'Ik hoopte dat hij het niet zou doen, maar ik wilde dat hij wist dat ik hem niet zou veroordelen als hij het wel deed.'
'Ja, maar...' begon Terry weer. Hij was meer van slag van het verhaal dan Deacon had verwacht, en hij vroeg zich af of er overeenkomsten waren in zijn vriendschap met Billy. Had Terry gelogen toen hij zei dat Billy zichzelf niet van kant wilde maken? Of had hij er, net als Deacon, geen belangstelling meer voor gehad en was hij door zijn apathie medeplichtig geweest aan Billy's zelfmoord?'
'Maar wat?' vroeg hij.
'Waarom heb je je moeder dan niet gewaarschuwd en haar de kans gegeven hem tegen te houden?'
Deacon keek op zijn horloge. 'Wat dacht je ervan om die vraag voor later te bewaren?' opperde hij. 'We moeten nog eten kopen en ik heb Hugh ook nog steeds niet in elkaar geslagen.' Hij stak nog een sigaret op en bestudeerde zijn zwager gedurende enkele seconden door de rookwolken heen. 'Waarom heeft Emma de snippers van dat testament niet weggegooid toen ze die vond?' Hij grijnsde nogal cynisch naar Hugh. 'Laat me raden. Ze besefte pas dat hij haar maar twintigduizend pond had nagelaten toen ze helemaal klaar was met het aan elkaar plakken van de snippers, en toen was het te laat om het nog te vernietigen omdat jij en de meisjes het ook al gezien hadden.'
'Ze was nieuwsgierig. Ze zou het toch wel thuis hebben gebracht. Maar inderdaad, ze hoopte – we hoopten trouwens allebei – dat hij ons voldoende zou hebben nagelaten om onze schuld aan je moeder af te lossen. Zoals het nu is, heeft Penelope geld gebruikt dat jou toekomt, dus staan we feitelijk bij jou in de schuld. En ik zweer je, Michael, we hebben niet eens om het geld gevraagd. Je moeder zei

voortdurend dat ze zo graag iets wilde doen voor de enige kleinkinderen die ze had, en toen heb ik me een keer laten ontvallen dat we ons zorgen maakten over de lage cijfers die Antonia haalde. En toen was het gebeurd. Penelope heeft toen geld gereserveerd voor de scholing van de kinderen, en binnen een paar maanden zaten Antonia en Jessica op een kostschool.'

Deacon nam het verhaal met een korreltje zout. Hij kende Hugh en Emma wel, en wist dat er eindeloos veel kleine hints in die richting geweest zouden zijn voordat Penelope eindelijk over de brug was gekomen. 'En, doen ze het daar goed?'

'Ja. Ze doen het voortreffelijk.' Zorgelijk streek hij met een hand over zijn kale hoofd. 'Het kapitaal dat je moeder heeft gereserveerd, was bedoeld voor in totaal twaalf jaar school, vijf voor Antonia en zeven voor Jessica, omdat ze twee jaar jonger is dan Antonia – en inmiddels zijn er al zo'n tien jaar verstreken. Het gaat om veel geld, Michael. Je hebt waarschijnlijk geen idee hoe duur zo'n kostschool is.'

'Nou, laat me eens even denken... Ruim honderdvijftigduizend tot nu toe?' Hij trok geamuseerd zijn wenkbrauwen op. 'Het is wel duidelijk dat je mijn stuk over bijzonder onderwijs niet hebt gelezen. Ik heb het hele onderwerp tot op de bodem uitgeplozen. Inclusief wat het allemaal kost. Is het de moeite waard geweest, denk je?'

Hugh, die nu gedwongen was een uitspraak te doen over de intellectuele kwaliteiten van zijn dochters, haalde met een ongelukkig gezicht zijn schouders op. 'Ze zijn heel slim,' zei hij, maar Deacon had de indruk dat hij eigenlijk had willen zeggen dat ze heel aardig waren. 'We moeten het er eens een keer over hebben, Michael. Eerlijk gezegd is het een nachtmerrie voor ons. Zoals ik het zie, ligt het als volgt. Je moeder heeft opzettelijk het testament van je vader verscheurd en zich de erfenis van haar kinderen toegeëigend. Als we de zaak openbaar maken zal ze daarvoor worden vervolgd. Ze heeft veranderingen aangebracht in het bezit van je vader door het huisje in Cornwall te verkopen en kapitaal te reserveren voor de opvoeding van de meisjes. Daar staat dan tegenover dat als jij op je eenentwintigste had geërfd wat Francis je had nagelaten, je daarvan waarschijnlijk weer de helft aan Julia was kwijtgeraakt bij jullie scheiding, en Clara zou van de resterende helft weer haar deel hebben gekregen. Misschien hebben ze er zelfs nu nog recht op, dat weet ik niet.' Hij hief zijn handen in een gebaar van hulpeloosheid. 'Dus wat doen we nu? Welke weg gaan we bewandelen?'

'Je hebt het niet gehad over het feit dat je kwaad bent dat jullie krom moeten liggen voor de verpleegzorg voor ma,' mompelde Deacon.

‘Speelt dat geen rol in deze ingewikkelde kwestie?’
‘Jawel,’ gaf Hugh eerlijk toe. ‘Wij hebben het kapitaal voor de scholing van de kinderen in goed vertrouwen geaccepteerd. We dachten dat het een gift was, maar daar schijnt dan nu tegenover te moeten staan dat Emma en ik voor onbepaalde tijd een inwonende verpleegster moeten bekostigen, wat we ons niet kunnen veroorloven. Je moeder zegt dat ze stervende is, wat betekent dat we die kosten niet al te lang meer zullen hoeven opbrengen, maar haar artsen zeggen dat ze nog best tien jaar mee kan.’ Hij kneep met duim en wijsvinger in de brug van zijn neus. ‘Ik heb al geprobeerd haar uit te leggen dat we haar geld niet nodig gehad zouden hebben voor de kostschool van de meisjes als we ons haar verpleegster konden veroorloven, maar ze is gewoon niet voor rede vatbaar. Ze weigert haar huis te verkopen en ze weigert om bij ons in te trekken. Het enige wat ze doet is zorgen dat de rekening elke week naar ons adres wordt gestuurd.’ Er klonk iets hards in zijn stem. ‘Ik word er helemaal niet goed van. Als ik er geen straf voor zou krijgen, zou ik maanden geleden al een kussen op haar hoofd hebben gedrukt en zouden we er allemaal voordeel van hebben gehad.’
Deacon glimlachte verwonderd naar hem. ‘En wat verwacht je te bereiken door mij te vragen met haar te gaan praten? Als ze al niet naar jou wil luisteren, luistert ze toch zeker niet naar mij?’
Hugh zuchtte. ‘De voor de hand liggende oplossing in deze ellende is dat ze de boerderij verkoopt, het geld belegt en ergens in een verzorgingshuis intrekt. En nou denkt Emma dat ze die oplossing eerder zal kiezen als jij daar mee komt.’
‘En in het bijzonder als ik haar confronteer met pa’s testament?’
Hugh knikte.
‘Misschien werkt het.’ Deacon pakte zijn jas en stond op. ‘Wanneer het zo zou zijn dat ik er ook maar enige belangstelling voor had om jou en Emma te helpen. Maar ik begrijp echt niet waarom jij denkt dat je recht hebt op zo’n groot deel van het bezit van mijn vader. Ik heb een ander voorstel aan je. Verkoop je eigen huis en betaal ma terug wat je haar schuldig bent.’ Hij glimlachte, maar het was geen vriendelijke glimlach. ‘Dan kan je haar tenminste recht in de ogen kijken als je weer eens tegen haar zegt dat ze een vals wijf is.’

12

DEACON PAKTE EEN BEVROREN KALKOEN EN GOOIDE DIE IN HET WINKELwagentje. Hij had zich sinds ze het café hadden verlaten gedragen als een kwaaie beer, en Terry behandelde hem omzichtig na zijn verkeerd gevallen opmerking in de auto dat het niet verwonderlijk was dat zijn vader zelfmoord had gepleegd als alle vrouwen in de familie zo stom waren.

'Wat weet jij er nou van?' had Deacon met een ijzige stem gevraagd. 'Heeft Billy jou het leven zo zuur gemaakt dat niemand jou meer wilde kennen? Zou het trouwens iets uitgemaakt hebben? Veel dieper dan tot in de goot kan je immers niet zinken.'

Ze hadden al een halfuur niets tegen elkaar gezegd, maar ten slotte leunde Deacon over het winkelwagentje heen en zei tegen de knaap: 'Het spijt me, Terry. Dat had ik niet mogen zeggen. Het maakt niet uit hoe kwaad ik was, ik had je niet zo moeten behandelen.'

'Ach, je had wel gelijk, natuurlijk. Veel dieper dan de goot kan je niet zakken, dat is waar. En door dat tegen me te zeggen, heb je niet echt iets verkeerds gezegd.'

Deacon glimlachte. Je kan nog veel dieper zakken dan de goot. Je kan nog in het riool terechtkomen, of in de hel. En van beide zit jij nog een heel eind af.' Hij ging weer rechtop staan. 'En in de goot zit je ook niet. Tenminste niet zolang je bij mij logeert. Dus kies uit wat je lekker vindt, dan gaan we als vorsten eten.'

Vijf minuten later begon hij over iets dat hij zich allang zat af te vragen. 'Heeft Billy je ooit verteld hoe oud hij was?'

'Nee. Ik weet alleen dat hij oud genoeg was om mijn grootvader te kunnen zijn.'

Deacon schudde zijn hoofd. 'Volgens de patholoog-anatoom was hij midden veertig. Niet veel ouder dan ik, dus.'

Terry was oprecht verbaasd. Hij bleef met open mond met het pak cornflakes dat hij in zijn hand had naar Deacon staan kijken. 'Je maakt zeker een grapje? Shit! Hij zag er stokoud uit. Ik dacht dat hij

net zo oud was als Tom, zo ongeveer tenminste, en Tom is achtenzestig.'
'Maar hij zei wel dat het leuk was om jong te zijn in de jaren zeventig.' Hij stootte het pak cornflakes uit Terry's handen het winkelwagentje in. 'En de jaren zeventig zijn nog maar twintig jaar geleden.'
'Ja, maar toen was ik toch nog niet geboren?'
'Wat heeft dat er nou mee te maken?'
'Dat betekent dat het heel lang geleden is.'

'Waarom zei Billy dat de waarheid dood was?' vroeg Deacon terwijl ze naar huis reden nadat ze de kofferruimte vol hadden gestouwd met eten en drinken. 'Wat heeft dat te maken met die kaart?' Er schoot hem een zin van Billy uit het gesprek met dokter Irvine te binnen. *'Ik ben nog op zoek naar de waarheid.'*
'Hoe moet ik dat nou weten, verdomme?'
Deacon moest moeite doen om zijn geduld niet te verliezen. 'Jij hebt twee jaar lang min of meer voortdurend in zijn omgeving geleefd, maar voorzover ik kan beoordelen heb je nooit getwijfeld aan wat hij allemaal zei. Was je dan helemaal niet nieuwsgierig? Míj stel je anders vragen genoeg.'
'Ja, maar jij geeft ook antwoord,' zei Terry terwijl hij met een tevreden gebaar over de voorkant van zijn duffelse jas streek. 'Billy werd echt kwaad als ik te vaak "waarom" vroeg, dus toen ben ik maar opgehouden met vragen stellen. Het was de moeite en de opwinding niet waard.'
'Ik neem aan dat hij de tegenwoordige tijd gebruikte?'
'Wat?'
'De waarheid *is* dood, dus het doet er allemaal niet meer toe.'
'Ja, dat zei ik je toch al.'
'De naam Verity betekent ook waarheid, wist je dat?' hield hij aan. 'En Verity is een meisjesnaam.' Hij keek opzij. 'Denk je dat de letter V Verity zou hebben kunnen betekenen? Dat hij met de uitspraak "De waarheid is dood" eigenlijk bedoelde "Verity is dood"?' *Ik ben nog op zoek naar Verity*? 'En zeg nou niet meteen "Hoe moet ik dat weten?" want dan krijg ik misschien de neiging om de auto stil te zetten en die kalkoen door je strot te duwen.'
'Ik kan verdomme geen gedachten lezen,' zei Terry klaaglijk. 'Als Billy zei: "De waarheid is dood," dan denk ik dat hij gewoon bedoelde: "De waarheid is dood."'
'Jawel, maar waarom?' gromde Deacon. 'Over welke waarheid had hij het? De absolute waarheid, een relatieve waarheid, niets dan de

waarheid, de waarheid van het evangelie? Of had hij het over één bepaalde waarheid – bijvoorbeeld de moord? Iets waarvan de waarheid nooit bekend is geworden?'
'Hoe moet ik...' Terry brak zijn zin af. 'Dat heeft hij niet gezegd.'
'Dan houd ik het er maar op dat die V staat voor Verity,' zei Deacon met overtuiging. Hij stopte voor een verkeerslicht. 'Ik wil zelfs nog wel verder gaan. Ik wed dat ze leek op die vrouw op dat schilderij van Picasso. Wat denk je daarvan? Je zei dat hij veel van die kaart hield en dat hij hem kuste als hij dronken was. Betekent dat niet dat ze hem aan iemand deed denken?'
'Ik zou niet weten waarom,' zei Terry laconiek. 'Ik bedoel, een van die gasten heeft een afbeelding van Madonna, waar hij altijd op loopt te kwijlen, maar zelfs in zijn wildste dromen heeft hij nooit zo'n meid gehad. Volgens mij is dat de enige manier waarop hij een stijve kan krijgen.'
Deacon liet de koppeling opkomen. 'Er is wel verschil tussen een foto van een vrouw die nog leeft en die ervan houdt fantasieën van mannen uit te buiten en een portret dat bijna honderd jaar geleden geschilderd is.'
'Maar op dat moment zelf waarschijnlijk niet,' zei Terry nadat hij hier even over had nagedacht. 'Het zou me niks verwonderen als Picasso een stijve had toen hij dit kind tekende, en ik wed dat hij hoopte dat andere mannen er ook een zouden krijgen als ze ernaar keken. Ik bedoel, je moet toch toegeven dat ze lekkere tieten heeft.'

13.00 uur – Kaapstad, Zuid-Afrika

'Wie is die vrouw?' vroeg de oudere dame aan haar dochter terwijl ze knikte in de richting van de eenzame figuur aan het tafeltje bij het raam. 'Ik heb haar wel eerder gezien. Ze is altijd alleen, en ze kijkt altijd alsof ze liever ergens anders zou zitten.'
De dochter volgde haar blik. 'Gerry heeft een keer kennis met haar gemaakt. Ik geloof dat ze Felicity Metcalfe heet. Haar man bezit een diamantmijn of zo. Ze bulkt in ieder geval van het geld.' Ze keek enigszins ontevreden naar haar eigen verlovingsringetje.
'Ik heb haar anders nooit met een man gezien.'
De dochter haalde haar schouders op. 'Misschien is ze wel gescheiden. Voor iemand met zo'n gezicht zou me dat niks verbazen.' Ze glimlachte vals. 'Je zou er diamanten mee kunnen kloven.'
Haar moeder onderwierp de eenzame figuur aan een nauwkeurig on-

derzoek. 'Ze is inderdaad heel mager,' zei ze, 'en heel triest, geloof ik.' Ze at door. 'Zo zie je maar, lieverd, geld maakt niet gelukkig.'
'Ach, armoede ook niet,' zei de dochter enigszins bitter.

Terwijl Terry bezig was het appartement te versieren, zat Deacon aan de keukentafel en probeerde een conclusie te trekken uit de schaarse gegevens waarover hij beschikte. Af en toe wierp hij een vraag in het midden. Waarom had Billy ervoor gekozen om in het pakhuis te gaan slapen? *Om dezelfde reden als wij allemaal, denk ik.* Had hij iets met rivieren? *Heeft hij nooit gezegd.* Heeft hij wel eens de naam van een plaats genoemd waar hij misschien vandaan kwam? *Nee.* Heeft hij wel eens een universiteit genoemd of een beroep of een bedrijf waar hij misschien gewerkt zou kunnen hebben? *Ik ken geen universiteiten, dus dat kan ik niet weten, hè?*
'NOU, JE ZOU HET VERDOMME WEL MOETEN WETEN!' brulde Deacon, die zijn geduld aan het verliezen was. 'Ik heb nog nooit iemand ontmoet die zo weinig weet over belangrijke dingen.'
Terry stak zijn hoofd om de keukendeur. Hij had een brede grijns op zijn gezicht. 'Jij zou binnen een week dood zijn als je zou moeten leven zoals ik.'
'Wie zegt dat?'
'Ik. Iedereen die denkt dat het belangrijker is om de namen van universiteiten te kennen dan te weten hoe je aan eten moet komen, is reddeloos verloren als het misgaat. Waar het op aankomt is om in leven te blijven, en universiteiten kan je niet eten. Wil je even komen kijken wat ik hier gedaan heb? Het ziet er fantastisch uit.'
Hij had gelijk. Voor het eerst in twee jaar had Deacons appartement iets huiselijks.

Deacon vereenvoudigde zijn schema tot hij slechts namen, leeftijden, plaatsen en verbindingslijnen daartussen had en maakte daarvan op een A4-tje een overzicht, met Billy in het midden. Hij posteerde het blaadje tegen de wijnfles. 'Jij bent de kunstenaar. Zeg jij eens of je er een patroon in kan herkennen. Als je iets niet begrijpt, moet je het vragen.' Hij sloeg zijn armen over elkaar en keek hoe de jongen het blad inspecteerde, elk woord dat Terry aanwees hardop uitsprekend.

		De Theems (of een andere rivier?)
Terry Dalton (14)		
Tom Beale (68)	Cadogan Square	Parijs
Het pakhuis	De HEL	(V) – Verity? – (45+)
ZELFMOORD	Billy Blake (45)	IDENTITEIT
	MOORD	
		James Streeter (44)
		Amanda Powell (36)
		GELD
Architectenbureau W.F. Meredith		Nigel de Vries (?)
De Teddington- appartementen		Lowensteins Bank
Woonwijk Thamesbank		Marianne Filbert (?)

'Waarom denk je dat hij iets had met rivieren?' vroeg Terry.
'Amanda zei dat Billy zo dicht mogelijk in de buurt van de Theems wilde slapen.'
'Wie heeft haar dat verteld?'
Deacon bladerde door de transcriptie die hij van het opgenomen gesprek met haar had gemaakt. 'De politie waarschijnlijk.'
'Het is voor het eerst dat ik het hoor. Hij had de pest aan de rivier. Hij zeurde altijd dat het vocht in zijn botten trok en hij zei dat het water hem aan bloed deed denken.'
'Waarom zou het hem in godsnaam aan bloed hebben doen denken?'
'Ik weet niet. Het had iets te maken met het feit dat de rivier de verbinding was tussen de moeder en de baby, maar ik weet niet meer hoe hij het noemde.'
'De navelstreng.'
'Ja, dat was het. Hij zei dat Londen vol met stront zit en dat die stront de rivier af drijft en allerlei onschuldige plaatsen stroomafwaarts bevuilt.'
'Je zei dat hij het vaak over genen had. Zag hij daar een analogie in?'
'Als je nou eens behoorlijk je moerstaal sprak, zou ik je misschien een antwoord kunnen geven.'
Deacon glimlachte. 'Geloof je dat hij het toen over zijn eigen moeder had? Bedoelde hij dat zijn moeder haar slechte genen via de navelstreng aan hem had doorgegeven?'
'Hij had het alleen over de stad Londen.'
'Of bedoelde hij dat alle ouders hun slechte genen doorgeven?'
'Hij had het altijd alleen maar over Londen,' hield Terry koppig vol.
'Ja, dat zei je daarnet ook al. Het was een retorische vraag.'
'Jezus! Je bent net als hij. Bla-bla-bla, en dat een ander het niet begrijpt, doet er absoluut niet toe.' Hij wees op de toevoeging 45+ achter de naam Verity. 'Ik dacht dat je geloofde dat V jonger was dan Billy,' zei hij. 'Waarom heb je haar hier dezelfde leeftijd gegeven?'
'Ik heb het plusteken erbij gezet,' zei Deacon, 'wat betekent dat ik er nu van overtuigd ben dat zij ouder was dan hij.' Hij schoof de brieven van V naar zich toe. 'Ik zat te denken aan gisteravond. Er zijn twee manieren waarop je de zinsnede *je spiegel zal je er nooit van kunnen overtuigen dat je oud bent, zolang ik nog zo jong ben* kunt lezen. Ofwel ze heeft hem letterlijk overgenomen uit de brief van degene met wie ze correspondeerde, ofwel ze heeft er haar eigen interpretatie aan gegeven. Toen ik hem voor het eerst las, dacht ik dat het een interpretatie was omdat het weliswaar een zinsnede van Shakespeare is, maar ze er geen aanhalingstekens bij had gezet. Maar nu ben ik

meer geneigd om te denken dat het een letterlijke aanhaling is en dat degene aan wie ze hem schreef het had over háár spiegel en háár leeftijd.' Hij schudde zijn hoofd toen Terry er duidelijk blijk van gaf er niets van te begrijpen. 'Nou, laat maar, knul. Neem alleen van me aan dat de brief beter te begrijpen is als V ouder is dan degene aan wie ze schreef. De jeugd is eeuwig optimistisch en de ouderdom is voorzichtig, maar zij lijkt me veel banger dat hun relatie aan het licht zou komen dan de ander.'
'Billy, bedoel je?'
'Waarschijnlijk wel, ja.'
'Maar het is niet zeker.'
'Inderdaad. Hij zou de brieven ook gewoon ergens gevonden kunnen hebben.'
Terry floot goedkeurend. 'Het is allemaal wel interessant. Ik begin er spijt van te krijgen dat ik die ouwe gek niet veel meer vragen heb gesteld.'
'Nou, anders ik wel,' mompelde Deacon sarcastisch.
Terry wilde weten wat hij met de notities op de onderste helft van het blaadje had bedoeld. Wie waren De Vries, Filbert en Streeter? Waarom stonden Architectenbureau W.F. Meredith, Teddington en de woonwijk Thamesbank er bij? Deacon vertelde hem in het kort wat Streeter en Amanda Powell ermee te maken hadden.
'En Thamesbank is de wijk waar Amanda Powell woont en waar Billy gestorven is,' besloot hij. 'Teddington is de plek waar zij en James appartementen wilden laten bouwen en W.F. Meredith is het bedrijf waar zij werkt. Het is gevestigd in een pakhuis ongeveer tweehonderd meter bij het jouwe vandaan.'
'Bedoel je dat Billy en die Streeter één en dezelfde waren?'
'Nee, tenzij hij een ingrijpende plastisch-chirurgische ingreep had ondergaan.'
'Maar er is volgens jou wel een verband?'
'Dat moet haast wel. De kans dat één vrouw te maken krijgt met twee mannen die zo plotseling verdwijnen is zo klein dat hij te verwaarlozen is. Er liggen wel duizend garages tussen het pakhuis en de wijk waar Amanda woont, dus Billy moet wel een reden hebben gehad om speciaal helemaal naar die van haar te gaan.' Hij streek nadenkend over zijn kin. 'Er zijn volgens mij drie mogelijke verklaringen. De eerste is dat een paar van de brieven die hij uit een vuilniszak had gehaald van haar waren en hij op die manier achter haar adres is gekomen. De tweede is dat hij haar uit het kantoorgebouw van Meredith heeft zien komen, haar herkend heeft als iemand die hij in het verle-

den had gekend en haar naar huis is gevolgd. En ten derde dat iemand anders haar heeft herkend, haar gevolgd is en die informatie toen aan Billy heeft doorgegeven.'
Terry fronste zijn wenkbrauwen. 'De tweede mogelijkheid kan volgens mij niet. Ik bedoel, als hij Amanda had herkend, dan zou zij hem ook herkend moeten hebben. En ze zou niet naar hem zijn komen informeren als ze al wist wie hij was, of wel?'
'Dat hangt ervan af hoeveel hij veranderd was. En vergeet niet dat jij ook dacht dat hij twintig jaar ouder was dan hij in werkelijkheid was. Misschien is het zo gegaan: Amanda vindt zomaar ineens in haar garage een dode alcoholist, die bij de politie bekend is onder de naam Billy Blake, vijfenzestig jaar oud. Ze vindt het wel erg, maar breekt zich er verder niet erg het hoofd over totdat ze erachter komt dat hij onder een valse naam leefde, vijfenveertig jaar was, in de buurt van haar werk sliep en dat er een goede kans was dat hij die garage opzettelijk had uitgekozen, waarna ze besluit zijn crematie te betalen en van alles onderneemt om iets over hem te weten te komen. Wat zou jij daaruit afleiden?'
'Dat ze dacht dat Billy haar man was.'
Deacon knikte. 'Maar ze moet beseft hebben dat ze het bij het verkeerde eind had toen ze die politiefoto's onder ogen kreeg. Maar waarom is ze dan nog zo geobsedeerd door Billy?'
'Misschien moet je het haar gewoon vragen.'
'Dat heb ik al gedaan.' Hij keek de jongen vernietigend aan. 'Die vraag wil ze niet beantwoorden.'
Terry haalde zijn schouders op. 'Misschien kan ze het niet. Misschien is ze over de hele zaak net zo in verwarring als jij en ik. Ik bedoel, ze zei dat ze niet wist dat hij in haar garage was totdat hij dood was, dus dan kan hij niet met haar gesproken hebben. En je hebt ook niet verklaard waarom hij daar naartoe was gegaan. Als hij haar wél had herkend, waarom zou hij dan in haar garage hebben willen sterven? En als hij haar níet had herkend, nou, waarom zou hij in de garage van een onbekende hebben willen sterven? Begrijp je wat ik wil zeggen?'
'Jawel, maar jij gaat ervan uit dat ze jou de waarheid heeft verteld. Stel nou eens dat ze loog en dat ze wel met hem heeft gepraat?' Deacon stak zijn armen omhoog en maakte een paar draaiende bewegingen om zijn nekspieren te ontspannen. Hij keek de jongen even zijdelings aan. 'Hij moet er slecht aan toe zijn geweest om zo snel dood te gaan. Waarom heb jij hem eigenlijk in zijn eentje weg laten gaan?'

'Dat kan je mij niet verwijten. Billy wilde nooit luisteren naar wat ik zei. In ieder geval was alles in orde met hem toen ik hem voor het laatst zag.'

'Dat kan niet als hij een paar dagen later van de honger is omgekomen.'

'Nee, dat zie je verkeerd. Geen van ons had hem gezien in de drie of vier weken voordat hij ertussenuit kneep.' Die gedachte leek hem dwars te zitten, alsof hij het gevoel had dat Billy was overleden als gevolg van zijn eigen apathie. *Precies zoals Deacon door zijn apathie verantwoordelijk was voor de dood van zijn vader.* 'Hij is ergens in mei vertrokken, en het volgende wat we over hem vernamen was dat hij dood was gevonden in de garage van die vrouw. Dat had Tom in de krant gelezen.'

Deacon verwerkte deze verrassende informatie even in stilte. Om een of andere reden had hij altijd aangenomen dat Billy direct vanuit het pakhuis naar de garage was gegaan. 'Weet je ook waar hij heen is gegaan?'

'Op dat moment dachten we dat hij wel in een van de Londense bajessen zou zitten, maar toen we het er later nog eens over hadden,' – hij aarzelde even – 'nou ja, Tom zei dat hij in de gevangenis niet verhongerd zou zijn, dus ik denk dat hij ergens heeft gezeten waar hij gewoon met eten is opgehouden.'

'Had hij dat wel eens eerder gedaan?'

'Zeker wel. Diverse malen, als hij weer eens somber was of wanneer hij genoeg had van types als Denning. Maar dat duurde nooit langer dan een paar dagen, en dan kwam hij altijd weer terug. Dan sleepte ik hem mee naar een gaarkeuken en zorgde ik dat hij weer ging eten. Ik zorgde heus wel goed voor hem, weet je, en ik vond het klote hoe hij aan zijn eind is gekomen. Dat was niet nodig geweest.'

'Weet je waar hij heen gegaan zou kunnen zijn?'

Terry schudde zijn hoofd. 'Tom dacht dat hij de stad uit was gegaan omdat niemand hem meer zag of iets van hem hoorde.'

'Heb je een idee waarom?'

Weer schudde hij zijn hoofd.

'Wat deed hij voordat hij wegging?'

'Hij was door het dolle heen, net als anders.'

'En verder?'

'Hoezo, verder?'

'Ik weet niet,' zei Deacon, 'maar op een of andere manier moet hij toch tot de beslissing zijn gekomen om zijn stutten te trekken en vier weken weg te gaan.' Hij wenkte Terry en zei: 'Kom op, vertel eens

wat er die dag gebeurde? Heeft hij gebedeld? Heeft hij misschien iemand gesproken? Heeft hij iemand gezien die hij herkende? Heeft hij iets bijzonders gedaan? Heeft hij nog iets gezegd voordat hij wegging? Hoe laat vertrok hij? 's Ochtends? 's Avonds? Denk na, Terry!'
'Het enige bijzondere wat ik me kan herinneren,' zei Terry nadat hij Deacon het plezier had gedaan enkele seconden lang een diepe rimpel van concentratie op zijn voorhoofd te tonen, 'was dat hij nogal opgewonden raakte over een bericht in een krant die hij in een afvalbak had gevonden. Meestal liep hij alleen even de koppen na, maar deze keer verdiepte hij zich in een artikel en wond hij zich erover op. De rest van de dag was er geen land met hem te bezeilen, en vervolgens is hij buiten westen geraakt nadat hij een hele fles Smirnoff leeg had gedronken. De volgende ochtend was hij weg, en we hebben hem daarna nooit meer teruggezien.'

13

VOORZOVER TERRY ZICH KON HERINNEREN, WAS BILLY VERTROKKEN ergens midden in de week die op de vijftiende mei begonnen was. Toen Deacon deze informatie van hem had losgekregen, haastte hij zich met de jongen naar de auto en reden ze naar de redactie van *The Street*. Terry zat de hele weg te mopperen dat je 's avonds in de kroeg hoorde te zitten, en niet ergens kranten moest doorbladeren. Het probleem met Deacon was dat hij zo oud was dat hij niet meer wist hoe hij zich moest amuseren... Dat hij nou zo de pest had aan Kerstmis betekende toch niet dat alle anderen daar dan ook maar onder moesten lijden...

'Zo is het wel genoeg!' bulderde zijn gekwelde gastheer toen ze in de buurt van Holborn kwamen. 'Het duurt heus niet lang, dus hou verdomme eens even je bek! Daarna gaan we naar het café.'

'Nou, goed dan, maar alleen als je me iets vertelt over je moeder.'

'Heb jij wel eens van het woordje "stilte" gehoord, Terry?'

'Natuurlijk wel, maar jij zou nog antwoord geven op mijn vraag waarom je haar niet de kans had gegeven te verhinderen dat je vader zich van kant zou maken.'

'Dat is heel eenvoudig,' zei Deacon. 'Ze had al in geen twee jaar iets tegen hem gezegd, en ik kon me niet voorstellen dat ze dat die avond wel zou gaan doen.'

'Woonden ze niet in hetzelfde huis?'

'Jawel. Maar een eind uit elkaar. Zij zorgde voor hem, waste zijn kleren, kookte voor hem en maakte zijn bed op. Maar praten deed ze niet met hem.'

'Wat een ellende, zeg,' zei Terry verontwaardigd.

'Ze had zich wel van hem kunnen laten scheiden, en dan een eigen leven opbouwen,' legde Deacon vriendelijk uit, 'of ze had zelfs kunnen proberen hem te laten opnemen, als ze daar de moeite voor had genomen. Twintig jaar geleden ging dat gemakkelijker dan tegenwoordig.' Hij keek even van opzij naar het profiel van de jongen. 'Hij was een onmogelijk mens om mee te leven, Terry. De ene dag kon hij heel aardig tegen mensen zijn, en ze de volgende dag verketteren. Als hij zijn zin niet kreeg werd hij gewelddadig, vooral als hij gedronken had. Hij kon het in geen enkele baan uithouden, hij haatte verantwoordelijkheid, maar hij klaagde wel voortdurend over de fouten van anderen. Mijn arme, oude moeder heeft zich daar drieëntwintig jaar bij neergelegd, en heeft zich toen in haar stilzwijgen teruggetrokken.' Hij sloeg de hoek om en reed Farringdon Street in. 'Dat had ze veel eerder moeten doen. De sfeer werd een stuk beter toen die ruzies ophielden.'

'Hoe kwam hij aan al dat geld dat hij heeft nagelaten als hij niet werkte?'

'Dat had hij geërfd van zijn vader, die een stukje land bezat dat de overheid nodig had voor de aanleg van de M1. Daar heeft mijn grootvader een klein fortuin aan overgehouden, en dat heeft hij nagelaten aan zijn enig kind, samen met een fraaie boerderij met een zesbaans snelweg door de achtertuin.'

'Jezus! En dat heeft je moeder je afhandig gemaakt?'

Deacon draaide Fleet Street in. 'Als dat waar is, had ze er recht op. Ze heeft Emma en mij op ons achtste naar kostschool gestuurd zodat we niet al te veel tijd samen met pa onder één dak hoefden te verblijven.' Hij reed de steeg in naast het kantoor van de krant en parkeerde de auto op een lege parkeerplaats aan de achterkant van het gebouw. 'De enige reden waarom hij en ik op het laatst nog met elkaar spraken was omdat ik met hem minder te maken had dan met mijn moeder of Emma. Ik meed het huis als de pest en ik ging er alleen met Kerstmis heen. Verder bleef ik logeren bij vrienden van school of van de universiteit.' Hij zette de motor uit. 'Emma was veel meer geneigd om te helpen, en daarom heeft mijn vader haar maar twintigduizend pond nagelaten. Hij kreeg een afkeer van haar omdat ze altijd de kant van mijn moeder koos.' Hij keek de jongen aan met een vage glimlach op zijn gezicht, wat nog net te zien was in de weerkaatsing van het licht van de koplampen. 'Het zat allemaal net anders dan je denkt, begrijp je wel, Terry? Mijn vader heeft dat tweede testament uit een gevoel van wrok gemaakt. Het zou trouwens nog best kunnen dat hij degene was die het heeft verscheurd. Hugh weet dat net zo goed als ik, maar Hugh zit klem en is op zoek naar een uitweg.'

'Gaat het altijd zo toe in gezinnen?'

'Nee.'

'Maar ik begrijp het niet. Als ik je zo hoor praten, lijkt het wel alsof je haar graag mag. Maar waarom praat je dan niet met haar?'

Deacon knipte de lichten uit, waardoor ze ineens in het donker zaten.

'Wil je een antwoord van twintig pagina's of eentje van zes woorden?'
'In zes woorden, graag.'
'Ik ben haar aan het straffen.'

'Wat heeft iedereen vanavond, zeg?' vroeg Glen Hopkins toen Deacon binnenkwam. 'Barry Grover zit ook al twee uur binnen.' Hij keek belangstellend naar Terry. 'Ik begin zo langzamerhand te geloven dat iedereen zich alleen bij mij op zijn gemak voelt.'
Terry glimlachte vriendelijk en plantte zijn ellebogen op de balie. 'Pa hier' – hij wees met zijn duim naar Deacon – 'wilde me laten zien waar hij werkte. Het zit hem nogal dwars dat ma de baan op is sinds hij haar aan de kant heeft gezet, en nou wil hij mij laten zien dat er betere manieren zijn om aan de kost te komen.'
Deacon greep hem bij zijn arm en draaide die om. 'Geloof geen woord van wat hij zegt, Glen. Als deze eikel ook maar een van mijn genen bezat, sprong ik van de eerste de beste brug af.'
'Ma zei al dat je geweld zou gaan gebruiken,' zei Terry op klagende toon. 'Ze zei dat je altijd eerst slaat en dan pas vragen stelt.'
'Houd je kop, idioot!'
Terry lachte. Glen Hopkins keek het tweetal na toen ze de trap op liepen. Hij keek heel oplettend uit zijn doorgaans sombere ogen. Voor het eerst sinds hij zich kon herinneren zag Deacon er vrolijk uit. Glen dacht ten onrechte dat de man en de jongen iets essentieels gemeenschappelijk hadden.

Ook Barry Grover was nieuwsgierig naar Terry, maar hij had zijn ware gevoelens zijn hele leven al moeten verbergen, dus bekeek hij het tweetal slechts met een starende blik vanachter zijn dikke brillenglazen toen ze luidruchtig het knipselarchief binnen kwamen. Het was een vreemd gezicht, hem daar zo in zijn eentje te zien zitten aan het bureau midden in de kamer, met de weerkaatsing van het lamplicht in zijn bril. Hij leek nu meer dan ooit op een of ander groot insect met glimmende ogen. Deacon knipte met een plotselinge beweging het grote licht aan om het onaangename beeld te doen verdwijnen.
'Hallo, Barry,' zei hij met de kunstmatig hartelijke toon waarmee hij de man altijd bejegende. 'Dit is Terry Dalton, een vriend van me. Terry, dit is onze man die alles ziet, Barry Grover. Als je ook maar een klein beetje belangstelling hebt voor fotografie, dan moet je eens een babbeltje met hem gaan maken. Hij weet alles wat ook maar enigs-

zins de moeite waard is.'
Terry knikte vriendelijk.
'Mike overdrijft,' zei Barry afwijzend, bang dat hij weer voor gek gezet zou worden. Hij had bij zijn aankomst op kantoor al de vernedering van Glens borende blikken en nauwelijks verholen nieuwsgierigheid moeten ondergaan. Hij draaide zijn rug naar degenen die pas waren aangekomen en schoof de foto's van Amanda Powell onder een stapeltje krantenknipsels.
Terry, die over het algemeen ongevoelig was voor onderhuidse emoties bij anderen, tenzij geworteld in paranoïde schizofrenie of alcoholverslaving, liep ontspannen naar de plek waar Barry zat, terwijl Deacon het leesapparaat voor de microfiches inschakelde en op zoek ging naar de kranten van mei 1995. Een kantoor als dit was een voor Terry volstrekt onbekende omgeving, dus het kwam niet in hem op om zich af te vragen waarom deze dikke kleine man met zijn bolle ogen en zijn afgemeten gebaren hier in zijn eentje in deze halfduistere ruimte zat opgesloten. Als hij en Deacon er op dat moment waren, was het kennelijk ook heel normaal dat Barry Grover er aanwezig was.
Hij ging op de rand van het bureau zitten. 'Terwijl we hier de trap op liepen heeft Mike me al verteld dat jij de beste bent in je vak,' vertrouwde hij hem toe. 'Hij zegt dat jij hebt geprobeerd te achterhalen wie Billy Blake was.'
Barry schoof iets naar achteren. De inbreuk die Terry op een ongedwongen manier op de privacy van zijn werkterrein maakte, vond hij bedreigend en hij verdacht Deacon ervan dat hij de jongen daartoe had aangezet. 'Dat klopt,' zei hij stijfjes.
'Billy en ik waren vrienden van elkaar, dus als er iets is waar ik je mee kan helpen, dan zeg je het maar.'
'O. Nou ja, ik werk altijd het liefst in mijn eentje.' Hij maakte een brede armzwaai alsof hij zijn bureau wilde schoonvegen, maar daarbij kwam een onderbelichte afdruk van het kiekje van Billy open en bloot te liggen, waarop slechts de ogen, de neusvleugels en de lijn tussen de lippen duidelijk te zien waren.
Terry pakte de foto op en bekeek hem goed. 'Dat is knap,' zei hij met onverholen bewondering in zijn stem. 'Zo kan je je concentreren op de onderdelen die je belangrijk vindt.' Hij raapte een andere, soortgelijke foto op en legde de twee naast elkaar. Ze leken op elkaar, er was alleen verschil in de ruimtelijke verhouding tussen de afzonderlijk gelaatstrekken. 'Dat is te gek, zeg.' Terry wees op de tweede foto. 'En wie is die vent?'
Barry zette zijn bril af en poetste de glazen met zijn zakdoek op. Het

was een teken dat hij zich helemaal niet op zijn gemak voelde. Hij kon er absoluut niet tegen dat deze kaalgeschoren figuur uit de onderwereld zich bemoeide met zijn moeizame onderzoek. 'Hij is een vrachtwagenchauffeur die Graham Drew heet,' zei hij kortaf terwijl hij de foto's opraapte en buiten Terry's bereik neerlegde.
'Hoe wist je dat hij op Billy leek?'
'Ik had een foto van hem in een van mijn dossiers.'
'Jezus! Jij bent echt een bijzonderheid. Bedoel je dat je je elke foto kunt herinneren die je hebt?'
'Het zou onverantwoordelijk zijn om helemaal op het geheugen af te gaan,' zei Barry streng. 'Ik heb natuurlijk een systeem.'
'En hoe werkt dat?'
Het kwam niet bij Barry op dat de belangstelling van de jongen misschien serieus was. Omdat hij met Deacon was meegekomen, dacht hij dat hij uitgekookter was dan hij in werkelijkheid was en vatte hij het doordringende vragen van Terry op als een soort pesterij. 'Het is heel ingewikkeld. Je zou het toch niet begrijpen.'
'O, maar ik ben heel vlug van begrip, hoor. Mike zegt dat mijn IQ waarschijnlijk boven het gemiddelde ligt.' Terry schoof met de punt van zijn schoen een stoel naderbij en liet zich daarin naast zijn nieuwe goeroe vallen. 'Ik kan je niks beloven, maar ik denk dat ik beter jou kan helpen dan hem.' Hij maakte een hoofdknik in Deacons richting. 'Met woorden ben ik niet zo goed, als je begrijpt wat ik bedoel, maar met plaatjes wel. Vertel eens, hoe werkt dat systeem van jou?'
Barry's handen beefden een beetje toen hij zijn bril weer opzette. 'Omdat ik ervan uitga dat de naam Billy Blake niet echt was, bekijk ik de foto's van de mannen die zich in de afgelopen tien jaar aan arrestatie hebben weten te onttrekken. Ik ben eigenlijk op zoek,' zei hij parmantig, 'naar mensen die het nodig hebben gevonden van identiteit te veranderen.'
'Briljant, zeg. Mike zei al dat je geniaal was.'
Barry schoof een map naar zich toe die achter op het bureau had gelegen. 'Helaas zijn er nogal veel van dat soort mannen, en in sommige gevallen beschik ik alleen over een compositiefoto.'
'Waarom zit de politie achter deze Drew aan?'
'Hij is met een veewagen met daarin zijn vrouw en twee kinderen, dertig schapen en twee miljoen pond aan goudstaven het Kanaal overgestoken en ergens in Frankrijk ondergedoken.'
'Shit, zeg!'
Barry giechelde ondanks zichzelf. 'Dat dacht ik ook, ja. De schapen zijn ergens in een weiland teruggevonden, maar de familie Drew, het

goud en de veewagen zijn nooit teruggevonden.' Zenuwachtig opende hij de map, waarin afdrukken en knipsels bleken te liggen. 'We zouden deze samen kunnen doorzoeken,' stelde hij voor, 'en ze sorteren in exemplaren die voor nadere beschouwing in aanmerking komen en de andere die we meteen weg kunnen leggen. Het gaat hier om alle, ongeveer honderd, mannen die sinds 1988 door de politie gezocht werden.'
'Natuurlijk,' zei de jongen opgewekt. 'En wat dacht je ervan om dan na afloop samen met Mike en mij even wat te gaan drinken? Ga je mee of niet?'

Een uur later draaide Deacon zich op zijn stoel om. 'Hé, jullie twee! Sta eens op en kom eens kijken. Lees dit eens.' Hij wenkte ze triomfantelijk met beide wijsvingers tegelijk. 'Als dit niet is wat Billy in beweging heeft gebracht, dan ben ik niet goed bij mijn hoofd. Het is het enige nieuwsbericht in de eerste helft van mei dat aansluit bij wat we al weten.'

Donderdag 11 mei 1995

Nigel biedt troost

Na haar scheiding van restaurateur Tim Grayson (58) is Fiona Grayson naar verluidt weer teruggekeerd naar haar eerste echtgenoot, de ondernemer Nigel de Vries (48). Volgens haar vriendin Lady Kay Kinslade is Fiona op het ogenblik een regelmatige gast op Halcombe House, het landhuis van Nigel de Vries in de buurt van Andover. 'Ze hebben veel gemeenschappelijk, waaronder bijvoorbeeld twee volwassen kinderen,' aldus Lady Kay. Ze wilde zich niet uitlaten over de bittere echtscheidingsprocedure van tien jaar geleden, waarbij Nigel de Vries zijn Fiona verliet voor een kortstondige relatie met Amanda Streeter, wier echtgenoot James later verdween met medeneming van tien miljoen pond van de handelsbank waar ook Nigel de Vries werkzaam was. 'De tijd heelt alle wonden,' meent Lady Kay. Ze ontkent berichten als zou Fiona geldzorgen hebben.
Nigel de Vries, die zichzelf ooit eens heeft omschreven als 'de man die het helemaal gaat maken', heeft een arbeidsverleden met veel hoogte- en dieptepunten. Zijn eerste miljoen had hij al rond zijn dertigste binnen, maar na desastreuze verliezen door

het mislukken van een transatlantische luchtvaartonderneming werd hij in 1985 opgenomen in de raad van bestuur van Lowensteins Handelsbank. Hij is daar in 1991 'in goed overleg' weer vertrokken, waarna hij zich in de computersoftwarebranche heeft gestort door de overname van Softworks, een kleine onderneming met liquiditeitsproblemen maar met een grote verborgen potentie. Hij doopte het bedrijf om tot DVS, nam veel nieuw personeel aan en maakte er binnen vier jaar een gezichtsbepalend bedrijf van in de lucratieve PC-sector.
Nigel de Vries is minder gelukkig geweest in de liefde. Hij is twee keer getrouwd geweest, en zijn naam wordt genoemd in verband met enkele van de mooiste vrouwen van het land. Fiona heeft echter meer dan de anderen een zwak voor hem gehouden. Een van zijn vroegere minnaressen, de actrice Kirstin Olsen, heeft hem beschreven als 'klein, fel en niet dol op de onderliggende positie'. Kirstin Olsens nieuwe vriend is Bo Madesen, het evenbeeld van Arnold Schwarzenegger, die door de lezers van het tijdschrift *Hello!* onlangs verkozen werd tot 'stuk van het jaar'.

Deacon las het artikel hardop voor, zodat Terry ook zou weten wat erin stond, en grinnikte toen de jongen begon te lachen. 'Zijn verdiende loon waarschijnlijk, maar ik heb wel met de arme man te doen. Hij heeft juffrouw Olsen waarschijnlijk niet voldoende teruggegeven voor alle energie die ze in haar orgasmes heeft gestopt.'
'Tja, een vrouw die wordt genegeerd, kan erger zijn dan de hel,' zei Barry nadenkend.
'Dat zei Billy ook vaak,' herinnerde Terry zich. 'Maar de hel was voor Billy voornamelijk iets waar hij bang voor was als hij bezopen was. Dan kwamen er hellevegen achter hem aan.'
'Hij was iemand met een passie voor zelfkwelling,' legde Deacon aan Barry uit. 'Hij stak zijn handen in het vuur om ze te reinigen als ze aanstoot hadden gegeven.'
'Hm, die hellevegen lijken mij meer een geval van delirium,' zei Barry.
'Ja, dat kan zijn, maar voor hem waren ze echt.' Terry wees naar de foto op het beeldscherm. 'Dus jij denkt dat Billy achter die Nigel de Vries aan is gegaan? Waarom zou hij dat gedaan hebben?'
Deacon haalde zijn schouders op. 'Dat zullen we De Vries moeten vragen.'
'Dat lijkt me een beetje simpel gedacht,' zei Barry zacht. 'Maar zou Billy niet gewoon het adres van Amanda Streeter te pakken hebben willen krijgen? Hoe moest hij haar vinden als hij niet wist dat ze zich Amanda Powell noemde?'

'Ja, zo moet het zitten,' zei Terry vol bewondering. 'En dat betekent dat Billy James gekend moet hebben, aangezien ze Billy niet kende. Begrijpen jullie wat ik bedoel? Het enige wat jullie moeten doen is de namen te weten zien te komen van de mannen die James kende, en dan kom je vanzelf bij Billy uit.'
Deacon schudde zijn hoofd. 'We zouden binnen vijf minuten kunnen weten wie hij was als we toegang hadden tot alle informatie die jij in je hoofd hebt.' Hij keek hem geamuseerd aan. 'De man was duidelijk goed opgeleid, hij preekte graag, hij was een liefhebber van William Blake, hij citeerde Congreve, hij was goed op de hoogte met de schilderkunst, de klassieken, wist veel van de Europese politiek en hij geloofde in een soort ethiek. Maar wat het meeste opvalt is dat hij een soort theoloog was, met een bijzondere belangstelling voor de goden van de Olympus en hun koele, onberekenbare ingrijpen in het leven van de mensen. Dus? Wat is dat voor een man die dat soort kenmerken heeft?'
Barry zette zijn bril af en begon zijn glazen weer op te poetsen. De afkeer die hij van zichzelf voelde had zich ontwikkeld tot een soort pijn in zijn maag, en hij was bang voor wat hij deze keer zou doen als Deacon hem weer in de steek zou laten. Hij kende Deacon goed genoeg om te weten dat de geringe belangstelling die de ander nu voor hem voelde binnen de kortste keren totaal verdwenen zou zijn als hij nu de ware identiteit van Billy zou onthullen. Deacon zou dan met Terry in zijn kielzog meteen op zoek gaan naar Fenton, en Barry zou alleen achterblijven, ten prooi aan de vreselijke verwarring waar hij de afgelopen vierentwintig uur aan ten prooi was geweest. Hij dacht aan wat hem thuis wachtte, en in zijn wanhoop klemde hij zich vast aan de hoop die zijn geheime kennis voor hem in petto hield. Deacon hoefde niet te weten wie Billy was – niet meteen in ieder geval – maar hij moest wel weten dat Barry op den duur met resultaat zou komen.
'Mijn vader hield ervan om Dr. Johnson verkeerd te citeren,' mompelde hij nerveus, alsof hij bang was zichzelf voor gek te zetten.
'"Als patriottisme het laatste redmiddel is voor de schurk," zei hij altijd, "dan is het geloof dat voor de zwakkeling." Ik kan het natuurlijk verkeerd hebben, maar...' Hij zweeg en keek naar Terry.
'Ga verder,' moedigde Deacon hem aan.
'Het is niet goed om kwaad te spreken van de doden, Mike. Vooral niet tegen hun vrienden.'
'Billy was een moordenaar,' zei Deacon onverschillig, 'en dat weet ik van Terry. Ik denk dat hij zich niet zwakker zou kunnen tonen.'
Barry zette zijn bril weer op en keek met een uitdrukking van grote

tevredenheid naar hen. 'Ik dacht al dat het zoiets zou moeten zijn. Hij had een karakterfout, hè. Hij is gevlucht, hij was een dronkaard en hij heeft zichzelf van kant gemaakt. Dat zijn geen eigenschappen van een man met een sterk karakter. Sterke mannen gaan de problemen te lijf en lossen ze op.'
'Misschien was hij wel ziek. Volgens Terry's beschrijving was hij krankzinnig.'
'Je zei dat hij minimaal vier jaar onder de naam Billy Blake had geleefd.'
'Nou, én?'
'Hoe kan een geesteszieke man vier jaar lang een valse identiteit volhouden? Dan zou hij toch iedere keer als hij last had van zijn ziekte vergeten waarom hij die naam had aangenomen?'
Dat was inderdaad een punt, moest Deacon toegeven. Maar toch...
'Is dezelfde redenering niet geldig voor een alcoholist?'
Barry wendde zich tot Terry. 'Wat zei hij als hij gedronken had?'
'Niet veel. Meestal raakte hij dan bewusteloos. Volgens mij deed hij het daarom juist.'
Maar voor mij is geluk de afwezigheid van het verstand...
'Je zei dat hij als een gek tekeerging wanneer hij dronken was,' zei Deacon scherp. 'En nu zeg je dat hij bewusteloos raakte. Wat was het nou?'
De jongen keek hem getroffen aan. 'Nou, ik doe anders wel mijn best, hoor. Hij ging tekeer als hij aangeschoten was, en hij raakte bewusteloos als hij lazarus was. Maar "aangeschoten" betekent niet dat hij niet wist wat hij zei. Dan ging het voornamelijk over poëzie en die onzin over de déseksmachine...'
'De wát?' vroeg Deacon.
'De dé-seks-machine,' herhaalde Terry langzaam en nadrukkelijk.
'Wat moet dat in godsnaam betekenen?'
'Hoe moet ik dat nou weten?'
Deacon fronste zijn voorhoofd terwijl hij over de woorden nadacht.
'*Deus ex machina*?' vroeg hij.
'Ja, dat was het.'
'Wat zei hij nog meer?'
'Meestal een hoop onzin.'
'Kan je je nog herinneren wat hij precies zei, en hoe hij het zei?'
Het begon Terry allemaal de keel uit te hangen. 'Hij zei van alles, honderden dingen. Kunnen we niet wat gaan drinken? Het schiet me wel weer te binnen als ik een glas bier op heb. Barry heeft er trouwens ook wel trek in. Nietwaar, maatje?'

'Nou...' De kleine man schraapte zijn keel. 'Dan moet ik hier eerst een beetje opruimen.'
Deacon keek op zijn horloge. 'En ik moet nog een fotokopie maken van dat artikel over De Vries. Terry, als jij nou eens tien minuten tekeergaat zoals Billy dat deed, dan doen wij ondertussen wat we moeten doen, en dan gaan we daarna de kroeg in en hebben we het er niet meer over. Oké?
'Beloof je dat?'
'Dat beloof ik.'

De voorstelling die Terry gaf en die Deacon op de band had opgenomen, was formidabel. De knaap bezat het buitengewone talent allerlei verschillende stemmen te kunnen imiteren, maar of het nou echt de stem van Billy was die klonk, was natuurlijk niet te achterhalen. Hij verzekerde Deacon dat het een perfecte imitatie was, maar toen deze de eerste dertig seconden van het bandje terug liet horen, kreeg Terry de slappe lach omdat hij klonk als iemand met een hete aardappel in zijn keel. De inhoud van het gesprokene deed er niet zoveel toe, want het was niet veel anders dan een herhaling van wat Billy allemaal over de goden zei, vermengd met flarden poëzie die Terry al eerder voor Deacon had geciteerd. Helaas kwam de deus ex machina er niet meer in voor, omdat, zoals hij naderhand zei, hij nooit echt had begrepen wat Billy daarmee had bedoeld, waardoor het moeilijker was geweest om te onthouden wat hij toen had gezegd.
Deacon, die genoten had van de voorstelling, stootte hem vriendschappelijk aan en zei dat hij zich daar maar niet druk over moest maken. Barry, die dit alles voor het eerst hoorde, had heel aandachtig zitten luisteren en draaide na afloop de band terug naar een korte passage volgend op die waarin hij de namen van de goden noemde.
'*... maar de ergste van allen is Pan, de god van het verlangen. Sluit je oren voordat zijn magische spel je de waanzin in drijft en de engel met de sleutel je voor eeuwig in zijn bodemloze put stort, waar je tevergeefs zult wachten op degene die gehuld in wolken afdaalt om je te verheffen. Alleen Pan is echt...*'
'Zou "degene die gehuld in wolken afdaalt om je te verheffen" niet Billy's deus ex machina kunnen zijn?' opperde hij. 'Denk maar eens aan pantomimevoorstellingen en de goede fee, die uit rookwolken ineens te voorschijn komt en met haar toverstokje alles ten goede keert.'
'En wat dan nog?' vroeg Deacon.
'Nou,' zei Barry, zijn gedachte hardop uitsprekend, 'Pan was een Ro-

meinse god, maar als ik het me goed herinner, is de "engel met de sleutel tot de bodemloze put" afkomstig uit het Boek der Openbaringen, met andere woorden uit de joods-christelijke traditie. Billy lijkt dus geloofd te hebben dat de heidense goden hem tot de zonde hebben verleid, maar dat de joods-christelijke god hem strafte. Waardoor hij in verwarring moet zijn geraakt over de mogelijke verlossing. Moest hij de heidense goden tevredenstellen, zoals hij gedaan lijkt te hebben door zijn handen te verbranden, of de christelijke god door zijn gepreek?'
'Waar hoort "degene die gehuld in wolken afdaalt" dan thuis?'
'Ik denk dat dat een symbool is voor zijn verlossing. Hij heeft het over "tevergeefs" wachten, dus hij gelooft er kennelijk niet in, maar als het wel gebeurt, zal het zijn in de vorm van een deus ex machina, een plotselinge verbijsterende verschijning, die hem vanuit de bodemloze put naar boven haalt.'
'Arme drommel,' zei Deacon meelevend. 'Ik vraag me af wat voor een moord dat geweest moet zijn waardoor hij is gaan denken dat hij niet meer gered zou kunnen worden.' Hij rilde ineens, en zag dat Terry zich in zijn handen zat te wrijven om het minder koud te krijgen. 'Kom op, het is hier verdomd koud. Laten we nu maar wat gaan drinken.'

Barry keek hoe Terry aan de gokkast bezig was met het geld dat hij van Deacon had gekregen. 'Een aardige gozer,' zei hij.
Deacon stak een sigaret op en volgde zijn blik. 'Hij leeft sinds zijn twaalfde op straat, en zo te horen is het aan Billy te danken dat hij zo goed in elkaar zit.'
'Wat ga je met hem doen als Kerstmis voorbij is?'
'Weet ik nog niet. Hij moet nodig naar school, maar ik zie hem nog niet teruggaan naar het kindertehuis. Het is eigenlijk een beetje een gewetensvraag, zo'n vraag waar je pas antwoord op geeft als hij zich voordoet.' Hij keek Barry weer aan. 'Heeft hij je kunnen helpen met de foto's?'
'Hij was nogal snel met het weggooien van de onwaarschijnlijke gevallen; het lijkt niet tot hem door te dringen dat Billy veel jonger was dan hij eruitzag. Ik heb er een paar tussenuit moeten halen.' Hij haalde een envelop uit zijn zak en spreidde de foto's op tafel uit. 'Wat denk je hiervan?'
Deacon pakte een scherpe foto op van een blonde man die recht in de lens keek. 'Deze man ken ik. Wie is hij?'
Barry grinnikte tevreden. 'Dat is James Streeter. De foto is een jaar of

twintig geleden genomen, toen hij afstudeerde aan de universiteit van Durham. Hij is opgegroeid in Manchester, dus ik heb op goed geluk eens geïnformeerd bij de plaatselijke kranten daar, en toen hebben ze me deze gestuurd. Buitengewoon goed, hè?'
'Het evenbeeld van Billy.'
'Maar alleen omdat zijn haar dun is en het geblondeerd lijkt te zijn.' Deacon haalde de foto van Billy te voorschijn en legde die naast die van de jonge James Streeter. 'Heb je deze twee vergeleken op de computer?'
'Ja, maar het zijn twee verschillende mannen, Mike. Ze lijken wel op elkaar; dat wordt ook veroorzaakt doordat ze ongeveer onder dezelfde hoek in de camera kijken, maar de verschillen zijn duidelijk. Het beste is dat aan de oren te zien.' Hij pakte het sigarettenpakje en legde dat over de onderste helft van Billy's gezicht, zodanig dat de bovenrand ervan langs de onderkant van het oorlelletje liep. 'Je kijkt er natuurlijk wel onder een hoek naar,' zei hij, 'maar de oorlellen van Billy zijn groter dan die van James, en de onderkant ervan is ongeveer op dezelfde hoogte als zijn mond.' Hij legde het pakje op dezelfde manier op de andere foto. 'James heeft nauwelijks oorlelletjes, en de onderkant ervan ligt bij hem op dezelfde hoogte als zijn neusvleugels. Als je op de computer ogen, neuzen en monden met elkaar vergelijkt, blijkt heel duidelijk dat de oren veel verschillen vertonen, en als je de hoek zo instelt dat de oren op elkaar lijken, verschilt de rest.'
'Je bent er wel heel goed in, hè?'
Barry's bolle wangen kleurden van genoegen. 'Het is iets wat ik graag doe.' Hij verschoof de andere afdrukken en haalde er een opname *en profil* van Peter Fenton tussenuit. 'Herken je nog iemand?'
Deacon schudde zijn hoofd. Hij keek nog eens naar de foto van James Streeter en schoof toen de foto's terzijde. 'Het is zoeken naar een naald in een hooiberg,' zei hij. 'Ik begin trouwens toch te denken dat Billy er eigenlijk niet zoveel toe doet en dat het om iets anders gaat.'
'Hoezo?'
'Het hangt ervan af wat Amanda Powell ermee voor had toen ze me over hem vertelde. Ze moet geweten hebben dat ik erachter zou komen dat zij met James Streeter getrouwd is geweest. Dus wiens verhaal word ik nu verondersteld uit te pluizen? Dat van Billy, of dat van James?' Nadenkend nam hij een trek van zijn sigaret. 'En hoe past Nigel de Vries in het verhaal? Waarom zou hij Amanda's adres aan een volstrekt onbekende geven?'
'Misschien mag hij haar niet,' zei Barry, zijn eigen vooroordelen verwoordend.

'Vroeger mocht hij haar in ieder geval wel. Hij heeft zelfs zijn vrouw voor haar in de steek gelaten. En in ieder geval geef je niet zomaar iemands adres aan de eerste de beste gek.' Hij keek Barry aan. 'Nee, toch?'
'Nee.' Barry keek vermoeid naar de foto van Peter Fenton. 'Misschien kenden ze elkaar van vroeger.'
Deacon volgde zijn blik. 'Nigel en Billy?'
'Ja.'
Hij keek sceptisch. 'Zou hij Amanda dan niet verteld hebben wie hij was? Waarom zou zij mij erover hebben willen spreken als Nigel haar zijn naam had kunnen geven?'
'Misschien hebben ze geen contact meer met elkaar?'
Deacon schudde zijn hoofd. 'Daar zou ik niet van uitgaan. Ze is geen vrouw die een man makkelijk vergeet. En De Vries is gesteld op vrouwen.'
'Ben jij op haar gesteld, Mike?'
'Jij bent al de tweede die me dat vraagt.' Hij keek de ander even aan. 'Ik moet zeggen dat ik het niet weet. Ze is heel bijzonder, maar ik weet niet of dat haar sympathiek maakt of alleen maar uitzonderlijk.' Hij grijnsde. 'Maar ze is wel verdomd aantrekkelijk, dat wil ik wel toegeven.'
Barry moest zich forceren om te glimlachen.

14

TERRY HAD HET GROTE LICHT IN DEACONS SLAAPKAMER AANGEDAAN EN schudde de slapende man ruw door elkaar. Deacon sloeg zijn ogen open en keek zijn beschermeling verstoord aan. 'Houd daar eens mee op,' zei hij luid en duidelijk. 'Ik voel me helemaal niet lekker.' Hij draaide zich om en maakte aanstalten om weer verder te gaan slapen.
'Dat kan wel zijn, maar je moet opstaan.'
'Waarom?'
'Lawrence is aan de telefoon.'
Deacon kwam met moeite overeind en kreunde vanwege zijn hoofdpijnkater. 'Wat moet-ie?'
'Dat moet je mij niet vragen.'
'Waarom heb je het antwoordapparaat niet aan laten staan?' bromde Deacon terwijl hij naar de klok keek en zag dat het kwart over zes in de ochtend was. 'Daar is dat ding voor.'
'Ik heb de eerste vier keer dat hij belde niet gereageerd, maar hij bleef doorgaan. Hoe kan het dat je dat niet gehoord hebt? Ben je soms doof of zo?'
Mopperend stond Deacon op, strompelde naar de huiskamer en nam de hoorn op. 'Wat is er zo belangrijk dat je me daarvoor midden in de kerstnacht wakker moet maken, Lawrence?'
De stem van de oude man klonk bezorgd. 'Ik lag net naar de radio te luisteren, Mike. Ik slaap de laatste tijd slecht. Volgens mij kunnen jij of ik of wij allebei binnenkort een bezoekje van de politie verwachten. Ik weet dat Terry bij jou is, want hij heeft de telefoon opgenomen, maar weet jij waar hij gisteravond geweest is?'
Deacon wreef in zijn ogen. 'Wat is er aan de hand dan?'
'Er is weer iets gebeurd in dat pakhuis van Terry, geloof ik. Maar luister zelf maar naar het nieuws. Ik heb het misschien helemaal bij het verkeerde eind, maar volgens mij is de politie op zoek naar die knaap van je. Bel me zo snel mogelijk terug. Het zou wel eens kunnen zijn dat je me nodig hebt.' De verbinding werd verbroken.
Het was het belangrijkste onderwerp van de nieuwsuitzending, en

zelfs terwijl de presentator het bericht voorlas, kwamen er nog aanvullende berichten binnen. Na een poging tot moord en de daaropvolgende arrestatie van de verdachte op vrijdagmiddag, waren op kerstavond binnen de in een pakhuis in de Docklands levende gemeenschap van daklozen verdere problemen ontstaan. Een aantal mannen was met petroleum overgoten en vervolgens in brand gestoken. De politie was op zoek naar een jongeman met een lengte van een meter achtenzeventig, een kaalgeschoren hoofd en gekleed in een donkere jas, die na het incident in de buurt van het pakhuis was gesignaleerd terwijl hij zich uit de voeten maakte. De politie had zijn naam niet genoemd, maar was wel op de hoogte van de identiteit van de jongeman, die na de moordaanslag van vrijdagmiddag verhoord was en van wie men zegt dat hij de mensen in het pakhuis een kwaad hart toedroeg.

Terry gedroeg zich altijd wel heel flink, maar tenslotte was hij toch nog maar veertien jaar. Hij staarde in paniek naar de radio. Het huilen stond hem duidelijk nader dan het lachen. 'Iemand heeft me erbij gelapt,' riep hij uit. 'Wat moet ik nou, verdomme? De smerissen nemen me vast ongelofelijk te grazen.'

'Doe niet zo stom,' zei Deacon scherp. 'Je bent toch de hele nacht hier geweest.'

'Hoe weet jij dat nou, klootzak?' vroeg Terry kwaad. Zijn angst maakte hem nog agressiever dan hij al was. 'Ik kan best de deur uit zijn geweest zonder dat jij dat in de gaten had. Shit, man, je hoorde je telefoon zelfs niet overgaan!'

Deacon wees op de bank. 'Ga zitten, dan bel ik Lawrence terug.'

'Mij niet gezien. Ik moet hier weg.' Hij balde zijn vuisten. 'Ik laat me door die rotzakken niet oppakken.'

'GA ZITTEN!' schreeuwde Deacon. 'VOORDAT IK ME ECHT KWAAD MAAK!' Omdat hij bang was dat Terry ervandoor zou gaan als hij de kamer uit zou lopen om het nummer van Lawrence op te zoeken, schakelde hij de luidspreker in en toetste het nummer 1471, waarop een ingeblikte stem het nummer meedeelde van degene die hem het laatst had gebeld. Hij toetste het cijfer 3 in om dat nummer te kiezen. 'Hallo, Lawrence, met Michael en Terry. We hebben de luidspreker aanstaan, dus we kunnen allebei met je spreken. Volgens ons heb je gelijk. We denken dat die lui in het pakhuis Terry erbij hebben willen lappen, en we verwachten dat de politie langs zal komen. Wat moeten we doen?'

'Weet je waar hij gisteravond was?'

'Ja en nee. We zijn om een uur of twee vannacht per taxi thuisgeko-

men. Ik heb mijn auto in Fleet Street laten staan omdat ik te veel had gedronken. We waren tot ongeveer kwart over een in het gezelschap van een man die Barry Grover heet. We waren behoorlijk in de lorum. Het laatste wat ik me nog kan herinneren is dat ik tegen Terry zei dat hij op moest houden als een meisje te giechelen en naar bed moest gaan. Ik ben onmiddellijk buiten westen geraakt, en werd pas weer wakker toen Terry aan me stond te rukken omdat jij aan de lijn was. Dus ik kan niet onder ede verklaren dat hij hier aanwezig was tussen twee uur en het moment dat hij me wakker maakte.' Hij keek op zijn horloge. 'Wat betekent dat een periode van vier uur en een kwartier niet verantwoord kan worden. Dat hij de deur uit gegaan zou zijn is inderdaad een mogelijkheid, maar in feite alleen theoretisch, want hij kon nog maar nauwelijks op zijn benen staan toen ik hem de logeerkamer in duwde. Ik ben er tenminste voor honderd procent van overtuigd dat hij daar de hele tijd gebleven is.'
'Kan je me horen, Terry?'
'Ja.'
'Ben je nog naar buiten geweest sinds je vannacht om twee uur bij Michael thuis bent gekomen?'
'Nee, om de dooie dood niet,' zei de jongen stuurs. 'En ik heb godverdomme hoofdpijn, dus ik ben niet van plan allerlei stomme vragen te gaan beantwoorden over iets wat ik verdomme niet eens gedaan heb.'
Lawrence's droge lachje klonk de kamer door. 'Dan maken we ons duidelijk onnodig zorgen. En misschien kennen ze bij de politie inmiddels wel meer dan één kaalgeschoren knaap. Maar ik zou jullie wel aanraden te zorgen dat het appartement schoon is. Onze vrienden bij de politie vinden het nooit leuk om iets aan te treffen dat ze naar het lab moeten sturen. Laat het me weten als jullie problemen krijgen, oké?'
'Waarom kan hij nou nooit eens normaal praten?' vroeg Terry geërgerd toen Deacon de telefoon neerlegde. 'Waar had hij het over? Dat ik ergens schuldig aan ben?'
'Ja, aan het bezit van soft drugs. Heb je nog veel hasjiesj?'
'Nee, bijna niks.'
'Helemaal niks van nu af aan!' Deacon sloeg met de vlakke hand op tafel. 'Je gooit het nu meteen in de plee.' Hij keek de jongen aan met een priemende blik. 'Nu, Terry!'
'Oké, oké. Maar het kost me wel een hoop geld, als je dat maar weet.'
'Niet half zo veel als het mij zou kosten als het spul hier aangetroffen wordt.'

Terry's aangeboren overmoed was weer terug. 'Jij bent banger dan ik,' zei hij met slimme oogjes. 'Heb jij nou nooit eens een beetje willen leven? Eens willen zien hoe flink je nou eigenlijk bent als de smerissen je op je nek zitten?'
Deacon grinnikte terwijl hij naar zijn slaapkamer liep. 'Ach, Terry, moet je eens luisteren. Ik ben er meer in geïnteresseerd hoe flink jíj bent in die situatie. Jij bent degene op wie ze azen, dus ik zou hun niet al te veel kansen bieden als ik jou was.'

Ze waren geheel aangekleed en zaten aan het ontbijt toen de politie een halfuur later arriveerde, in de vorm van twee rechercheurs, van wie er een adjudant Harrison was. Toen Deacon de deur geopend had en beaamd had dat hij wist waar Terry Dalton was – die zat toevallig net aan zijn keukentafel – uitte Harrison er zijn verbazing over dat ze op zondag zo vroeg op waren.
'Het is de dag voor Kerstmis,' zei Deacon terwijl hij ze voorging, 'en we waren van plan om naar mijn moeder in Bedfordshire te gaan. We wilden vroeg op pad gaan.' Hij ging weer op zijn stoel zitten en at verder. 'Wat kunnen we voor u betekenen, adjudant? Terry heeft toch vrijdag een verklaring bij u afgelegd?'
Harrison keek de jongen aan, die druk in de weer was met het naar binnen werken van zijn derde kom cornflakes. 'Dat klopt. Maar nu komen we voor iets anders. Kan je ons vertellen waar je vannacht om drie uur was, Terry?'
'Hier,' zei Terry.
'Kan je dat bewijzen?'
'Zeker wel. Ik was hier bij Mike. Waarom wilt u dat trouwens weten?'
'Er is weer wat gebeurd in het pakhuis. Vijf bewusteloze mannen zijn met benzine overgoten en in brand gestoken. Ze liggen allemaal in het ziekenhuis, en twee van hen zijn in levensgevaar. We vroegen ons af of jij er iets van wist.'
'Nou, dat zit er niet in,' zei Terry verontwaardigd. 'Ik ben er niet meer in de buurt geweest sinds vrijdagavond. Vraag maar aan Mike.'
Harrison wendde zich weer tot Deacon. 'Klopt dat, meneer?'
'Ja. Nadat Terry bij u zijn verklaring had afgelegd, heb ik hem gevraagd de kerst bij mij door te brengen. Op weg naar huis zijn we vrijdagavond nog even langs het pakhuis gereden om wat spullen van hem op te halen, en sindsdien is hij voortdurend in mijn gezelschap geweest.' Hij fronste zijn voorhoofd. 'Als u zegt dat u zich afvraagt of hij er iets van weet, bedoelt u dan dat u hem ervan verdenkt er iets mee te maken te hebben?'

'We stellen voorlopig alleen nog maar vragen, meneer. Verdenkingen hebben we nog niet.'
'Juist, ja.'
Er viel een korte stilte. Terry en Deacon aten door.
'Toen je zei dat je hier vannacht bij meneer bent geweest, wat bedoelde je toen?'
'Wat denkt u dat ik bedoelde?'
'Laat ik het anders zeggen: als jij en meneer Deacon vannacht in één bed hebben geslapen, dan is het twijfelachtig dat je het bed hebt kunnen verlaten zonder dat hij het zou merken. Is dat wat je bedoelde toen je zei dat je bij hem was?' Het gezicht van de adjudant stond neutraal, maar op dat van zijn collega was een spottende blik te bespeuren.
De jongen deed er het zwijgen toe. Deacon dacht dat hij kwaad was, maar toen Terry opkeek zag hij een lepe blik in zijn ogen. 'Tja, die vraag moet Mike maar beantwoorden,' zei hij achteloos. 'Dat is niet aan mij. Hij is degene die hier bepaalt wat er gebeurt.'
Deacon zocht onder tafel waar de blote voeten van de jongen zich bevonden en zette een van de met metaal beslagen hakken van zijn schoenen op zijn tenen. 'Sorry,' mompelde hij toen Terry begon te kreunen. 'Heb ik je pijn gedaan? Mijn voet gleed uit, liefje.' Hij tuitte zijn lippen en wierp een kushandje in Terry's richting.
'Sodemieter op, Mike!' Hij keek beurtelings Deacon en de twee politiemannen aan. 'Natuurlijk sliepen we niet in één bed. Ik ben niet van het handje, en hij is ook geen bruinwerker, begrepen? Hij lag in zijn eigen bed, en ik in het mijne, maar dat betekent nog niet dat ik midden in de nacht het huis uit ben geslopen om die lui daar in het pakhuis in de hens te steken. We zijn pas tegen tweeën thuisgekomen, en ik ben onder zeil gegaan op het moment dat ik in m'n nest kroop.'
'We kunnen dus alleen op jou afgaan wat dit betreft.'
'Vraag het aan Mike. Hij is degene die me mijn kamer in heeft geduwd. En u kunt het trouwens ook aan Barry vragen. Het was al na enen dat we afscheid van hem namen, en hij kan u vertellen dat ik veel te bezopen was om midden in de nacht nog op zoek te gaan naar dat pakhuis. En als u dan toch bezig bent, vraagt u het dan ook gelijk maar aan de chauffeur van de taxi die ons thuis heeft gebracht. Hij deed het alleen maar omdat hij hier toch langs moest op weg naar huis en dan nog pas nadat Mike hem vooruit betaald had en hij was als de dood dat we zijn bekleding onder zouden kotsen. Wat we trouwens niet gedaan hebben.' Hij haalde even adem. 'Shit! Waarom zou ik trouwens iemand in de hens steken? Die ouwe knarren letten bovendien op mijn spulletjes.'

'Wie is Barry?'
'Barry Grover,' zei Deacon. 'Hij werkt bij *The Street* en woont ergens in Camden. We zijn van halfnegen tot kwart over een in zijn gezelschap geweest.'
'Was het een oude, zwarte taxi of een minicab?'
'Een oude zwarte. De chauffeur was een jaar of vijfenvijftig, hij had grijs haar, was mager en droeg een groene trui. Hij heeft ons opgepikt op de hoek van Fleet Street en Farringdon Street.'
'Jullie hebben geluk gehad,' zei Harrison droog. 'Van die oude, zwarte taxi's rijden er rond de kerst maar weinig rond.'
Deacon knikte alleen maar. Hij vond het niet nodig om te vertellen dat hij bij de stoplichten op de motorkap van de taxi was geklommen en had geweigerd eraf te gaan totdat de chauffeur er eindelijk mee had ingestemd hen voor een bedrag van vijftig pond thuis te brengen. Het was afzetterij, maar altijd nog beter dan de nacht in de goot te moeten doorbrengen.
'Hebt u er bezwaar tegen dat we hier even rondkijken, meneer?' vroeg Harrison vervolgens.
Deacon keek hem nieuwsgierig aan. 'Waarom wilt u dat?'
'Om te kijken of de bedden de afgelopen nacht wel beslapen zijn.'
'Je moet ze vragen of ze een huiszoekingsbevel hebben,' zei Terry.
'Waarom in godsnaam?' vroeg Deacon.
'Smerissen mogen niet zomaar op elk moment dat ze daar zin in hebben in de spullen van mensen gaan zitten neuzen.'
'Nou, ik heb er helemaal geen bezwaar tegen als ze mijn slaapkamer willen gaan bekijken, maar als jij er problemen mee hebt...' Hij brak zijn zin af en haalde zijn schouders op.
'Natuurlijk heb ik er geen problemen mee,' zei Terry boos.
'Wat zit je dan te zeuren?' Deacon stond op. 'Deze kant op, heren.'

De twee rechercheurs hadden wel trek in een kop koffie en waren ontspannen genoeg om samen met Deacon en Terry een sigaretje op te steken. 'Terry voldoet aan het signalement van de jongen die men na het gebeurde heeft zien wegrennen,' zei Harrison.
'Miljoenen anderen ook,' zei Deacon.
'Hoe weet u dat, meneer?'
'We hebben het signalement vanmorgen op de radio horen omroepen.'
'Ja, dat dacht ik al. Mag ik u vragen wie u erop opmerkzaam heeft gemaakt?'
'Mijn advocaat, Lawrence Greenhill,' zei Deacon. 'Hij had het

nieuws gehoord en hij heeft ons gebeld om ons te waarschuwen dat we bezoek van u konden verwachten.'
'Dus u hebt gelogen toen u zei dat u op bezoek wilde gaan bij uw moeder?'
'Nee. We gaan hier de deur uit zodra u weg bent, maar ik moet wel toegeven dat we eerder wakker waren dan de bedoeling was. Als u nog even blijft, zult u mijn wekker horen gaan.' Hij keek op zijn horloge. 'Over ongeveer een halfuur.'
'Wanneer denkt u terug te zijn?'
'Vanavond.'
'En u hebt er geen bezwaar tegen als we uw verhaal checken bij Barry Grover en de taxichauffeur?'
'U gaat uw gang maar,' zei Deacon. 'U mag van mij ook gaan navragen of het klopt dat we tot halfelf in The Lame Beggar waren, en vervolgens tot één uur bij Carlo in Farringdon Street, waar we toen op straat zijn gezet.'
'En wat is het adres van uw moeder, alstublieft?'

'Ik wil jouw moeder niet zien,' zei Terry, die somber in elkaar gedoken op de stoel naast Deacon zat. Ze hadden weer een taxi genomen, Deacons auto opgehaald bij *The Street* en reden nu naar de M1 toe. 'En zij wil mij niet zien.'
'Och, ze wil mij waarschijnlijk ook niet zien,' mompelde Deacon, die aan het uitrekenen was welk bedrag hij aan allerlei dingen had uitgegeven sinds Terry bij hem was ingetrokken. Hij kwam tot de slotsom dat zo'n puber meer kostte dan een vrouw. Alleen Terry's eetlust was al voldoende om een normaal mens aan de bedelstaf te brengen.
'Waarom gaan we dan naar haar toe?'
'Omdat het een goed plan leek toen ik net op het idee was gekomen.'
'Dat was toch alleen maar een smoes voor de smerissen.'
'Het is goed voor de ziel om iets te doen waar je geen zin in hebt.'
'Dat zei Billy vroeger ook.'
'Billy was een wijs man.'
'Nee, dat was hij niet. Hij was een halve gare. Ik heb erover nagedacht, en weet je wat ik denk? Ik denk dat hij zichzelf de hongerdood niet heeft aangedaan, maar dat hij dat iemand anders heeft laten doen. En als dat niet stom is, dan weet ik niet wat het wel is.'
Deacon keek hem van opzij aan. 'Hoe zou iemand anders het voor hem gedaan kunnen hebben?'
'Door hem voortdurend in de lorum te houden, zodat hij niet op het idee kwam dat hij ook nog moest eten. Weet je, eten vond hij alleen

maar belangrijk als hij nuchter was – bijvoorbeeld in de lik. Verder dacht hij er niet aan dat je alleen maar in leven kan blijven als je blijft eten.'

'Bedoel je dat iemand hem vier weken lang van drank heeft voorzien zodat hij zich dood zou drinken?'

'Ja. Ik bedoel, een andere verklaring is er toch niet? Hoe zou hij anders lang genoeg zo bezopen hebben kunnen blijven dat hij van de honger omkwam? Hij kan het bocht niet zelf gekocht hebben, want daar had hij geen geld voor, en als hij nuchter was geweest, zou hij wel weer naar het pakhuis zijn gekomen. Zoals ik al zei, hij verdween wel eens vaker, maar hij kwam altijd terug als de drank op was en hij weer honger begon te krijgen.'

Adjudant Harrison had al een paar keer aangebeld bij het rijtjeshuis van Grover in Camden toen Barry de deur op een kier opendeed en naar buiten gluurde. 'Bent u meneer Grover?' vroeg hij.

Hij knikte.

'Adjudant Harrison, meneer, van het politiebureau Isle of Dogs. Mag ik binnenkomen?'

'Waarom?'

'Ik wou u graag een paar vragen stellen over Michael Deacon en Terry Dalton.'

'Wat hebben ze gedaan?'

'Dat zou ik liever binnen met u bespreken, meneer.'

'Ik ben niet aangekleed.'

'We zijn zo klaar.'

Het duurde even voordat de veiligheidsketting rammelde en Barry de deur geheel opende. 'Mijn moeder slaapt,' fluisterde hij. 'We kunnen het beste maar even hier naar binnen gaan.' Hij opende de deur naar de voorkamer en sloot die even later zachtjes achter hen.

Harrison snoof de koude, belegen lucht op en keek om zich heen. Hij was terechtgekomen in een tijdcapsule afkomstig uit een lang vervlogen tijdperk. Naast de ramen hingen gordijnen van grauw velours met bleke strepen op de plaatsen waar de zon de kleur eruit had gebleekt, terwijl op het antieke behang te zien was hoe hoog het uit de grond afkomstige vocht reikte. De schoorsteenmantel stond vol met foto's van mannen in uniformen die tijdens de Eerste Wereldoorlog in de mode waren, en daarboven hing een portret van een lief glimlachende jonge vrouw in een jurk uit het begin van de eeuw. Het meubilair had het donkere en zware van de negentiende eeuw, en de atmosfeer was zwaar en drukkend, alsof het gewicht van de jaren erop

rustte en de deur die het verre verleden had afgesloten nooit meer open was geweest.
Hij legde zijn hand op de rugleuning van een beschimmelde stoel en voelde hoe het vuil en het vocht zich in zijn handpalm nestelden. Wat bezielde mensen toch in godsnaam om in een dergelijke drukkende sfeer te willen wonen, vroeg hij zich onrustig af.
'U mag niks aanraken, hoor,' zei Barry. 'Ze wordt woest als ze merkt dat u iets hebt aangeraakt. Het is de kamer van haar grootouders.' Hij wees naar de foto's en het schilderij. 'Dat zijn ze. Zij hebben haar opgevoed vanaf het moment dat haar moeder wegliep en haar in de steek liet.'
Hij rook naar braaksel en verschaald bier en zag er zielig uit in zijn versleten badstoffen ochtendjas, die maar nauwelijks om zijn dikke buik paste. De adjudant voelde enerzijds wel de sympathie van een kenner – Harrison was te vaak doorgezakt om niet te weten hoe de kater de volgende ochtend voelde – maar ook een merkwaardige onderhuidse antipathie, die hij weet aan de bizarre sfeer van de kamer en de onaangename lucht die de man verspreidde. Het gevoel van afkeer raakte hij echter pas lang na afloop van het gesprek kwijt.
'Michael Deacon zegt dat u kunt bevestigen dat u gisteravond van halfnegen tot ongeveer kwart over een in het gezelschap van hem en Terry Dalton bent geweest. Klopt dat?'
Barry knikte behoedzaam. 'Jawel.'
'Kunt u me vertellen wat ze deden toen u hen voor het laatst zag?'
'Mike had een taxi aangehouden door bovenop de motorkap te klimmen, waarna hij en Terry erin zijn gestapt. Er was wat onenigheid omdat de chauffeur geen dronken mensen wilde vervoeren, maar Mike zei dat hij dat verplicht was, zolang de klant goed was voor zijn geld. Ik geloof dat hij de chauffeur het geld van tevoren heeft gegeven, en toen zijn ze vertrokken.' Hij hield een zweterige hand tegen zijn maag. 'Wat is er gebeurd? Hebben ze een ongeluk gehad of zo?'
'Nee hoor, meneer. Er zijn vannacht wat problemen geweest in het kraakpand waar Terry woonde, en wij proberen na te gaan of het waar is dat hij er niet bij betrokken was. Hoe zou u de toestand beschrijven waarin hij zich bevond toen u afscheid van hem nam en hij in de taxi stapte?'
Barry keek hem niet aan. 'Mike moest hem zo'n beetje de wagen in slepen. Ik geloof dat hij op de grond lag toen ik wegging.'
'En hoe bent u thuisgekomen, meneer?'
Barry raakte duidelijk in paniek door de vraag. 'Ik?' Hij aarzelde. 'Ik heb ook een taxi genomen.'

'Vanaf Farringdon Street?'
'Nee, vanaf Fleet Street.' Hij nam zijn bril af en begon de glazen op te poetsen met de mouw van zijn ochtendjas.
'Wat voor taxi?'
'Ik heb een minicab besteld vanuit het kantoor van *The Street*. Ik mocht van Reg Linden de telefoon bij de balie gebruiken.'
'En hebt u ook van tevoren de ritprijs betaald?'
'Ja.'
'Nou, bedankt voor uw hulp, meneer. Ik kom er zelf wel uit.'
'Nee, ik loop wel even met u mee,' zei Barry met een merkwaardig lachje. 'Het zou niet goed zijn als u de verkeerde kant op ging, adjudant. En het zou helemaal verkeerd zijn als u mijn moeder wakker maakte.'

Deacon reed door het hek dat toegang gaf tot de boerderij en parkeerde de auto achter de muur van rode baksteen naast de oprijlaan. Het gedreun van het verkeer op de snelweg klonk gedempt vanachter de geluidswal en het huis leek te sluimeren in het winterzonnetje dat vanachter de wolken te voorschijn was gekomen terwijl ze noordwaarts reden. Hij keek naar boven om te zien of hun komst door iemand was opgemerkt, maar achter geen van de ramen in de voorgevel was een teken van leven te zien. Voor de keukendeur stond een auto die hij niet kende (en waarvan hij terecht dacht dat die van de inwonende verpleegster was), maar voor het overige zag het er net zo uit als toen hij vijf jaar tevoren, zwerend dat hij er nooit meer zou terugkomen, het pand uit was gerend.
'Kom op dan,' zei Terry toen Deacon bleef zitten. 'Gaan we nou naar binnen of niet?'
'Of niet, waarschijnlijk.'
'Jezus, zo zenuwachtig hoef je toch niet te zijn! Je hebt mij toch? Ik zal er wel voor zorgen dat die ouwe heks je niet bijt.'
Deacon glimlachte. 'Oké, laten we dan maar gaan.' Hij opende zijn portier. 'Maar trek het je niet aan als ze vervelend tegen je doet, Terry. Niet meteen, tenminste. Houd je mond totdat we weer in de auto zitten, oké?'
'En als ze vervelend is tegen jou?'
'Dan ook. De laatste keer dat ik hier was, was ik zo kwaad dat ik de boel zowat heb afgebroken. En zo opgefokt wil ik nooit meer zijn.' Hij keek naar de keukendeur en zag het allemaal weer voor zich. 'Kwaad zijn is dodelijk, Terry. Het vernietigt alles wat ermee in aanraking komt, ook degene die kwaad is.'

'Het ziet ernaar uit dat we onze brandstichters gevonden hebben,' zei Harrisons collega toen hij een uur later het politiebureau weer binnen kwam. 'Drie mannen: Grebe, Daniels en Sharpe, types die je nauwelijks nog mensen kan noemen. Ze zijn een halfuur geleden opgepakt. Ze roken nog naar benzine. Daniels heeft de vergissing begaan tegen zijn vriendin op te scheppen over het feit dat hij en zijn maats de gemeenschap een dienst hadden bewezen door deze ongewenste elementen te elimineren. Zij heeft ons toen gebeld. Volgens haar had Daniels vrijdag gehoord van de problemen in het pakhuis en heeft hij gisteravond besloten erheen te gaan en de boel in de fik te steken. Hij zei dat alle daklozen tuig zijn en hij wil niet dat dat soort mensen de straten van East End gaat bevolken. Leuke man, hè?'
'En nou heb ik net zes uur besteed aan het natrekken van Terry Dalton,' zei Harrison met een zuur gezicht. 'Op het laatst heb ik nog de vreemdste inwoner van Camden gesproken.' Hij huiverde theatraal. 'Weet je aan wie hij me deed denken? Aan Richard Attenborough in zijn rol van Christie in de film *10 Rillington Place*. Zelfs het huis waar hij woonde deed me denken aan een filmdecor.'
'Wie is Christie?'
'Een klein vies mannetje dat vrouwen vermoordde en gemeenschap met ze had als ze dood waren. Weet je dan helemaal niets?'
'O, díe Christie,' zei zijn collega met een uitgestreken gezicht.

De inwonende verpleegster was een aantrekkelijke Ierse met lichtgrijs haar en een volslank figuur. Ze opende de keukendeur nadat Deacon erop geklopt had en nodigde hen met een warme glimlach binnen. 'Ik herken je van de foto's,' zei ze tegen Deacon terwijl ze het meel dat aan haar handen kleefde aan haar schort afveegde. 'Jij bent Michael.' Ze schudden elkaar hand. 'Ik heet Siobhan O'Brady.'
'Aangenaam.' Hij wendde zich tot Terry, die in de deuropening was blijven staan. 'Dit is mijn vriend Terry Dalton.'
'Leuk om met je kennis te maken, Terry.' Ze legde haar arm om de schouders van de jongen en trok hem naar binnen, waarna ze de deur achter hem sloot. 'Hebben jullie trek in een kop thee na jullie reis?'
Deacon wilde wel een kop thee, maar Terry leek haar moederlijke indruk allesoverheersend te vinden en wilde niets anders dan zich losmaken van haar omarming zodra hij daar zonder haar te hoeven beledigen de kans toe zag. 'Ik moet pissen,' kondigde hij zonder omhaal aan.
'Die deur rechts door, en dan de eerste deur links,' zei Deacon, een glimlach onderdrukkend. 'En pas op je hoofd. Er is hier in huis geen

deuropening die hoger is dan één meter tachtig.'
Siobhan zette de ketel op. 'Verwacht je moeder je, Michael? Mij heeft ze er namelijk niks van gezegd. Ze is tegenwoordig wel een beetje vergeetachtig, dus misschien heeft ze er niet aan gedacht. Maar maak je geen zorgen, hoor; ik vind wel wat extra's om te eten voor jou en de jongen.' Ze lachte opgewekt. 'Hoe we het deden voordat er ijskasten bestonden, kan ik me niet meer voorstellen. Ik denk daar vaak aan. Ik zie mijn eigen moeder nog voor me, bezig met het inmaken van eieren om ons door een periode heen te helpen waarin er maar weinig te eten was. We waren met ons veertienen, en het was een hele toer om ons zover te krijgen dat we ze opaten.'
Ze zweeg even en deed een paar scheppen thee in de pot. Deacon greep de gelegenheid aan om haar eerste vraag te beantwoorden. Ze hield van kletsen, constateerde hij, en vroeg zich af hoe zijn moeder, die het tegenovergestelde was, het met haar uithield. 'Nee,' zei hij, 'ze verwacht me niet. En maak je alsjeblieft geen zorgen over de lunch. Er is best kans dat ze me niet zal willen spreken, in welk geval Terry en ik onmiddellijk weer zullen vertrekken.'
'Nou, dan zullen we maar duimen dat het allemaal goed loopt. Het zou jammer zijn als jullie zo'n eind voor niks gereden hadden.'
Hij glimlachte. 'Waarom heb ik nou het gevoel dat jíj me wel verwachtte?'
'Je zuster zei dat je misschien zou komen. En ze zei dat áls je kwam, je onaangekondigd zou komen. Ik denk dat ze bang was dat ik eerst de politie zou bellen en dan pas vragen zou stellen.' Ze goot kokend water op de theebladeren en haalde een paar bekers uit de kast. 'Je zal wel willen weten hoe het met je moeder is. Ik moet zeggen dat ze niet meer zo gezond is als vroeger. Wie trouwens wel, op haar leeftijd? Maar ze is nog lang niet dood, hoor; ook al zegt ze soms dat ze de dood voelt naderen. Ze is visueel gehandicapt, wat betekent dat ze niet kan lezen, en lopen gaat moeilijk omdat haar ene been niet meer wil. Er moet voortdurend op haar gelet worden omdat ze, doordat ze de deur niet uit kan, de neiging heeft om eenzijdig te eten, wat natuurlijk betekent dat ze elk moment een hypo kan krijgen en bewusteloos kan raken.'
Ze schonk een kop thee in en schoof die door naar hem, samen met het melkkannetje en de suikerpot. 'Ze zou eigenlijk in een soort bejaardenhuis moeten zitten, waar ze haar zelfstandigheid kan bewaren en tegelijkertijd vierentwintig uur per dag zorg kan krijgen. Je moeder verzet zich er echter tegen. We hebben allemaal geprobeerd haar uit te leggen dat ze nog best tien jaar kan leven, maar ze heeft het

zich in haar hoofd gezet dat ze nog maar een paar maanden te leven heeft, en ze wil per se hier sterven.' Ze keek hem begrijpend aan. 'Ik zie aan je gezicht dat je je afvraagt waar ik me mee bemoei. Waarom kiest de verpleegster de kant van Emma en Hugh, zie ik je denken, terwijl zij alleen maar op het geld uit zijn. Maar het gaat mij erom dat ik er niet tegen kan dat een patiënt van me zo ongelukkig is als zij. Dag na dag zit ze in haar huiskamer, er komt niemand op bezoek en er is niemand die zich iets van haar aantrekt, behalve een spraakzame Ierse van middelbare leeftijd, met wie ze niets gemeen heeft. Ik vind het vreselijk om te zien hoe ze haar best doet om beleefd tegen me te blijven, voor het geval ik me zou bedenken en mijn stutten zou trekken en ervandoor gaan. Eigenlijk is alles beter dan dat. Vind je ook niet, Michael?'
'Ja, dat vind ik ook.'
'Zal je dan proberen haar ervan te overtuigen dat ze een verstandig besluit moet nemen?'
Hij glimlachte verontschuldigend en schudde zijn hoofd. 'Nee. Als ze nog bij zinnen is, dan is ze heel goed in staat haar eigen beslissingen te nemen, en dan moet ik daar niet tussen willen komen. Ik zou namelijk niet weten wat een verstandig besluit is, en wat niet. Ik kan voor mezelf niet eens een rationeel gefundeerde beslissing nemen, dus laat staan voor een ander. Het spijt me.'
Siobhan leek minder van haar stuk gebracht door zijn antwoord dan hij wel verwacht had. 'Zal ik eens even gaan kijken of je moeder je wil spreken, Michael? Het antwoord is ja of nee, maar het heeft weinig zin nog te wachten met het stellen van de vraag.'
Hij veronderstelde – enigszins cynisch, maar hij bleek het bij het rechte eind te hebben – dat de gelijkmoedigheid die Siobhan uitstraalde, gebaseerd was op de wetenschap dat Penelope Deacon precies het tegenovergestelde zou doen van wat haar zoon haar zou aanraden.

15

AMANDA POWELLS OUDE BUURVROUW KEEK OP VAN DE KEUKENTAFEL waar ze het middagmaal aan het klaarmaken was en zag tot haar schrik een man staan prutsen aan het slot van de garage van mevrouw Powell. Ze wist dat er niemand thuis was, want Amanda had haar eerder die ochtend verteld dat ze de kerstdagen ging doorbrengen bij haar moeder in Kent, en kort daarop had ze haar zien wegrijden. De vrouw haastte zich naar de huiskamer om haar man te waarschuwen, maar toen ze weer uit het keukenraam keek, was de man verdwenen.

Haar echtgenoot toog – zij het enigszins aarzelend – op onderzoek uit om te kijken waar de indringer gebleven was. Hij probeerde de garagedeur, maar die was stevig op slot. Hetzelfde gold voor de voordeur. Hij keek links en rechts de stille straat in, en ging toen weer terug naar zijn vrouw.

'Weet je zeker dat je het je niet hebt verbeeld, lieverd?'

'Natuurlijk heb ik het me niet verbeeld,' zei ze boos. 'Ik ben niet seniel. Hij zal inmiddels wel achterom zijn gelopen en het bij het huis van een ander aan het proberen zijn. Dit weekend zijn er heel wat mensen weg. Ik vind dat je de politie moet bellen.'

'Die zullen me vragen hoe hij eruitziet.'

Ze hield op met schillen, staarde uit het raam en probeerde zich de man weer voor de geest te halen. 'Hij was ongeveer een meter tachtig lang, mager, en hij had een donkere jas aan.'

Mompelend dat het onaardig was om de politie op de dag voor Kerstmis lastig te vallen en dat elk huis toch was uitgerust met een inbrekersalarm, belde haar man toch op. Maar toen hij de hoorn neerlegde nadat hem de verzekering was gegeven dat ze een politieauto langs zouden sturen om poolshoogte te nemen, schoot het hem te binnen dat hij wel eens eerder een man had gezien die aan die beschrijving voldeed.

Toen hij voor de deur van de garage van mevrouw Powell stond en toekeek hoe de politie een dode man op een brancard legde...

Hij besloot er niets van tegen zijn vrouw te zeggen.
'Ik begrijp niet waar we ons druk over maken,' zei ze terwijl hij de keuken weer in liep. 'Tenslotte doet zij ook nooit iets voor ons.'
'Nee, dat is waar,' zei hij, uit het raam turend. 'Ze is inderdaad niet erg gesteld op andere mensen.'

De aanblik die Deacon te zien kreeg toen hij en Siobhan bij de openstaande deur van de huiskamer kwamen had iets surrealistisch. Zijn moeder zat daar niet onderuitgezakt in een stoel, zoals Siobhan had aangekondigd, maar stond leunend op Terry's arm te turen naar een schilderij aan de muur. 'Ik kan het nou niet goed meer zien,' hoorden ze haar zeggen, 'maar als ik het me goed herinner is het van de hand van George Chambers junior. Kan je de signatuur links onder ontcijferen?'
Terry deed alsof hij de krabbel van de kunstenaar las. 'U hebt wel een ontzettend goed geheugen, mevrouw Deacon. Dat staat er inderdaad, George Chambers junior. Maakte hij soms altijd schilderijen van de zee?'
'O, ik denk dat hij ook wel andere dingen gedaan heeft, maar hij en zijn vader waren in de vorige eeuw beroemde schilders van zeegezichten. Ik heb dit schilderij jaren geleden eens voor twintig pond gekocht in een achteraf galerietje in Londen, en toen ik het een week daarna bij Sotheby liet taxeren bleek het ettelijke honderden ponden waard te zijn. De hemel mag weten wat het op het ogenblik waard is.' Ze maakte kenbaar dat ze door wilde lopen. 'Zie je dat portret van mij in de alkoof hangen? Heel groot en kleurrijk. Kijk maar eens naar de signatuur daarvan,' zei ze triomfantelijk. 'Hij is een groot kunstenaar, en het was geweldig om door hem geschilderd te worden.'
Terry keek met een gekwelde blik naar het doek.
'John Bratby,' zei Deacon vanuit de deuropening.
Terry keek hem even aan met een opgeluchte glimlach. 'Heel goed, Mike. Het is inderdaad een John Bratby. Maar mevrouw Deacon, u bent zo mooi; vindt u echt dat hij u goed heeft weergegeven? Het is met krachtige hand geschilderd, zoals u zei, maar het is niet wat je noemt mooi. Begrijpt u wat ik bedoel?'
'Jawel, dat begrijp ik wel. Maar mijn karakter is ook niet zo mooi, Terry, en ik vind dat John dat heel goed getroffen heeft. Laten we ons even omdraaien.'
'Ja, goed.' Hij hielp haar zich om te draaien naar haar zoon.
'Kom binnen, Michael,' zei Penelope. 'Waar heb ik dit onverwachte genoegen aan te danken?'

Hij glimlachte wat ongemakkelijk. 'Waarom begin je altijd met de moeilijkste vraag, ma?'
'Terry had er anders niet veel problemen mee. Toen ik hem vroeg wie hij was en wat hij hier kwam doen, zei hij dat jullie vanmorgen de... eh... smerissen op bezoek hadden, en dat het jullie leuk leek de stad even uit te gaan. Heeft hij tegen me gelogen?'
'Nee.'
'Mooi zo. Want ik heb liever dat je komt omdat je op de vlucht bent voor de politie dan omdat je met Emma gesproken hebt. Ik laat me namelijk niet meer koeioneren, Michael.' Ze porde Terry tussen zijn ribben. 'Breng me alsjeblieft weer terug naar mijn stoel, jongeman. En ga dan in de keuken wat te drinken halen voor ons. Er staat gin, sherry en wijn, maar ik wil eigenlijk wel graag een biertje, en dat staat waarschijnlijk in de kelder. Siobhan zal je wel helpen.' Ze ging weer zitten. 'Ga zitten op een plek waar ik je kan zien, Michael. Heb je je vanmorgen geschoren?'
Hij pakte een stoel en ging met zijn gezicht naar het raam toe zitten. 'Nee, ik ben bang van niet. Voordat de politie kwam had ik er geen tijd voor, en daarna heb ik er niet meer aan gedacht.' Hij wreef zich nadenkend over zijn kin. 'Zo slecht zijn je ogen kennelijk niet.'
Ze negeerde zijn opmerking. 'Wie is Terry, en wat doet hij in jouw gezelschap?'
'Ik heb de jongen geïnterviewd voor een artikel over daklozen, en toen ik hoorde dat hij met de kerst nergens welkom was, heb ik tegen hem gezegd dat hij wel een paar dagen bij mij kon logeren.'
'Hoe oud is hij?'
'Dat heeft niks te maken met het bezoek van de politie vanmorgen, ma.'
'Dat heb ik ook niet gezegd, dacht ik. Hoe oud is hij, Michael?'
'Veertien.'
'Mijn god! Waarom zorgen zijn ouders niet voor hem?'
Deacon lachte hol. 'Die zou hij dan eerst moeten opsporen.' Hij schrok toen hij zag hoe zijn moeder veranderd was. Ze was nog ouder, kleiner en magerder geworden, haar felblauwe ogen stonden nu flets, en ze was nog maar een schim van wie ze vroeger was geweest. Hij had zich erop voorbereid een gewonde draak te zullen zien die nog vuur kon spuwen, niet een bij wie het vuur was gedoofd. 'Heb maar niet te veel medelijden met hem, ma. Zelfs als hij wel wist wie zijn ouders waren, zou hij niet naar ze teruggaan. Daarvoor is hij veel te onafhankelijk.'
'Zoals jij, bedoel je?'

'Nee, ik ben het niet. Toen ik zo oud was als hij, kon ik niet op eigen benen staan. Hij beschikt over allerlei sociale vaardigheden die ik nog steeds niet heb. Op zijn leeftijd had ik er niet aan moeten denken hier binnen te lopen en een gesprek te beginnen met iemand die ik nooit eerder had gezien. Wat heeft hij trouwens tegen je gezegd?'

Om haar lippen verscheen een zwakke glimlach. 'Ik heb geroepen toen ik hem door de gang hoorde sluipen. Ik zei: "Wie daar ook voorbijloopt, ik heb graag dat u binnenkomt." En toen hij binnenkwam vroeg hij: "Hebt u soms oren in uw achterhoofd of zo?" Vervolgens heeft hij me omstandig uitgelegd dat hij geen inbreker was, maar dat hij, als hij dat wel was geweest, waarschijnlijk zijn oog zou hebben laten vallen op een paar "behoorlijk briljante" schilderijen. Ik neem aan dat dit huis in zijn ogen een soort paleis is, terwijl jouw appartement waarschijnlijk meer op een openbaar toilet lijkt. Wat ga je met hem doen als Kerstmis voorbij is?'

'Weet ik niet. Heb ik nog niet over nagedacht.'

'Dat zou je wel moeten doen, Michael. Jij hebt de nare gewoonte om makkelijk verantwoordelijkheden naar je toe te trekken, en ze net zo makkelijk weer af te stoten als je er geen lol meer in hebt. Het is eigenlijk mijn schuld. Ik had je moeten dwingen de nare dingen onder ogen te zien in plaats van je aan te moedigen ze uit de weg te gaan.'

Hij keek haar aan. 'Heb je dat gedaan, vind je?'

'Dat weet je heus wel.'

'Nee, dat weet ik niet. Wat ik wel weet, is dat je jezelf hebt opgeofferd voor iets wat eigenlijk geen zin had, en ik ben vastbesloten om niet hetzelfde te doen in mijn leven. Julia en ik haatten elkaar, ook al zei ze naderhand van niet. Neem maar van mij aan dat zij net zo blij was als ik met de echtscheiding. Het is waar, ik was degene die vreemdging, maar een leven met een vrouw die niet wil vrijen, die geen kinderen wil en die er geen geheim van maakt dat ze alleen maar getrouwd is omdat ze mevrouw Deacon een fraaiere naam vindt dan juffrouw Fitt is geen leven.' Hij stond op en liep onrustig naar het raam. 'Heb je je nooit afgevraagd waarom zij nooit hertrouwd is en waarom ze zichzelf Julia Deacon blijft noemen?' Hij keek even om naar haar. 'Omdat het haar er alleen om ging zich los te kunnen maken van haar ouders. Ik was alleen maar de sukkel die haar daarbij mocht helpen.'

'En wat had Clara voor reden om met je te trouwen? Hoe lang heeft dat dan geduurd, Michael? Drie jaar?'

'Zij heeft me tenminste een beetje warmte gegeven, na die acht ijskoude jaren met Julia.'

Penelope Deacon schudde haar hoofd. 'En waarom heeft zij dan geen kinderen gebaard?' vroeg ze. 'Ligt het er dan toch niet aan dat jij ze niet wilt, Michael?'
'Nee, je hebt het mis. Zij wilde haar mooie figuurtje niet kwijt.' Hij drukte zijn voorhoofd tegen het glas. 'Je hebt geen idee hoe jaloers ik ben op Emma. Ik zou er heel wat voor over hebben om twee dochters te hebben zoals zij.'
'Nee, dat meen je niet,' zei Penelope met een droog lachje. 'Ze zijn alleen maar lastig. Ik kan ze maar een paar minuten om me heen hebben, en dan begint hun gezeur me al op mijn zenuwen te werken. Ik had gehoopt dat jij me een kleinzoon zou schenken. Jongens zijn niet zo emotioneel als meisjes.'

Adjudant Harrison stak zijn hand op om de twee geüniformeerde politiemannen te begroeten die uit hun auto stapten toen hij het bureau verliet. 'Ik ga ervandoor,' zei hij. 'Vijf welverdiende vrije dagen heb ik, en ik ben van plan van ieder moment te gaan genieten.'
'Ja, ja, jij wel,' zei de bestuurder jaloers terwijl hij de achterdeur van de auto opende en degene die achterin zat bij zijn arm pakte. 'Kom maar mee, lekker dier. Naar binnen met jou.'
Barry Grover stapte uit en knipperde met zijn ogen in het zonlicht. Harrison bleef staan. 'Ik ken die vent,' zei hij. 'Wat is er met hem?'
'Hield zich op verdachte wijze op in de tuin van een dame. Of liever gezegd, hij stond zich af te rukken boven een foto van de bewoonster. Onder welke naam ken jij hem?'
'Barry Grover.'
'Heb je dan even een minuutje voor ons, adjudant? Tegen ons zegt hij namelijk dat hij Kevin Powell heet en in Claremont Cottage in Easeby in Kent woont. Hij zegt dat hij familie is van mevrouw Amanda Powell, van wie het huis is. Wij vonden dat niet erg waarschijnlijk, gezien zijn activiteit met haar foto, maar volgens haar buren heeft ze inderdaad familie in Kent wonen. Ze is er vanmorgen heen gegaan om bij haar moeder te logeren.'
Harrison bekeek Barry met walging. 'Hij heet Barry Grover,' herhaalde hij, 'en hij woont bij zijn moeder in Camden. Jezus! Ik hoop dat afrukken zijn enige misdaad is en dat we bij hem thuis geen lijken onder de vloer hoeven op te graven.'

'Mijn zoon en ik zijn het nooit ergens over eens,' zei Penelope Deacon tegen Terry. 'Ik kan me zelfs geen enkele beslissing van hem herinneren waarmee ik het wel eens was.'

'Je vond het geweldig toen ik zei dat ik met Julia ging trouwen,' mompelde Deacon vanaf zijn plaats bij het raam.
'Och, Michael, geweldig? Ik was blij dat je misschien eindelijk tot rust zou komen, maar ik herinner me nog goed dat ik gezegd heb dat Julia niet mijn eerste keus geweest zou zijn. Ik had altijd een voorkeur voor Valerie Crewe.'
'Ja, dat verbaast me niks,' zei hij. 'Ze was het altijd eens met alles wat je zei.'
'Daaruit blijkt hoe intelligent ze was.'
'Doodsbang was ze voor je, zou je beter kunnen zeggen. Iedere keer als ze bij ons thuis was, stond ze te rillen van angst.' Hij knipoogde naar Terry. 'Ma zag ieder meisje dat bij ons over de vloer kwam als een potentiële huwelijkskandidate, en dan werden ze duchtig aan de tand gevoeld om te kijken of ze wel geschikt waren. Wie hun ouders waren. Op welke school ze gezeten hadden. Of er krankzinnigheid in de familie voorkwam.'
'Ja, als dat namelijk het geval was, was het zinloos om met ze te trouwen,' verklaarde Penelope sarcastisch. 'Dan hadden jullie zoveel verkeerde genen bij elkaar dat jullie kinderen geen schijn van kans hadden gehad.'
'Nou, ja, we zullen het nooit weten,' zei Deacon even sarcastisch. 'Iedere keer dat je die zogenaamde krankzinnigheid in onze familie ter sprake bracht, maakten die meisjes zich meteen uit de voeten. Dat was waarschijnlijk ook de reden dat Julia en Clara geen kinderen wilden.'
Terry grijnsde. 'Maar dat is toch onzin, Mike. Ik bedoel, het is wel waar dat ik je pas een paar dagen ken, maar iedereen ziet toch dat jij geen gek bent.'
'Wie had jou wat gevraagd?'
Terry zat op de grond en aaide een stokoude, wat kalende kat, die al zo lang in de familie was dat niemand precies wist hoe oud hij was. Het beest zat luid te spinnen onder Terry's aanhalingen, wat volgens Penelope heel uitzonderlijk was omdat hij door zijn seniliteit altijd een hekel had aan vreemden.
'Ach, ze moesten jullie eens met de koppen tegen mekaar slaan,' zei Terry. 'Jullie zouden eens naar jezelf moeten luisteren. Altijd maar bekvechten. Worden jullie daar nooit eens moe van? Het zou nog zin hebben als het ergens toe zou leiden, maar dat is niet het geval, wel? Als je het mij vraagt, denk ik dat mevrouw Deacon van alles tegen je heeft gezegd wat ze beter niet had kunnen zeggen; dat de dood van je vader jouw schuld was, bijvoorbeeld. Maar je zal moeten toegeven

dat ze er niet ver naast zit met wat ze zegt over die vrouwen van je. Ik bedoel, veel soeps kan het niet geweest zijn, anders waren ze nog wel met je getrouwd. Begrijp je wat ik bedoel?'

De inhoud van Barry's zakken en de enveloppe die hij bij zich had lagen voor hem op het tafeltje in de verhoorkamer. De adjudanten Harrison en Forbes keken er verbijsterd naar. Daar lagen de kaartjes van de prostituees en een hard geworden condoom, waarvan ze zonder laboratoriumonderzoek al wel konden zeggen waarvoor het gebruikt was. Daar lagen tientallen fotootjes van mannengezichten, sommige goed belicht, andere onderbelicht, een pocket getiteld *Onopgeloste moorden van de twintigste eeuw* en een opgevouwen krantenknipsel. Daar was de natte foto van Amanda Powell, nu discreet verpakt in cellofaan om het bewijs van Barry's schande te conserveren, een leren portefeuille met geld en creditcards erin en een fotootje met ezelsoren van Barry die een peuter in zijn armen droeg.
De band liep al een kwartier, maar Barry had nog geen woord gezegd. Hij was een hoopje ellende: hij huilde van vernedering en zijn opgezwollen wangen trilden.
'Kom nou, Barry. Zeg nou eens wat, in godsnaam,' zei Harrison. 'Wat deed je bij het huis van mevrouw Powell? Wat moest je daar?' Hij wees op de foto's. 'Wie zijn al die mannen? Ruk je je daarbij ook af? Wie is dat kind dat je vasthoudt? Heb je soms iets met kinderen? Zullen we overal plaatjes van kinderen aantreffen als we het huis van je moeder gaan doorzoeken? Is dat hetgeen waar je je zo druk over maakt?'
Met een zucht gleed Barry van zijn stoel en viel flauw.

De politiearts liep met Harrison mee de gang op. 'Hij gaat heus niet dood, hoor,' zei hij, 'maar hij is wel doodsbang. Daarom is hij flauwgevallen. Hij zegt dat hij vierendertig is, maar ik zou er twintig jaar aftrekken als je wilt weten wat zijn emotionele leeftijd is. Ik zou je aanraden om een van zijn ouders of een vriend bij het verhoor aanwezig te laten zijn, anders valt hij waarschijnlijk weer flauw. Houd jezelf steeds voor ogen dat je met een onvolwassene te maken hebt, dan bereik je waarschijnlijk het meest.'
'Zijn moeder neemt de telefoon niet op, en als ik afga op het altaar dat ze in haar voorkamer voor haar grootouders in stand houdt, is ze sowieso hartstikke gek.'
'Misschien is dat de verklaring voor zijn ontwikkelingsstoornis.'
'Een advocaat dan misschien?'

De dokter haalde zijn schouders op. 'Mijn mening als arts – en ik weet niet of die in dit verband veel waarde heeft – is dat hij dan waarschijnlijk nog banger wordt. Ga op zoek naar een vriend van hem – hij moet er toch een paar hebben – want anders zal later waarschijnlijk blijken dat je met een valse verklaring zit. Zo'n type is hij, Greg, neem dat maar van me aan. En voor de rechtbank zal ik niet anders verklaren.'

In de keuken ging de telefoon over. Een paar seconden later stak Siobhan haar hoofd om de hoek van de deur van de huiskamer. 'Het is voor jou, Michael. Een adjudant Harrison wil jou graag spreken.'
Deacon en Terry keken elkaar aan. 'Heeft hij gezegd waar het over gaat?'
'Nee, maar hij zei er wel speciaal bij dat het niets met Terry te maken had.'
Deacon keek Terry aan, haalde zijn schouders op en liep achter de vrouw aan de kamer uit.
'Michael schijnt het goed te kunnen vinden met de politie,' merkte Penelope droogjes op. 'Is dat iets nieuws?'
'Als u bedoelt of het mijn schuld is, dan moet ik zeggen dat ik denk van wel, ja. Als ik er niet was geweest, zouden de smerissen zijn naam niet eens geweten hebben. Maar u hoeft niet bang te zijn dat hij moeilijkheden krijgt, mevrouw Deacon. Hij is een goeie kerel en hij past goed op zichzelf.' Hij keek haar van opzij aan. 'Hij is heel goed voor me geweest; hij heeft kleren en zo voor me gekocht en heeft me dingen geleerd die ik niet wist. De meeste andere mensen zouden me niet eens hebben willen vertellen hoe laat het is.'
Ze zei niets. Terry ging onverstoorbaar door.
'Dus het lijkt me dat het geen kwaad kan als u hem eens zou tonen dat u blij bent om hem te zien. Ik heb eens een ouwe kerel gekend – hij was wel een beetje een dominee – die me eens een verhaal vertelde van een rijke vent die de helft van het geld van zijn vader kreeg en dat allemaal uitgaf aan vrouwen en gokken en die uiteindelijk op straat terechtkwam. Hij had het echt heel erg arm en hij was er slecht aan toe. En toen herinnerde hij zich ineens weer hoe goed zijn vader altijd voor hem was voordat hij van huis weggegaan was. Toen dacht hij, wat zit ik nou bij vreemden te schooien om een korst brood terwijl m'n vader me zo van alles zal geven? Toen is hij naar huis gegaan, en z'n vader was zo blij hem weer te zien dat hij in tranen uitbarstte. Hij had gedacht dat die stomme zak al jaren dood was.'
Penelope glimlachte eventjes. 'Je hebt me net de gelijkenis van de verloren zoon verteld.'

'Maar u begrijpt wel waar het om gaat, hè, mevrouw Deacon? Het maakt niet uit wat een puinhoop die gast van zijn leven had gemaakt, zijn vader was in de wolken toen hij weer thuis kwam.'
'Maar voor hoe lang?' vroeg ze. 'Die zoon was niet veranderd, dus denk je dat die vader nog steeds blij met hem zou zijn als hij weer opnieuw een puinhoop van zijn leven maakte?'
Terry dacht over de vraag na. 'Ik zou niet weten waarom niet. Oké, misschien zouden ze af en toe wel eens mot hebben, en misschien zouden ze niet met z'n tweeën onder één dak kunnen leven, maar de vader zou nooit zo ongelukkig zijn als toen hij dacht dat zijn zoon dood was.'
Ze glimlachte weer. 'Nou, Terry, ik kan je wel vertellen dat ik niet van blijdschap in tranen zal uitbarsten. Ten eerste ben ik veel te chagrijnig om zo sentimenteel te kunnen doen, en ten tweede zou die arme Michael niet weten hoe hij het had. Hij kan helemaal niet tegen huilende vrouwen; daardoor hebben zijn twee echtgenotes ook zo veel geld van hem los weten te krijgen bij de scheiding, hoewel ze geen van beiden kinderen van hem hadden. Vooral Julia wist hoe ze de waterlanders moest laten stromen als het erop aankwam, en ik twijfel er niet aan dat Clara er net zo handig in was. Maar als je het hem zou vragen, zou je nu waarschijnlijk al te horen krijgen dat hij weet dat ik blij ben hem te zien. Anders zou hij nooit zo open tegen me hebben gepraat.'
'Als u het zegt,' zei Terry twijfelend. 'Ik bedoel, jullie lijken me twee recht-door-zee types, en laten we eerlijk zijn: als ik op zoek was naar een moeder, wat níet het geval is, dan zou ik liever u hebben dan die verpleegster daar, die haar handen niet van me af kan houden. En bovendien kletst ze je de oren van het hoofd. Kwek, kwek, kwek. Volgens mij heeft ze me haar hele levensverhaal verteld terwijl ik op zoek was naar de gin.' Hij legde voorzichtig zijn hand op de kop van de kat en wist hem weer een luidruchtig gespin te ontlokken. 'Wat is trouwens een ingelegd ei? Dat lijkt me ontzettend smerig.'
Penelope zat te lachen toen Deacon de kamer weer in kwam lopen. Hij verbaasde zich erover hoe jong ze eruitzag. Hij herinnerde zich ineens dat een vriend van hem die uit Jamaica afkomstig was hem eens gezegd had dat lachen muziek van de ziel was. Maar was het ook de bron van de jeugd? Zou Penelope langer leven als ze weer leerde lachen?'
'We moeten terug naar Londen,' zei hij tegen Terry. 'De details heb ik niet helemaal goed begrepen, maar Harrison zegt dat Barry gearresteerd is omdat hij zich op verdachte wijze ophield in de tuin van

Amanda Powell. Barry wil geen woord zeggen, en ze willen weten of ik iets kan zeggen over de foto's die hij bij zich had.' Hij fronste zijn voorhoofd. 'Heeft hij tegen jou gezegd dat hij bij haar langs wilde gaan?'

Terry schudde zijn hoofd. 'Nee, maar als hij geen bek opentrekt, moet hij dat toch zelf weten. Dat is toch geen reden om maar meteen op te springen zodra de smerissen dat willen?'

'Klopt, maar er is iets heel vreemds aan de hand, en ik wil graag weten wat dat is. Volgens Harrison hebben ze er een arts bij moeten halen omdat Barry flauw is gevallen toen ze hem vragen begonnen te stellen.' Hij wendde zich tot zijn moeder. 'Het spijt me, ma, maar ik moet weg. Het gaat om een verhaal waar ik al weken mee bezig ben. Daardoor ben ik ook in contact gekomen met Terry.'

'Ach, nou ja,' zei ze met een berustende zucht, 'misschien is dat maar goed ook. Emma en haar gezin komen vanmiddag ook, en ik twijfel er niet aan of jullie krijgen een knallende ruzie als jij nog hier bent als ze komen. Je weet hoe jullie samen zijn.'

Haar zoon slikte zijn woorden in. Maar al te vaak was het de schuld van Penelope geweest dat haar kinderen elkaar in de haren waren gevlogen. 'Ik ben een ander mens geworden,' zei hij. 'Ik ben vijf jaar geleden opgehouden met bekvechten met degenen die me het meest nabij staan en me het liefst zijn.' Hij boog zich voorover om haar een kus op haar wang te geven. 'Pas goed op jezelf.'

Ze pakte zijn hand en hield die vast. 'Als ik dit huis verkoop en in een bejaardenhuis ga wonen,' zei ze, 'dan zal er geen geld voor je over zijn als ik doodga. Zeker niet als ik zo lang blijf leven als de artsen me voorspellen.'

Hij glimlachte. 'Je bedoelt dat je dreigement om me te onterven als ik met Clara zou trouwen niet gemeend was?'

'Zij was op geld uit,' zei Penelope bitter. 'Ik had gehoopt dat ze daardoor ontmoedigd zou raken.'

'Dat zou misschien wel gebeurd zijn als ik jouw dreigement aan haar doorgegeven zou hebben.' Hij kneep zachtjes in haar hand. 'Is dat het enige dat je ervan weerhoudt te verhuizen?'

Ze antwoordde niet meteen. 'Het zit me dwars dat Emma zo veel heeft gekregen, en jij maar zo weinig. Het was altijd de bedoeling van je vader dat jij het huis zou krijgen, en dat heb ik ook aan Emma uitgelegd toen ik de financiering van de opleiding van de kinderen regelde. Nu zet ze me onder druk om dit ellendige huis te verkopen en voor jou net zo'n bedrag opzij te zetten als zij al heeft gehad en het verschil te gebruiken om het bejaardenhuis te betalen.'

'Nou, doe dat dan maar,' zei Deacon. 'Mij klinkt het niet onredelijk in de oren.'
'Je vader wilde dat jij het huis zou krijgen,' herhaalde Penelope koppig terwijl ze haar hand geërgerd uit de zijne terugtrok. 'Het is al twee eeuwen in het bezit van de familie Deacon.'
Hij keek neer op haar pluizige witte haar en voelde ineens de neiging om zijn neus erin te begraven, zoals hij als kind had gedaan. Hij realiseerde zich dat hij dit maar moest opvatten als haar bekentenis dat ze zijn vaders testament had verscheurd, want dat ze er waarschijnlijk verder nooit meer op terug zou komen. 'Nou, verkoop het dan niet,' zei hij.
'Aan jou heb ik ook niks.'
'Sorry,' zei hij, terwijl hij onverschillig zijn schouders ophaalde, 'maar wat heb ik eraan als je je dochter failliet laat gaan en de rest van je leven een verpleegster in huis hebt, zodat ik het huis kan inpikken als je doodgaat. Want laten we eerlijk zijn, ik heb nooit aan de snelweg willen wonen, zoals jij, en vandaar dat ik mijn geld gebruikt heb om in Londen een leuk optrekje te kopen.' Hij keek weer even veelbetekenend naar Terry. 'En als er iets is waar ik van baal, is het dat ik door mijn echtscheidingen twee fraaie woningen kwijt ben geraakt en nu in een rottig huurappartement zit.'
'Wat een goede reden zou zijn om je dit huis niet na te laten,' zei Penelope, toehappend. 'Zo gewonnen, zo geronnen; zo gaat het bij jou, Michael.'
'Neem dat dan maar in aanmerking als je besluit wat je gaat doen. Maar als je wilt dat er nog eens twee eeuwen lang Deacons in dit huis wonen, kan je het misschien beter nalaten aan de Wimbledon-tak van de familie. Volgens mij hebben die een jaar of tien geleden een zoon gekregen.' Hij keek even op zijn horloge. 'We moeten nu echt weg, ben ik bang. Ik heb de adjudant beloofd dat we binnen twee uur bij hem zouden zijn.'
Ze glimlachte enigszins wrang. 'Zoals ik al zei, erg standvastig ben je duidelijk niet.' Ze stak haar hand uit naar Terry, die was opgestaan. 'Dag, jongeman. Ik vond het heel prettig kennis met je te maken.'
'Dat geldt voor mij ook. Ik hoop dat alles op z'n pootjes terechtkomt voor u, mevrouw Deacon.'
'Dank je wel.' Ze sloeg haar ogen op om naar hem te kijken. Hij verbaasde zich erover hoe blauw ze ineens waren in het zonlicht dat door het raam naar binnen scheen. 'Wat jammer dat je niet weet wie je moeder is, Terry. Ze zou trots zijn als ze zou zien wat voor een man haar zoon aan het worden is.'

'Denk je dat het waar is, wat ze zei?' vroeg Terry na enkele minuten zwijgend nadenken in de auto. 'Denk je dat mijn moeder trots op me geweest zou zijn?'
'Ja.'
'Maar veel verschil maakt het niet, hè? Ze is waarschijnlijk toch al dood, door een overdosis of zo, of ze zit ergens in de lik.'
Deacon zei niets.
'Ze is me in ieder geval vergeten. Ik bedoel, ze zou me niet weg hebben gedaan als ze om me had gegeven.' Hij keek met een blik van verlatenheid uit het raam. 'Dacht je ook niet?'
Ja, dacht Deacon, maar terwijl hij de oprit naar de snelweg opreed zei hij: 'Dat hoeft niet. Als jij in een kindertehuis bent geplaatst omdat ze de gevangenis in moest, hoeft dat niet te betekenen dat ze niet om je gaf. Het betekent alleen dat ze niet in de gelegenheid was om voor je te zorgen.'
'Waarom is ze me dan niet komen ophalen toen ze eruit kwam? Ik heb daar bijna zes jaar gezeten, en zo lang zal ze toch niet vast hebben gezeten. Tenminste niet als ze niet iemand vermoord had.'
'Misschien dacht ze dat je het beter zou hebben zonder haar.'
'Ik zou natuurlijk kunnen proberen haar op te sporen.'
'Zou je dat willen?'
'Ik denk er wel eens aan, maar dan ben ik ineens weer bang dat zij en ik elkaar niet zullen mogen. Ik wou dat ik me haar kon herinneren. Ik wil niet een of andere verslaafde hoer als moeder, zo eentje die altijd klaarstaat voor iedereen die d'r wil neuken.'
'Wat wil je dan wel?'
Terry grijnsde. 'Een rijk wijf met een snelle Porsche en niemand aan wie ze die kan nalaten.'
Deacon schoot in de lach. 'Welkom bij de club,' zei hij, terwijl hij de inhaalstrook op reed en het gaspedaal indrukte. 'Maar ik wil de mijne niet als moeder.'

Amanda Powell opende de deur van Claremont Cottage en keek met een onderzoekende frons in het gezicht van de politieagent die voor haar stond. Haar frons werd niet minder toen ze hoorde wat de man te zeggen had. 'Ik ken niemand die Barry Grover heet, en ik heb geen idee hoe hij aan een foto van mij gekomen is. Is het hem echt gelukt in mijn garage in te breken?'
'Nee. Volgens de informatie die wij hebben gekregen, is hij bij u in de tuin gearresteerd. Er waren geen tekenen die wezen op inbraak in uw woning of garage.'

'Wil de politie in Londen dat ik terugkom om vragen te beantwoorden?'
'Niet tenzij u dat zelf wilt. Ons is alleen gevraagd eventuele informatie aan hen door te geven.'
Ze keek bezorgd. 'Ik heb mijn buren alleen verteld dat ik voor een paar dagen naar mijn moeder in Kent was, dus hoe komt u aan mijn adres hier?'
De politieman raadpleegde een vel papier. 'Kennelijk heeft Barry Grover bij zijn arrestatie gezegd dat hij Kevin Powell heette en in Claremont Cottage in Easeby woonde. Wij hebben dat nagetrokken en ontdekt dat hier een mevrouw Glenda Powell woont. Het leek ons voor de hand te liggen dat zij uw moeder is.' Nu fronste hij zijn voorhoofd. 'Hij weet kennelijk heel veel van u. Weet u wel zeker dat u niet weet wie hij is?'
'Heel zeker.' Ze dacht even na. 'Waarom zou ik hem moeten kennen? Wat doet hij?'
Hij keek weer op het vel papier. 'Hij werkt voor een blad dat *The Street* heet.' Hij hoorde haar adem stokken en keek haar aan. 'Zegt dat u iets?'
'Nee. Ik heb er wel eens van gehoord. Meer niet.'
Hij schreef iets op een blaadje van zijn opschrijfboekje en scheurde dat er vervolgens uit. 'Het onderzoek in Londen is in handen van adjudant Harrison. Hij is bereikbaar op het bovenste nummer. Mijn naam is Colin Dent, en mijn nummer staat eronder. Waarschijnlijk hoeft u zich nergens zorgen om te maken, mevrouw Powell. Barry Grover zit opgesloten, dus hij zal u voorlopig geen last bezorgen. Maar mocht u zich toch bezorgd maken, belt u dan adjudant Harrison of mij. Ik wens u prettige kerstdagen.'
Ze keek hoe hij langs haar BMW naar het hek liep en glimlachte vriendelijk toen hij nog een keer omkeek. 'U ook een goede kerst, agent,' zei ze.
'Wat is er aan de hand?' vroeg haar moeder enigszins verontrust vanuit de huiskamer.
'Niets,' zei Amanda Powell rustig terwijl ze de broche van haar jasje haalde en de punt van de gesp onder de nagel van haar duim duwde. 'Alles is in orde.'

Toen Harrison was uitgesproken, schudde Deacon zijn hoofd. 'Ik weet eigenlijk niet zo veel van Barry,' zei hij. 'Niemand trouwens, geloof ik. Hij praat nooit over zijn privé-leven.' Met een vies gezicht keek hij naar de bevlekte foto van Amanda Powell, die als een eilandje in volle zee midden op tafel lag. 'Voorzover ik weet is het enige verband tussen hem en mevrouw Powell het feit dat hij een filmrolletje heeft ontwikkeld nadat ik bij haar op bezoek was geweest voor een vraaggesprek. Een van onze fotografen heeft daar toen een paar foto's gemaakt, en deze was de beste,' zei hij terwijl hij in de richting van de foto op tafel knikte.

'Waarom voerde u dat gesprek met haar?'

'Ik was bezig aan een artikel over dakloosheid, en zij was in juni in het nieuws geweest toen een man die Billy Blake heette in haar garage was omgekomen van de honger. Wij dachten dat ze misschien een duidelijke mening zou hebben over het onderwerp, maar dat bleek niet het geval.'

Harrison leefde op. 'Ik wist dat haar naam me op een of andere manier bekend in de oren klonk, maar ik kon hem niet thuisbrengen. Ik herinner me de gebeurtenis. Maar waarom is Barry Grover nu nog in haar geïnteresseerd?'

Deacon stak een sigaret op. 'Dat weet ik niet, tenzij het iets te maken heeft met het feit dat hij mij heeft geholpen erachter te komen wie Billy Blake was.' Hij haalde een van zijn foto's van de dode uit zijn zak en reikte die de politieman aan. 'Zo zag hij eruit toen hij vier jaar geleden werd gearresteerd. Wij denken dat Billy Blake een schuilnaam was en dat hij misschien in het verleden een misdaad gepleegd heeft. Hij sliep altijd in het pakhuis waar Terry Dalton en Tom Beale ook woonden.'

Harrison pakte een envelop van de vloer en ledigde die op de tafel. 'Dus dit zijn kiekjes van mogelijke verdachten?' Hij pakte de onderbelichte afdruk van de foto van Billy. 'En dit is de dode?'

Deacon knikte.

Hij vouwde een fotokopie open en legde die op tafel. 'Deze man lijkt wel op hem, hè?'

Deacon zag het artikel ondersteboven, maar hij kende het gezicht van Billy als dat van zichzelf en de schok der herkenning was enorm. *Shit! Shit! Shit!*

Het was een uitvergroting van de foto van Peter Fenton die bij het artikel van Anne Cattrell had gestaan.

Die kleine onderkruiper had hem belazerd!

'Hij lijkt erop,' beaamde hij, 'maar je moet die foto's met een computer vergelijken als je er zeker van wilt zijn.' *Hij zou Barry VERMOORDEN als de politie de zaak eerder had opgelost dan hij!* 'Herinnert u zich James Streeter nog?' Harrison knikte. 'We zijn meer in hem geïnteresseerd.' Zo ontspannen mogelijk schoof hij de foto die

bij het afstuderen van James was gemaakt naar Harrison toe en legde hem naast de foto van Billy. 'Dat zal de reden zijn dat Barry zoveel belangstelling heeft voor Amanda Powell. Vroeger heette ze namelijk Amanda Streeter, maar dat was voordat James Streeter tien miljoen pond had gestolen en haar met de gebakken peren liet zitten.'
De adjudant keek uiterst tevreden. 'Het is dezelfde vent.'
'Lijkt er wel op, hè?'
'Maar hoe zit het dan? Is James met de staart tussen de benen bij haar teruggekomen en heeft zij hem toen in haar garage laten verhongeren?'
'Het zou kunnen.'
Harrison dacht even na. 'Maar dat verklaart nog niet waarom Barry bij haar in de tuin is aangetroffen en zich stond af te rukken bij haar foto.' Hij bladerde gedachteloos door de visitekaartjes van de prostituees. 'Ik voel me nooit op m'n gemak met types die dit soort dingen bij zich hebben. En waarom heeft hij een foto bij zich waar hij zelf op staat met een kind in zijn armen? Wie is dat kind, en wat is ermee gebeurd?'
Deacon streek met de nagel van zijn duim langs zijn kaak. 'U zei dat hij geen mond heeft opengedaan sinds hij hier is?'
'Geen woord heeft hij gezegd.'
'Laat u mij dan maar even met hem praten. Mij vertrouwt hij. Ik zal proberen hem over te halen een verklaring af te leggen.'
'Lukt dat, zelfs als dat een bekentenis inhoudt?'
'Zelfs als dat een bekentenis inhoudt,' beaamde Deacon enigszins ruw. 'Ik heb het ook niet op viezeriken, net zomin als u. En zo iemand wil ik helemaal niet als collega.'

16

BARRY'S BRIL WAS HEM AFGENOMEN, WAARDOOR HIJ ER NAAKT UITZAG. Hij zat op het bed in zijn cel en maakte met zijn gebogen hoofd en afhangende schouders een verslagen indruk. Deacon zou later te horen krijgen dat men bang was dat hij zijn brillenglazen kapot zou slaan om er zijn polsen mee door te kunnen snijden: het gevaar van zelfmoord werd in zijn geval hoog geacht, hetgeen ook het ontbreken van zijn riem en schoenveters verklaarde. Hij keek met nietsziende ogen naar de celdeur toen die openging. Hij leek meer op een droevige clown dan op een kakkerlak, en zijn kleine, dikke lijf trilde van angst.

'Bezoek voor u,' zei de dienstdoende agent, terwijl hij Deacon binnenliet en vervolgens de deur open liet staan. 'Tien minuten.'

Deacon keek de zich verwijderende agent na en liet zich toen naast Barry op het bed zakken. Hij verwachtte eigenlijk zijn normale weerzin tegen de man te zullen voelen, maar in plaats daarvan voelde hij medelijden met hem. Het was niet zo moeilijk om je voor te stellen wat een nachtmerrie hij op het ogenblik door moest maken. Als er niks aan de hand was, was een politiecel al geen pretje, maar het was een gruwelijke ervaring als je er voor het eerst mee geconfronteerd werd nadat je je in het openbaar onzedelijk had gedragen.

'Ik ben Mike Deacon,' zei hij, omdat hij niet wist of Barry wel iets kon zien zonder bril. 'Adjudant Harrison heeft me gebeld en zei dat je de steun van een vriend nodig had.' Hij haalde zijn sigaretten te voorschijn. 'Mag ik hier roken van je?' Hij keek hoe de ander volschoot. 'Bedoel je dat het mag?'

Barry knikte.

'Zo ken ik je weer.' Hij boog zich voorover om zijn sigaret aan te steken. 'We hebben niet veel tijd, dus je moet wel wat tegen me zeggen als je wilt dat ik je help. Laten we eerst even de makkelijke dingen afhandelen. Je had een foto van een man met een kind op de arm in je bezit. De adjudant denkt dat jij die man bent, maar ik denk dat hij misschien je vader is, en dat jij die peuter bent. Wie heeft er gelijk?'

'Jij,' fluisterde Barry.
'Je lijkt als twee druppels water op hem.'
'Ja.'
'Oké. Volgende vraag. Waarom heb je visitekaartjes van prostituees op zak? Is dat jouw manier van ontspanning na het werk?'
Barry schudde zijn hoofd.
'Waarom draag je ze dan bij je?' Hij wachtte even om de ander gelegenheid te geven hem antwoord te geven, maar ging door toen dat uitbleef. 'Zeg nou eens wat,' zei hij vriendelijk. 'Je bent heus niet de eerste die betrapt wordt bij masturberen, Barry, en je zal zeker niet de laatste zijn. De politie neemt het alleen hoog op omdat ze denken dat je een gluurder en een hoerenloper bent.'
'Glen Hopkins heeft me vrijdag die kaartjes gegeven,' fluisterde Barry.
'Waarom?'
'Hij zei dat het geen schande was om ervoor te betalen.' De wanhoop straalde van zijn rillende lijf af. 'Maar ik schaamde me. Ik vond er niks aan.' Hij begon te huilen.
'Dat verbaast me niks,' zei Deacon rustig. 'Ze zal wel met haar ene oog naar de klok hebben gekeken en met het andere naar je portemonnee. We hebben het allemaal wel eens meegemaakt, Barry.' Hij glimlachte even. 'Zelfs types als Nigel de Vries moeten ervoor betalen. Het enige verschil is dat zij hun hoeren maîtresses noemen en ze in hun schaamte voor iedereen te kijk staan.' Hij ging voorover zitten en plaatste zijn handen tussen zijn knieën om Barry ook via zijn lichaamstaal te kunnen benaderen. 'Luister eens, misschien knap je er van op als ik je vertel dat ik precies weet hoe het gegaan is. Glen heeft je die kaartjes opgedrongen, hè? Hij heeft mij er een paar maanden geleden ook een stel gegeven toen hij dacht dat mijn slechte humeur te wijten was aan gebrek aan seks. Ik heb hem gezegd dat hij ze wat mij betreft in zijn reet kon stoppen.' Hij keek even opzij. 'Hij heeft je gewoon te grazen genomen op een dag dat je het niet kon hebben, en toen ben je gepiepeld. Mijn advies is om het gewoon maar als een vervelende ervaring te beschouwen en als Glen het weer probeert tegen hem te zeggen dat hij de boom in kan.'
'Hij zei dat het... ongezond was om foto's te bekijken.' Het was duidelijk dat deze kwalificatie hem pijnlijk had getroffen. 'Hij zei dat echte seks veel leuker was. Maar...' Hij zweeg.
'Dat was het niet, hè?' zei Deacon terwijl hij hem een zakdoek aanbood om zijn tranen te drogen.
'Nee.'

Deacon dacht even terug aan zijn eigen eerste seksuele ervaring, op zestienjarige leeftijd. Hij had de geslachtsdaad volbracht zonder zich al te veel te bekommeren om de bevrediging van het meisje omdat al zijn aandacht erop gericht was geweest niet te ejaculeren voordat hij bij haar binnen was. Nooit had hij zonder een gevoel van schaamte terug kunnen denken aan Mary Higgins en zijn eigen ontmaagding. Ze had tegen hem gezegd dat het de naarste ervaring van haar hele leven was geweest en had nooit meer een woord met hem willen wisselen.

'Dat is helemaal niet ongewoon,' zei hij vriendschappelijk. 'Mannen vinden de eerste keer meestal een vernederende ervaring. Maar wat is er vanmorgen gebeurd? Waarom ben je naar het huis van Amanda gegaan?'

Het verhaal kwam er verward uit, maar Deacon deed zijn best te begrijpen wat hij bedoelde. Na de vernedering door de prostituee was Barry's woede, die eigenlijk gericht had moeten zijn op Fatima, of zelfs op Glen, op Amanda gefixeerd geraakt. (Het geheel had een merkwaardige logica. Toen Glen hem beschuldigde van ongezonde praktijken, zat hij toevallig net een foto van haar te bestuderen, en vervolgens had zij in zijn fantasie haast mythische proporties aangenomen.)

Als hij niet zo veel van haar geweten had, zou het allemaal niet zo erg zijn geweest, maar door zijn belangstelling voor Billy Blake en James Streeter was hij ertoe gekomen een dossier met krantenknipsels van haar aan te leggen. De redenen waarom hij naar haar huis was gegaan om haar te ontmoeten waren duister, maar leken verband te houden met de vraag of hij nu wel of niet van seks hield. Hij zou er helemaal niet naartoe zijn gegaan als hij zich zaterdagavond niet samen met Deacon en Terry moed had ingedronken. Stomdronken was hij geweest toen zij tweeën per taxi vertrokken waren, waarna hij er ook een had aangehouden en de chauffeur opdracht had gegeven naar Thamesbank te rijden.

Hij wist niet goed meer wat hij nou eigenlijk van plan was geweest, maar in ieder geval had hij niet verwacht haar nog wakker aan te zullen treffen en haar bovendien vanuit de tuin door de geopende gordijnen op de vloer van haar zitkamer te zien vrijen met een man. (Deacon vroeg hem of hij de man had herkend, maar Barry zei van niet. Merkwaardig was wel dat hij hem tot in detail beschreef, maar nauwelijks iets over Amanda zei.)

'Het was opwindend,' zei hij samenvattend.

Ja, dacht Deacon, dat zal wel. 'Maar het mag niet,' zei hij. 'Ik weet

niet of je in zo'n geval strafbaar bent wegens voyeurisme, maar in ieder geval wel wegens betreden van privé-terrein en onzedelijk gedrag. Waarom ben er je trouwens vanmorgen weer heen gegaan? Het was klaarlichte dag, dus je kon verwachten dat iemand je zou zien.'
De simpelste verklaring was dat Barry de envelop met foto's de nacht daarvoor op de grond had gelegd (om zijn handen vrij te hebben, veronderstelde Deacon) en hem vervolgens vergeten was. Een wat ingewikkelder verklaring had te maken met de buitengewoon ambivalente relatie met zijn moeder ('Ik wil niet terug,' zei hij steeds maar), de vader voor wie hij een rudimentair soort liefde koesterde en een maar half bewuste behoefte aan herhaling van de opwinding van enkele uren daarvoor. Maar er was duidelijk niemand thuis geweest, en de enige opwinding die hem restte was het bezoedelen van de foto van Amanda. 'Ik schaam me zo,' zei hij. 'Ik weet niet waarom ik het deed. Ik was mezelf niet.'
'Nou, als je mijn mening wilt weten: het is goed dat de politie je betrapt heeft,' zei Deacon terwijl hij zijn sigaret uitdrukte. 'Misschien kom je er nu toe de dingen voor jezelf eens op een rijtje te zetten. Jij hebt zoveel kwaliteiten dat het niet nodig is dat je je ontwikkelt tot een vies oud mannetje dat alleen een stijve kan krijgen als hij anderen bezig ziet. Ik ben natuurlijk geen psychiater, maar ik heb zo het idee dat er een paar dingen in jouw leven om aandacht vragen. Ten eerste moet je onder je moeders vleugels vandaan, en ten tweede moet je je eigen seksualiteit eens naar waarde leren schatten. Het heeft geen zin om kwaad te zijn op vrouwen als je echte voorkeur uitgaat naar mannen, Barry.'
Hulpeloos schudde Barry zijn hoofd. 'Wat zou mijn moeder daarvan zeggen?'
'Een hele hoop, lijkt me. Als je stom genoeg bent om het haar te vertellen.' Deacon gaf hem een klap op zijn rug. 'Maar je bent een volwassen man, Barry. En het wordt tijd dat je je ook zo gaat gedragen.' Hij glimlachte. 'Wat was je van plan, trouwens? Wachten tot ze dood is voordat je de persoon kan zijn die je wilt zijn?'
'Ja.'
'Een slecht plan. Die persoon zou veel eerder dood zijn dan zij.' Hij stond op. 'Ga je de adjudant vertellen wat je mij hebt verteld? Het hangt ervan af wat je hem vertelt, maar misschien is het handig om een advocaat aanwezig te laten zijn bij het verhoor. En bereid je er ook maar op voor dat ze Glen Hopkins zullen vragen te bevestigen dat hij jou vrijdag die kaartjes heeft gegeven. Kan je dat allemaal aan?'

'Laten ze me gaan als ik de waarheid vertel?'
'Weet ik niet.'
'En waar moet ik heen als ze me laten gaan? Naar huis kan ik niet.' Zijn ogen stonden weer vol tranen. 'Ik blijf nog liever hier dan dat ik naar huis ga.'
God allemachtig, Deacon, houd je bek! 'Je kan wel zolang bij mij op de bank slapen, totdat we iets anders voor je geregeld hebben.' *Ach, nou ja... het is tenslotte Kerstmis...*
En...
... Barry wist wie Billy Blake was...

Harrison weifelde. 'Je bent wel naïef, zeg. Ik ken het type wel. Het klassieke profiel van de seksuele misdadiger. Een einzelgänger die met zichzelf geen raad weet en een ongezonde behoefte heeft om mensen te bespioneren. Woont bij zijn moeder maar houdt niet van haar. Is niet in staat tot volwassen relaties. Eerste contact met de politie wegens exhibitionisme. De volgende keer zal het gaan om kinderverkrachting of zo.'
'Als je er zo over denkt, mag je mij gelijk ook opsluiten,' zei Deacon met een vriendelijk lachje. 'Ik ben ook een einzelgänger, en ik had zo de pest aan mijn moeder dat ik vijf jaar lang geen woord tegen haar gezegd heb. Bovendien ben ik niet in staat tot het aangaan van volwassen relaties, wat blijkt uit mijn twee mislukte huwelijken. En gezien het pak slaag dat ik op mijn twaalfde kreeg, is kennelijk het ergste wat ik ooit heb misdaan het kopen van een pornografisch blaadje met de bedoeling dat het huis binnen te smokkelen om voor de spiegel mijn erecties te kunnen bewonderen.'
De adjudant grinnikte. 'Toch is het wel een punt. Jij was twaalf, maar Barry is vierendertig. Jouw activiteiten speelden zich af in de slaapkamer, die van Barry in de tuin van iemand anders. Als je twaalf bent is de schade die je een ander kunt aandoen in de meeste gevallen beperkt, alleen al omdat je klein bent. Maar als je vierendertig bent, kan je heel gevaarlijk zijn, vooral als je geblokkeerd bent.'
'Maar je kunt hem niet arresteren om wat hij zou kúnnen doen. Op zijn hoogst zou je hem kunnen arresteren wegens het betreden van iemands terrein en onzedelijk gedrag, en daarmee houd je hem niet lang van de straat. Luister eens,' zei hij, zich voorover buigend om zijn standpunt kracht bij te zetten. 'Je kunt iemand niet op grond van één enkele vreemde actie tot seksuele delinquent bombarderen. Het zou niet gebeurd zijn als Glen Hopkins zijn rare ideeën voor zich gehouden had, of als Barry zo verstandig was geweest iets na te laten

waar hij toch geen plezier aan zou beleven. Die arme stakker is vreselijk in de war. Hij hield van zijn vader, die overleed toen hij nog maar tien jaar was, hij is geterroriseerd door zijn moeder en om zijn maagdelijkheid kwijt te raken had hij net honderd pond betaald aan een vrouw die hem behandelde als een homp vlees. En daar komt nog bij dat Terry en ik hem dronken hadden gevoerd – en voorzover ik weet was dat voor het eerst in zijn leven – en kwam hij ineens oog in oog te staan met een vrijend stel.' Hij lachte even. 'En toen stond jij vanmorgen ineens voor hem en is hij zich rot geschrokken omdat hij dacht dat Amanda hem gezien moest hebben. Hij is echt alleen maar teruggegaan om zijn foto's op te halen, en toen is hij zich daar, terwijl ze er niet was, gaan afrukken omdat hij nog opgewonden was. Is dat écht het profiel van een seksuele misdadiger?'
Harrison tikte met zijn pen tegen zijn tanden. 'Hij probeerde in te breken in de garage van mevrouw Powell. Wat moeten we daarvan denken?'
Deacon fronste zijn voorhoofd. 'Dat had je niet gezegd.'
'Daarom zijn we ernaartoe gegaan. De buren hadden ons gebeld dat er een poging tot inbraak werd gedaan.' Hij schoof een vel papier naar Deacon toe. 'Hier staat het allemaal zwart op wit.'
Deacon las het politierapport. 'Hier wordt een magere man beschreven met een lengte van één meter tachtig, gekleed in een donkere jas. Barry is ongeveer vijftien centimeter korter, dik, en de enige jas die ik hem ooit heb zien dragen is een blauwe parka. Die ligt op het ogenblik ook in zijn cel.'
De adjudant haalde zijn schouders op. 'Ik zou niet te veel afgaan op die omschrijving. Die buren zijn over de tachtig.'
Deacon bekeek de politieman met een spottende blik. 'Het is maar goed dat mijn moeder dit niet hoort. Hieruit blijkt toch duidelijk dat er sprake is geweest van twee verschillende mannen. Je hebt de makkelijke te pakken, het lulletje. Als je de zaak serieus wilt aanpakken, raad ik je aan op zoek te gaan naar die andere man, die lange.'
'Als die echt bestaat,' zei Harrison cynisch.

Terry verveelde zich inmiddels stierlijk toen Barry en Deacon eindelijk uit het inwendige van het politiebureau te voorschijn kwamen. 'Je bent twee uur weg geweest,' zei hij boos op de klok in de wachtruimte wijzend. 'Wat heeft Barry eigenlijk gedaan? Het moet wel heel erg zijn geweest dat het zo lang heeft geduurd voordat het opgelost was.'
Deacon schudde zijn hoofd. 'Hij stond naar het huis van Amanda te

kijken, en toen is hij gearresteerd omdat ze hem aanzagen voor de man die een halfuur daarvoor had geprobeerd in haar garage in te breken. Ze hadden de hele tijd nodig om vast te stellen dat hij niet beantwoordt aan het signalement van een lange, magere vent in een donkere jas.'
'Meen je dat? Dat moet je Lawrence vertellen. Hij weet daar wel raad mee. Het is gewoon sarren, wat ze doen. Gewoon iemand zonder reden te grazen nemen. Gaat het een beetje, Barry? Je ziet er beroerd uit.'
Voordat de agent van de wacht iets had kunnen zeggen had Deacon hem al door de deur naar buiten geloodst, de vrieskou in. 'Barry gaat met ons mee naar huis,' mompelde hij in Terry's oor. 'Zijn familie heeft de pik op hem omdat wij Harrison vanmorgen naar hem toe hebben gestuurd, dus heb ik maar tegen hem gezegd dat hij een paar dagen bij mij op de bank kan pitten. Jij vindt het toch ook wel goed, hè?'
'Waarom zou ik het niet goedvinden?'
'Nou, het wordt natuurlijk wel een beetje krap met ons drieën.'
'Zeg, doe me een lol,' zei hij minachtend. 'Dat pakhuis, dát was pas krap.' Verwachtingsvol keek hij naar Barry, die achter hen aan naar buiten was gekomen. 'Ik hoop wel dat je kan koken, maat, want aan Mike hebben we wat dat betreft niks. Hij kan nog niet eens een ei koken.'
Barry keek zenuwachtig. 'Alleen wat ik mezelf heb geleerd, ben ik bang.'
'Nou, Mike en ik hebben helemaal niks geleerd, dus je gaat je gang maar.' Hij knikte ongeduldig in de richting van de auto. 'Laten we gaan dan, alsjeblieft. Ik verga van de honger. Besef je wel dat we sinds zeven uur vanmorgen niks gegeten hebben?'

Terwijl Terry met Barry de keuken in liep en hem niet liet weggaan voordat hij iets eetbaars had klaargemaakt, liep Deacon met de telefoon naar zijn slaapkamer en belde van daaruit Lawrence. 'Het spijt me dat ik je steeds lastig blijf vallen,' zei hij, 'maar ik heb een probleem en ik weet niet aan wie ik het anders moet voorleggen.'
'Ik voel me zeer vereerd,' zei Lawrence.
'Je hebt nog niet eens gehoord wat het probleem is.' Zo kort mogelijk vertelde hij de bijzonderheden van Barry's arrestatie. 'Ik heb ze ervan weten te overtuigen dat ze hem nog een kans moesten geven, en toen hebben ze hem vreselijk de mantel uitgeveegd en hem vrijgelaten. Zolang zich verder geen rare dingen voordoen, zullen ze hem niet lastigvallen.'

'Maar wat is het probleem dan?'
'Ik heb tegen hem gezegd dat hij hier bij Terry en mij kon logeren.'
'Sjonge jonge, een latente homoseksueel die zich in het openbaar afrukt in één huis met een gestoorde adolescent die waarschijnlijk totaal gespeend is van meegevoel en die hem zal proberen te verleiden om hem vervolgens te kunnen chanteren. Jij weet ook wel hoe je de moeilijkheden naar je toe moet halen, hè, Michael?'
Deacon zuchtte. 'Ik wist dat ik op jouw objectieve kijk op de kwestie kon rekenen. Maar wat moet ik doen? Het is Barry uitdrukkelijk verboden om tegen Terry te zeggen waarom hij gearresteerd was, maar Terry is niet op zijn achterhoofd gevallen en is daar natuurlijk zo achter.'
Lawrence' vrolijke lach schalde door de hoorn. 'Misschien moet je maar veel bidden?'
'Leuk hoor! Maar luister eens. Wat dacht je ervan om morgenmiddag hier te komen eten en me te helpen alles in goede banen te leiden. Jij hebt als nutteloze en eenzame oude jood zonder familie vast geen andere afspraken, hè?'
'Zelfs als ik die wel had, beste man, dan nog zou ik zo'n charmante uitnodiging niet kunnen weerstaan.'

Adjudant Harrison stond aan zijn jas te sjorren toen een collega zijn hoofd om de hoek van de deur stak om aan te kondigen dat mevrouw Powell er was om hem te spreken. 'Zeg haar maar dat ik al weg ben,' bromde hij. 'Verdomme. Ik heb al zes vrije uren verprutst vanwege die kerels bij haar in de tuin.'
'Dat kan niet meer,' zei de collega met een hoofdknikje naar achteren. 'Stewart heeft al gezegd dat je er bent. Ze staat in de gang te wachten.'
'Verdomme!' Hij liep achter de ander aan.
'Adjudant Harrison,' stelde hij zich aan de vrouw voor. 'Waarmee kan ik u van dienst zijn, mevrouw Powell?' Ze zag er heel goed uit, bedacht hij. In werkelijkheid zelfs nog veel beter dan op de foto. Hij had er dan ook geen moeite mee om zich voor te stellen dat Barry's hormonen waren gaan opspelen toen hij haar in haar zitkamer op de grond de liefde had zien bedrijven.
Ze glimlachte onzeker naar hem. 'Ik durf niet naar huis,' zei ze. 'Ik woon alleen, en het is donker. Die man die u bij mij in de tuin hebt gearresteerd zit toch nog achter slot en grendel, hè?'
Harrison schudde zijn hoofd. 'We hebben hem vrijgelaten in afwachting van het verdere onderzoek. Maar wij hadden begrepen dat u pas

ná Kerstmis weer thuis zou zijn. We hebben de politie in Kent gevraagd u op de hoogte te brengen van onze beslissing en ook van de redenen waarom we die genomen hebben. Er is kennelijk iets misgegaan in de onderlinge communicatie.' Geïrriteerd streek hij met zijn hand over zijn gezicht. 'Maar ik geloof niet dat u ergens bang voor hoeft te zijn, mevrouw Powell. Volgens ons heeft de man zich bij wijze van uitzondering misdragen toen hij dronken was en zal hij u verder niet meer lastigvallen. Hij logeert op het ogenblik bij een vriend van hem, ene Michael Deacon; ik geloof dat u hem ook kent. We verwachten van zijn kant verder geen moeilijkheden.'
Geschrokken sperde ze haar ogen open. 'Maar Michael Deacon heeft zich vier dagen geleden zelf ook aan mij opgedrongen toen hij dronken was.' Ze huiverde ineens. 'Ik begrijp het niet. Waarom heeft niemand me dit verteld? Ik heb nooit gehoord van iemand die Barry Grover heet, maar als hij een vriend is van Michael Deacon, dan...'
Ze pakte Harrison bij zijn mouw. 'Ik weet zeker dat iemand me heeft bespioneerd,' zei ze met nadruk. 'Ik heb hem zeker twee keer gezien. Een kleine man met een bril en een blauwe parka. Tien dagen geleden, toen ik mijn oprit opreed, stond hij voor mijn huis. Hij liep weg toen hij me zag. Is dat de man die u hebt gearresteerd?'
Harrison fronste zijn voorhoofd en keek zorgelijk. 'Zo te horen wel, maar hij zegt dat hij vrijdag pas voor het eerst bij uw huis is geweest.'
'Hij liegt,' zei ze onomwonden. 'Ongeveer een week geleden heb ik hem ook gezien. Het was heel donker, maar ik weet zeker dat het dezelfde persoon was. Hij stond onder een boom bij de ingang van de wijk. Zijn brillenglazen weerspiegelden in het licht van mijn koplampen toen ik aan kwam rijden.'
'Waarom hebt u dat niet aan de politie verteld?'
Ze drukte haar trillende vingers tegen haar voorhoofd. Het leek alsof ze hoofdpijn had. 'Je kan niet iedere man aangeven die naar je kijkt,' zei ze. 'En het wordt pas angstig als ze zich vreemd gaan gedragen. De politieman die me op de hoogte kwam brengen van zijn arrestatie zei dat hij met zijn broek naar beneden en met een foto van mij in zijn hand was aangetroffen.' Haar stem klonk iets harder. 'Als dat waar is, waarom vervolgt u hem dan niet? Nu houdt hij natuurlijk niet meer op, nu hij dit soort dingen kennelijk ongestraft kan doen. Door hem vrij te laten, hebt u hem het recht gegeven mij te terroriseren.'
Harrison liep weer naar zijn kamer en opende de deur voor haar. 'Ik wil graag een verklaring van u op schrift zetten met alle details over plaatsen en tijden dat u hem eerder hebt gezien. En dat incident met

Michael Deacon moet u er ook maar bij noemen.' Heimelijk raadpleegde hij zijn horloge en zuchtte toen diep. Zijn vrouw zou hem dit niet vergeven.

Terry haalde een prop zilverpapier uit zijn zak. 'Wie doet er mee met een joint?' vroeg hij.
'Ik had je gezegd dat je dat weg moest doen,' zei Deacon.
'Heb ik ook gedaan. In m'n reet gestopt, totdat de smerissen weg waren.' Hij keek naar Barry. 'Barry heeft er wel behoefte aan, nietwaar, maatje? Hij verdient het ook, na dat maaltje van hem,' zei hij tegen Deacon. 'Briljant was dat. Helemaal te gek.' Hij begon de tabak uit een Benson & Hedges-sigaret te pulken. 'Maar vertel eens, Barry, wat deed jij bij het huis van Amanda? Die shit die jij en Mike me wijs probeerden te maken geloof ik natuurlijk niet. Zelfs bij de politie hebben ze geen zes uur nodig om een kleine dikke en een lange magere vent van elkaar te onderscheiden.' Hij zweeg even en richtte zijn doordringende – en intimiderende – blik op de man tegenover zich. 'Je zag eruit alsof het je dun door de broek liep toen je daar naar buiten kwam.'
Barry's kleine beetje zelfvertrouwen vanwege het succes van zijn kookkunst schrompelde ineen. Zijn angst om uit het appartement gezet te worden als deze adolescent erachter kwam wat hij had gedaan was groter dan zijn angst voor de politie. 'Ik... eh...'
'Hij had alle reden om bang te zijn,' zei Deacon koel terwijl hij op Barry wees. 'Hij is erachter gekomen wie Billy is – hij heeft zelfs een foto van hem op zak – en hij wist dat ik zijn kop eraf zou trekken als de politie eerder over die informatie zou beschikken dan ik.' Zijn stem was harder gaan klinken. 'Jezus, wat ben je een lul, Barry. Ik kan er nog steeds niet bij dat je al het werk dat we verzet hebben in gevaar brengt alleen omdat je wilt weten hoe die stomme trut er in het echt uitziet.'
'Hou eens even op,' zei Terry terwijl hij een aantal sigarettenvloeitjes uit een pakje Rizla trok. 'Hoe kon hij nou weten dat de politie zou komen? Nou, kom op, Barry, wie was hij? Iemand die ik ken?'
Barry bleef Deacon even aankijken. Er sprak dankbaarheid uit zijn vochtige blik. 'Dat denk ik niet,' zei hij. 'Jij was pas zeven toen hij verdween.' Hij deed zijn bril af en begon de glazen te poetsen. 'Heb je de foto gezien?' vroeg hij aan Deacon. 'En weet je zeker dat het Billy is?'
'Ja.'
'Maar gisteren heb ik je er een andere afdruk van laten zien, Mike, en toen keurde je hem geen blik waardig.'

Deacon wreef zich in zijn handen en masseerde zijn vingers. 'Ik maakte geen grapje toen ik zei dat ik je kop eraf zou trekken,' mompelde hij. 'Ben je nog van plan me te vertellen wie hij is, of moeten we korte metten met je maken?'

De agente sloeg haar armen om de huilende Amanda en keek de adjudant beschuldigend aan. 'Wees nou redelijk, adjudant. Je bent er gewoon ingestonken en je hebt het hele verhaal van die man geloofd. Hij zei dat hij haar in haar huis op de grond had zien vrijen, maar zoiets moest hij natuurlijk wel vertellen. Voor de gemiddelde seksueel gefrustreerde figuur betekent een naakte of half geklede vrouw een rechtvaardiging voor zowat alles. "Het was mijn schuld niet, meneer. Het was de schuld van die vrouw. Zij had de gordijnen niet dichtgedaan. Ze wist dat ik daar buiten stond en ze wilde me opgewonden maken." Het is te gek voor woorden, verdomme.' Ze klonk heel boos. 'Ik word doodziek van al die mannen die zichzelf proberen vrij te pleiten door vrouwen de schuld te geven. In ieder geval maakt het geen enkel verschil of Amanda die nacht wel of niet de liefde aan het bedrijven was. Dat is nog geen reden voor een klein miezerig mannetje om zich te gaan afrukken bij haar foto.'
Met een vermoeid gebaar hief Harrison zijn handen. 'Ik ben het met je eens, oké? Ik ben het met je eens.' Hij sloot zijn ogen. 'Ik probeerde alleen de zaken op een rijtje te zetten, en het spijt me dat mevrouw Powell zich gekwetst voelt door wat ik gezegd heb.' Als je als man met je rug tegen de muur stond, kon je je alleen redden door zwakheid te tonen.

Deacon las wat Barry op papier had staan over Peter Fenton en eindigde met het artikel van Anne Cattrell. Hij plantte zijn ellebogen op tafel, ondersteunde zijn hoofd met zijn handen en staarde met een geërgerde blik naar de omslag van *Onopgeloste moorden van de twintigste eeuw*. 'Het staat er allemaal in: honderden redenen waarom iemand zou willen verdwijnen en de rest van zijn leven als een gekweld mens slijten, maar geen enkele reden waarom iemand de garage van Amanda Powell zou willen uitkiezen om daar te sterven.' Zijn eigen verzameling notities lag op tafel naast hem. Hij pakte er het artikel over Nigel de Vries tussenuit. 'Waarom zou hij zich hier druk over maken? Wat is het verband tussen het verhaal van Fenton en dat van Streeter?'
'Misschien is er geen verband,' zei Barry. 'Je gist alleen maar dat dat het stuk is dat Billy las voordat hij het pakhuis verliet, en dat doe je

omdat je graag een logisch verband wilt zien, maar ik vraag me steeds af waarom mevrouw Powell jou over Billy heeft verteld als ze reden had om bang te zijn dat je iets zou ontdekken wat met hem te maken had.' Hij legde het kiekje van Billy naast de foto van de jonge James Streeter. 'Oppervlakkig gezien lijkt er een overeenkomst te bestaan, maar als je de computer gebruikt, zie je dat die er niet is.' Hij glimlachte verontschuldigend. 'Misschien is dit zo'n geval waar de werkelijkheid vreemder is dan de fantasie, Mike.'
Terry, die dromerig aan de joint zat te trekken die de andere twee hadden afgeslagen omdat ze liever nog een fles wijn opentrokken, zei door de blauwe walm die hem omringde: 'Dat is de grootste onzin die ik ooit gehoord heb. Je lult uit je nekharen, maatje.'
'Wat denk jij dan?'
'Nou, je moet het zo zien. Wat gebeurt er met de gemiddelde vrouw die door haar man aan de kant wordt gezet terwijl hij er met de poet vandoor gaat? Geen rozengeur en maneschijn, daar kan je donder op zeggen.'
'Nou, bij deze wel,' zei Deacon nadenkend. 'Ze ruikt zelfs naar rozen.'
'Nou dan,' zei Terry verward, niet goed begrijpend wat Deacon bedoelde.
'Maar wat dan nog?'
'Dat betekent dus dat ze gescoord heeft, nietwaar? Dat betekent dat ze geen doetje is.' Hij zocht naar de juiste uitdrukking. 'Dat betekent dat ze geen hoge pet op heeft van mannen.' Hij keek naar de vragende gezichten van de twee mannen. 'Ach shit!' zei hij. 'Begrijpen jullie het dan helemaal niet?'
'We zouden het misschien begrijpen als je je een beetje beter zou uitdrukken,' zei Deacon droog. 'De mensheid heeft niet eeuwen besteed aan het vormen van een hoog ontwikkeld taalsysteem om dat dan weer gereduceerd te zien worden tot gegrom, keelklanken en andere betekenisloze geluiden. Bedenk eens goed wat je wilt zeggen, en probeer het dan nog eens.'
'Jezus, wat kan jij soms zeiken,' zei Terry minachtend, maar hij nam de raadgeving ter harte en deed moeite om zijn gedachten te ordenen. 'Oké, luister. Zelfs als Billy dronken was, had hij zijn redenen voor wat hij deed. Het waren misschien geen goede redenen, maar het waren wel redenen. Begrijpen jullie dat?'
De twee mannen knikten.
'Goed, volgende punt. Amanda zit er warmpjes bij, ondanks het feit dat haar man een boef is en haar in de stront heeft laten zakken. Ze

is dus een hartstikke slim wijf. Begrijpen jullie dat?'
Weer knikten ze allebei.
'Tel die twee dingen nou eens bij elkaar op, wat levert dat op? Dat levert op dat Billy een goede reden had om naar Amanda's huis te gaan, en dat Amanda daarna haar hersens gebruikt heeft.'
Deacon knarsetandde. 'Is dat alles?'
Terry zoog de cannabisrook diep zijn longen in. 'Ik zet mijn geld op Amanda. Als zij slimmer is dan jij en Billy samen, dan wint ze het, dacht je niet?'
'Wat wint ze dan?'
'Hoe moet ik dat verdomme weten? Jij bent degene die een spel met haar speelt, niet ik. Ik hobbel er maar een beetje achteraan.'

17

TOEN DE BEL ONVERWACHTS GING KEKEN DE DRIE MANNEN GESCHROK-ken op. Niemand twijfelde eraan dat het de politie zou zijn. Terry sprong op en rende naar het toilet om alles wat hem strafbaar maak-te weg te spoelen, Deacon gooide een keukenkastje open en begon naarstig naar een luchtverfrisser te zoeken, en Barry, die kalmer was dan de twee anderen, draaide het gas onder de gebruikte koekepan omhoog, gooide er een paar tenen fijngehakte knoflook in en begon uiten te snijden. 'Ik verwachtte ze al,' zei hij gelaten. 'Ik zal het me-zelf nooit vergeven als ze je arresteren, Mike. Het is allemaal jouw schuld niet.'

Harrison raakte geïrriteerd toen het erop begon te lijken dat Deacon hem voor eeuwig voor de buitendeur van het flatgebouw zou laten staan. 'Als je niet opendoet,' waarschuwde hij, 'kom ik over een half-uur terug met een arrestatieteam en dan gaat iedereen daar binnen voor de bijl. Kom op, doe open. Ik moet Barry Grover hebben. Jullie maken de verdenkingen die ik heb zo alleen maar sterker. Wat ge-beurt er eigenlijk daar binnen? Is Barry dat joch soms aan het naai-en?'

Deacon deed open en liet hem binnen. 'Misschien moest je maar eens met pensioen,' zei hij emotieloos. 'Zelfs ik zou me niet verlagen tot zo'n opmerking, en ik ben nog wel journalist.'

Harrison keek hem met een vermoeide glimlach aan. 'Je bent een amateur, Deacon.'

In het appartement hing een walgelijke geur: een mengeling van aan-gebrand vet, knoflook, uien, en een allesoverheersende lucht van 'Jazz', die Terry met de losse hand over Deacons bank had gespren-keld. De keukendeur was dicht en Terry en Barry zaten in een hoek verre van ontspannen naar de televisie te kijken.

De adjudant bleef even op de drempel staan, haalde zijn sigaretten te voorschijn en bood Deacon er een aan. 'Hm, een interessant luchtje,' zei hij vriendelijk.

Deacon beaamde zijn opmerking en nam de aangeboden sigaret

enigszins opgelucht aan. 'Adjudant Harrison heeft nog een paar vragen aan Barry,' riep hij de kamer in. 'Dus misschien is het het beste als Terry en ik zolang even de kamer uit gaan.'
Harrison deed de voordeur dicht. 'Ik had liever dat je bleef, Deacon. Aan jou heb ik ook een paar vragen te stellen.'
'Maar aan Terry niet, hè?' Hij haalde een briefje van vijf pond uit zijn zak en zei tegen de jongen: 'Op de hoek van de straat is een café. Ga jij er vast heen. Als wij hier klaar zijn, komen we ook.'
Terry schudde zijn hoofd. 'Nee, hoor. Doe ik niet. Wat moet ik als jullie je niet meer laten zien?'
'Waarom zouden wij het af laten weten?'
Terry wierp een achterdochtige blik in de richting van de adjudant. 'Hij is hier niet om een luchtig babbeltje te komen maken, Mike. Als je het mij vraagt is hij hier om Barry weer te arresteren in verband met dat mens van Powell. Heb ik gelijk, meneer Harrison?'
De adjudant haalde onverschillig zijn schouders op. 'Ik wil gewoon nog antwoord op een paar vragen, dat is alles. Jij hebt er verder niets mee te maken, dus wat mij betreft mag je weg. Maar je mag ook hier blijven; het kan me niet schelen.'
'Maar mij wel,' zei Deacon vastberaden terwijl hij de reservesleutel van een plank naast de deur pakte. 'Kom op, jongen, eruit. Als wij er over een halfuur niet zijn, kan je altijd weer binnen komen.'
'Nee,' zei de jongen koppig. 'Ik blijf. Barry is mijn maat, net als jij. En maten laat je niet in de steek als ze je nodig hebben.'
'Laten we een beetje opschieten, alsjeblieft,' zei Harrison ongeduldig. Hij liet zich in een stoel zakken, boog zich voorover en keek Barry in de ogen. 'Van mevrouw Powell heb ik iets anders gehoord dan je mij verteld hebt, beste man. Volgens haar achtervolg je haar al een paar weken en maak je haar doodsbang. Ze heeft je tenminste twee keer gezien en wist een exacte beschrijving van je te geven; zelfs de kleur van je schoenen wist ze. Verder ontkent ze ten stelligste dat er gisteravond iemand bij haar geweest is, laat staan dat ze om twee uur 's nachts in haar huiskamer met iemand zou hebben liggen vrijen. Ze wil je graag achter de tralies hebben omdat ze anders te bang is om alleen thuis te zijn.' Hij richtte zijn blik op Deacon. 'Ze heeft ook tot in de details verteld hoe je vriend hier donderdagavond met geweld haar huis is binnengedrongen en weigerde te vertrekken. Ze zegt dat hij dronken was, geweld gebruikte en haar heeft uitgescholden en dat hij geen verklaring wilde geven voor zijn aanwezigheid. Dus... wat is er in godsnaam aan de hand tussen jullie en die vrouw?'
Er viel een korte stilte.

'Ze is heel mooi,' zei Deacon langzaam, 'en ik was inderdaad heel erg dronken. Maar haar verhaal is helemaal gebaseerd op het feit dat ik haar 's ochtends heb gezegd dat ik me niets kon herinneren van de vorige avond.' Hij liep naar het televisietoestel en zette het uit, waarna hij tegen de muur ernaast leunde. 'Dat was op dat moment wel waar, maar niet meer nadat ik een degelijk ontbijt en een paar koppen koffie op had. Dat ik met geweld haar huis zou zijn binnengedrongen is niet helemaal onwaar, want ik stond tegen haar deur geleund toen ze opendeed, en het zou haar in die omstandigheden veel moeite hebben gekost me eruit te werken. Maar ik was niet gewelddadig en ik heb haar niet uitgescholden. Ze had ook zo de politie kunnen bellen als ze bang voor me was geweest. We hebben even gepraat, en toen ben ik in slaap gevallen op haar bank. De volgende ochtend heeft ze me gedwongen een kop koffie op te drinken, en toen mocht ik pas weg. Ik heb zo vaak gezegd dat het me speet dat het haar op de zenuwen begon te werken, en toen ik haar vroeg of ze bang voor me was geweest, zei ze dat ze nergens meer bang voor was.' Hij glimlachte even. 'Ze kan me terecht beschuldigen van een slechte timing en een beroerde versiertechniek, maar niet van iets anders,' zei hij met toegeknepen ogen. 'Ik word haast nooit agressief wanneer ik te veel gedronken heb, Harrison. Ik maak mezelf alleen belachelijk.'
'Dat is waar,' zei Terry. 'Tegen mij en Barry heeft hij gisteravond toen hij dronken was gezegd dat hij kinderen wilde. Tranen met tuiten huilde hij erbij.'
Deacon keek hem onvriendelijk aan. 'Ik heb niet gehuild.'
'Het scheelde niet veel,' zei Terry met een valse glimlach.
Harrison negeerde deze opmerkingen en wendde zich tot Barry. 'Jij hebt me bezworen dat je tot gisteravond nooit in de buurt van mevrouw Powells huis was geweest.'
Barry kreeg een kleur. 'Dat is ook zo.'
'Ik geloof je niet.'
De kleine man trilde van de zenuwen. 'Het is echt waar,' zei hij.
'Ze heeft je tot in de details beschreven en heeft me precies gezegd waar je stond. Hoe had ze dat kunnen doen als ze je niet had gezien?'
'Ik weet het niet,' zei Barry hulpeloos.
'Heeft ze ook gezegd wanneer ze hem gezien had?' vroeg Deacon.
'Ze was niet helemaal zeker van de datum, maar de eerste keer was een dag of tien geleden, en de tweede een paar dagen daarna.' Hij haalde zijn opschrijfboekje uit zijn zak en bladerde het door. 'Haar signalement was: een kleine man met een bril, die een blauwe parka, een grijze broek en lichtbruine schoenen, waarschijnlijk van suède,

aan had. Ze zei dat hij voor haar huis stond toen ze in haar auto aan kwam rijden, maar dat hij wegliep toen ze haar oprit op reed. Blijf je bij je ontkenning dat jij dat was, Grover?'
'Ja.' Met een wanhopige blik keek hij naar Mike. 'Ik kan het niet geweest zijn, Mike. Ik ben er nooit eerder geweest.'
Deacon fronste zijn voorhoofd. 'Het signalement lijkt wel te kloppen,' zei hij, zich afvragend of hij het dan bij het verkeerde eind had gehad en Harrison gelijk had. 'Het is een verdomd nauwkeurig signalement.'
'Jezus, maar goed dat ik niet naar dat café ben gegaan,' zei Terry minachtend. 'Jullie tweeën zouden nergens zijn als ik er niet was.' Hij sprak Barry agressief toe. 'Wat zei ik nou net in de keuken tegen je? Trieste mensen dragen parka's, maar écht trieste mensen dragen suède schoenen. En wat zei jij toen tegen mij? Het is jammer dat je me donderdag niet gezien hebt, want toen heb ik die schoenen gekocht. Ik heb jullie al gezegd dat het een slim wijf is. Ze heeft een politieman zo ver weten te krijgen dat hij haar jouw signalement heeft gegeven, en toen heeft ze dat weer aan meneer Harrison hier opgegeven. Jongen, als je die schoenen met een creditcard hebt betaald, kan je zo bewijzen dat je onschuldig bent. Het is godsonmogelijk dat je ze tien dagen geleden zou hebben gedragen.'
Barry's droevige gezicht klaarde op. 'Ja, zo heb ik betaald,' zei hij. 'Ik heb zelfs het bonnetje nog. Het ligt thuis op mijn kamer.'
'En hoeveel andere paren suède schoenen hebt u thuis staan?' vroeg Harrison, die niet onder de indruk was van Terry's argument.
'Geen,' zei Barry opgewonden. 'Ik heb die schoenen gekocht bij wijze van kerstcadeautje voor mezelf omdat al mijn andere schoenen zwart zijn. Mike kan dat bevestigen. Hij is degene geweest die me heeft gezegd dat zwarte schoenen saai zijn.'
'Ja,' zei Deacon nadenkend, 'dat klopt.' Hij boog zich voorover om de as van zijn sigaret te tikken en maakte van de gelegenheid gebruik om de zaken voor zichzelf op een rijtje te zetten. 'Geef me eens een beschrijving van de man die gisteravond bij haar was, Barry,' zei hij. 'De man van wie ze ontkent dat hij bij haar geweest is.'
'Die heb ik je al gegeven,' zei hij gespannen.
'Doe het nog maar een keer.'
'Blond, knap om te zien...' Hij zweeg, bang dat hij er opnieuw opgewonden van zou raken. De aardigheid was er voor hem inmiddels wel af.
'Het signalement dat Barry me vanmiddag heeft gegeven was: een lange, blonde, gebruinde man met een tatoeage op zijn rechter schou-

derblad. Hij kende de man niet, en mij zegt het signalement ook niets, maar ik durf te beweren dat zal blijken dat Amanda een man die aan dat signalement voldoet, wel degelijk goed kent.'
Harrison ging niet op deze opmerking in. Hij was nog niet helemaal bekomen van de schrobbering die hij had gekregen toen hij haar ontkenning in twijfel had durven trekken. Maar... 'Wat zou het uitmaken?'
'Je zou haar eens kunnen vragen waarom ze heeft ontkend dat hij bij haar was.'
'Ik herhaal: wat zou het uitmaken? Nergens staat geschreven dat ze geen man in haar huis mag halen, en Grover zou hem gezien kunnen hebben tijdens een van de andere keren dat hij bij haar huis was. Op zichzelf bewijst het bestaan van die man niets.'
'Maar neem nou eens even aan dat Barry de waarheid zegt. Neem nou eens even aan dat hij inderdaad nooit eerder bij het huis van mevrouw Powell is geweest en dat hij die man daar gisteravond inderdaad gezien heeft. Ben je dan niet nieuwsgierig waarom ze heeft gelogen? Ik ben het in ieder geval wel.'
Harrison bleef hem even aankijken. 'Mevrouw Powell is erg...' – hij zocht naar het juiste woord – '... overtuigend.' Even leek het alsof hij nog iets anders wilde zeggen, maar hij bedacht zich.
'Te overtuigend?' opperde Deacon.
'Dat heb ik niet gezegd.'
Deacon drukte zijn sigaret uit, liep toen naar de telefoon, raadpleegde de klapper en toetste een nummer. 'Hallo Maggie, met Michael Deacon. Ja, ik weet dat het al laat is, maar ik moet Alan nogal dringend spreken.' Hij wachtte even en glimlachte toen. 'Ja, ouwe reus, daar ben ik weer. Hoe is het met je?' Hij lachte. 'Je mocht een glas whisky van haar drinken? Nou, dat gaat de goede kant op dan. Ik wou je een kleine gunst vragen als dat mag. Ik wil de telefoon graag overzetten op de luidspreker, want er zijn hier drie anderen bij me en die zijn alle drie geïnteresseerd in wat ik hoop dat je zal gaan zeggen. Ik wil graag dat je Nigel de Vries voor me beschrijft.' Hij drukte op de knop van de luidspreker en legde de hoorn neer.
'Hoe hij eruitziet, bedoel je?' klonk Alan Parkers roestige stem.
'Ja, en misschien wil je van tevoren even zeggen dat je me nooit eerder zijn signalement hebt gegeven?'
'Alleen als je me vertelt waar dit allemaal toe dient. Het mag dan misschien bijna afgelopen zijn met me, maar ik blijf journalist. Wat heeft die gladjanus uitgehaald?'
'Weet ik nog niet. Maar zodra ik het weet, ben jij de eerste die het hoort.'

'Ja, ja. Met sintjuttemis, zeker,' zei Alan grinnikend. 'Maar goed, het is waar: ik heb je nooit eerder verteld hoe hij eruitziet. Voorzover ik me hem herinner, is hij ongeveer net zo lang als ik – één meter achtenzeventig – en heeft hij geblondeerd haar. Hij laat het verven om te verbergen dat hij grijs is. Hij draagt altijd perfect zittende, donkere kostuums, waarschijnlijk afkomstig van Harrods. Op zijn revers draagt hij altijd een witte bloem. Hij ziet er knap uit, glad. Denk maar aan Roger Moore in de rol van James Bond, dan zit je er niet ver naast. Wou je nog meer weten?'

'We hebben net een signalement gehoord van een man van wie ik denk dat hij het is.' Het was aan Deacons stem te horen dat hij grijnsde. 'Alleen was hij poedelnaakt op dat moment, dus we hebben er niet zo veel aan om te weten hoe hij zich kleedt. Volgens onze informant had hij een gebronsde huid en een tatoeage of een moedervlek op zijn rechterschouder. Kan jij dat misschien bevestigen?'

'Ha! Die gebronsde huid niet, maar de moedervlek zeker wel. Op zijn rechterschouder. Volgens zeggen – en dat praatje heeft hij natuurlijk zelf verspreid – ziet die vlek eruit als het duivelsgetal: 666. Hij zou een pact met de duivel hebben gesloten, die hem zou hebben geholpen om al op zijn dertigste miljonair te zijn. Dat soort onzin. Maar een van zijn sletjes heeft van die moedervlek ooit eens gezegd dat hij meer lijkt op een hondenlul. Ik heb hem zelf nooit gezien, dus ik kan het niet beamen. Maar luister eens, Mike, wat is dit nou allemaal? Ik vil je levend als de koers van DVS instort; ik heb er aandelen in.'

'Ik kan je met de hand op mijn hart verzekeren dat dat er niets mee te maken heeft, Alan.' Nadat hij nogmaals had beloofd zijn oude vriend op de hoogte te houden, legde Deacon de hoorn neer en keek Harrison veelbetekenend aan. 'Amanda's schoonfamilie beweert al vijf jaar dat zij samen met Nigel de Vries Lowensteins Bank tien miljoen pond lichter heeft gemaakt, waarna ze haar man tot zondebok hebben gemaakt en hem hebben vermoord. Niemand, ook de politie niet, heeft die bewering ooit serieus genomen omdat er geen bewijs voor was dat Nigel en Amanda nog iets met elkaar hebben gehad nadat zij met James was getrouwd.'

Harrison verwerkte de informatie in stilte en zei toen: 'En nog steeds niet. Alles wat die vriend van jou zegt is waarschijnlijk voor iedereen toegankelijke informatie. Wat zou jou of Barry ervan weerhouden die informatie te vergaren en tegen mevrouw Powell te gebruiken om haar te compromitteren?'

'Dat blijkt nergens uit,' zei Deacon onaangedaan terwijl hij nog een sigaret opstak. 'Dat was zelfs precies wat ik van plan was om na

Kerstmis te gaan doen. Ik wilde zo snel mogelijk een afspraak maken met De Vries. Je moet me op mijn woord geloven dat ik me alleen met hem heb beziggehouden toen ik afgelopen zondag Alan Parker een drankje heb aangeboden en hem heb gevraagd hoe hij zijn landhuis in Hampshire destijds had gefinancierd, een onderwerp waar de familie Streeter veel belangstelling voor had en waar ze zich ook het hoofd over gebroken hebben.'
'En ik had voor gisteravond zelfs nog nooit van hem gehoord,' zei Barry voorzichtig.
Deacon haalde zijn dossier uit de keuken en deed snel de deur dicht om te voorkomen dat de zware walm als een dikke golf olie de kamer in zou vloeien. Hij reikte Harrison het stuk uit de *Daily Mail* aan en legde in het kort uit waarom hij ernaar op zoek was gegaan. 'Ik ben voortdurend op zoek naar een connectie tussen Billy Blake en Amanda Powell,' besloot hij.
'En heb je zo'n connectie gevonden?'
Deacon keek neutraal. 'We zijn er nog mee bezig. Zoals ik je vanmiddag al vertelde, is de meest voor de hand liggende verklaring dat Billy Blake de echtgenoot was van Amanda Powell. Maar bewijzen kunnen we dat niet.'
Er viel een lange stilte, waarin Harrison de implicaties naging van wat Deacon hem had verteld.
'Als Billy en James dezelfde waren, dan heeft zijn familie het bij het verkeerde eind,' merkte hij op. 'Zij en De Vries hebben hem niet vermoord als hij in juni nog in leven was.'
Deacon grijnsde. 'Dat hebben wij als amateurs zelfs uitgevogeld, dus ik begin te denken dat hier de kern van de zaak in schuilt. Het is tenslotte allemaal evident.'
Hij ging weer tegen de muur geleund staan en legde Harrison omstandig uit dat hij dacht dat Amanda de toevallige dood van een vreemde, die een oppervlakkige gelijkenis vertoonde met haar man, in haar garage had aangegrepen om zich te vrijwaren van de nog altijd bestaande verdenking van moord en om meteen ook haar status van weduwe formeel van kracht te laten worden. 'En voorzover ik kan zien, was mijn enige rol die van objectieve buitenstaander die moest zorgen dat de autoriteiten belangstelling kregen voor de zaak,' besloot hij. 'Maar ze zal zich wel opvreten van de zenuwen nu ze weet dat Barry haar en Nigel samen heeft gezien. Ze kan zich niet veroorloven dat men denkt dat zij mogelijk een relatie met hem heeft.'
Harrison vond het argument kennelijk overtuigend en vroeg of hij de

foto's van Billy en de jonge James Streeter mocht lenen. 'Hoe denk je dat ze zal reageren als ik haar deze laat zien?' vroeg hij terwijl hij ze in zijn jaszak stopte.
Deacon schudde zijn hoofd. 'Ik heb geen idee,' zei hij oprecht, terugdenkend aan de manier waarop ze haar nagels in zijn kin had geplant toen hij haar zelf die suggestie had gedaan.

'Waarom heb je Harrison niet verteld dat Billy en Fenton dezelfde persoon zijn?' vroeg Terry toen de adjudant weg was.
'Weet jij wat een primeur is?'
'Natuurlijk wel.'
'Daarom heb ik het hem niet verteld.'
'Maar je hebt hem wel een hoop onzin verteld. Ik bedoel, die Amanda is niet stom. Ze kan toch nooit gedacht hebben dat het zo eenvoudig was om James dood verklaard te krijgen? De politie wil veel meer bewijzen hebben dan alleen een paar kiekjes.'
Deacon grijnsde. 'Ze zei dat ze me een intelligente man vond toen ík haar die theorie voorlegde.'
'Zie je wat in haar?'
'Hoe kom je daar in godsnaam bij?'
'Waarom ben je anders bij haar op de bank in slaap gevallen?'
Deacon wreef zich over zijn kin. 'Ze heeft dezelfde blauwe ogen als mijn moeder,' zei hij nadenkend. 'Ik had heimwee.'

Voordat Harrison naar Amanda's huis ging, bracht hij een bezoek aan het politiebureau. Hij stelde enkele collega's een paar vragen en belde toen agent Dutton in Kent. Had hij mevrouw Powell op de hoogte gebracht van de vrijlating van Barry Grover? Ja. En wat had Dutton haar over hem verteld? Een volledig signalement, bleek, en de exacte tijdstippen waarop hij bij haar huis was geweest. Was dat verkeerd geweest? Er had in de fax niet gestaan dat de informatie vertrouwelijk was, en mevrouw Powell had terecht gezegd dat ze moest weten hoe hij eruitzag, voor het geval hij haar weer lastig wilde vallen.
Harrison was steeds kwader geworden naarmate hij dichter bij Amanda's huis kwam.
De agente die op Amanda paste in afwachting van Harrisons terugkeer van het aanvullende verhoor van Barry Grover, deed de deur voor hem open. 'Waar is ze?' vroeg hij terwijl hij langs haar heen drong.
'In de huiskamer.'

'Juist. Ik wil hier een getuige bij hebben. Jij schrijft alles op wat ze zegt, en als je ook maar één opmerking maakt over wat ik te zeggen heb, dan zal je daar spijt van krijgen. Heb je dat goed begrepen?' Hij wierp de deur naar de huiskamer open en nam zonder plichtplegingen recht tegenover Amanda plaats op de bank. 'U hebt tegen mij gelogen, mevrouw Powell.'
Ze wendde zich van hem af.
'Er was vannacht wél een man hier in huis.'
Ze boog zich voorover en ging met haar vinger door de rozenblaadjes. 'U hebt het helemaal verkeerd, adjudant. Ik was hier alleen.'
Harrison negeerde haar opmerking. 'We hebben uw... metgezel, zal ik maar zeggen, voorlopig geïdentificeerd als Nigel de Vries. Zal hij ook ontkennen dat hij hier geweest is?'
Ergens diep in haar ogen vond een plotselinge verandering plaats, waardoor iets bij hem wakker geroepen werd. Ze deed hem ineens denken aan de slechtgehumeurde Siamese kat die zijn grootmoeder ooit eens had gehad. Zolang je je niet met het dier bemoeide, was het prachtig om te zien, maar als je het aanraakte sloeg het zijn nagels uit en beet het. Toen de kat zijn grootmoeder een keer een paar diepe voren in haar gezicht had bezorgd, had ze hem een spuitje laten geven. 'Uiterlijk schoon is slechts vertoon,' had ze zonder wroeging opgemerkt.
'Ik zou denken van wel,' zei Amanda.
'Wanneer hebt u hem voor het laatst gezien?'
'Ik heb geen idee. Het is zo lang geleden dat ik het absoluut niet meer weet.'
'Was het voor- of nadat uw man verdween?'
'Daarvoor.' Ze haalde haar schouders op. 'Lang daarvoor.'
'Dus als ik de partner van Nigel de Vries vraag waar hij de afgelopen nacht was, dan zal zij waarschijnlijk zeggen dat hij thuis was?'
Het puntje van haar roze tong streek langs haar lippen en bevochtigde ze. 'Ik zou het u niet kunnen zeggen.'
'Ik ben wel van plan het haar te vragen, mevrouw Powell, en ik denk dat zij ook wel zal willen weten waaróm ik het vraag.'
Ze haalde nogmaals haar schouders op. 'Ik heb niets met ze, met geen van beiden.'
'Waarom was u dan daarnet zo vastbesloten Barry Grover in een kwaad daglicht te stellen?'
Ze gaf geen antwoord.
Harrison stak zijn hand in zijn zak. 'Vertelt u me eens iets over Billy Blake,' zei hij. 'Herkende u hem toen u hem in uw garage aantrof?'

Ze reageerde op de verandering van tactiek met een miniem fronsje in haar voorhoofd. 'Billy Blake?' echode ze. 'Natuurlijk herkende ik hem niet. Waarom zou ik hem herkennen? Ik kende de man niet.'
Hij haalde de geleende foto's uit zijn zak en legde ze zorgvuldig naast elkaar op het tafeltje. 'Is dit dezelfde persoon?' vroeg hij.
Ze schrok zo heftig dat hij er niet aan twijfelde dat haar emotie oprecht was. Wat ze ook op haar geweten mocht hebben, dacht hij, het was duidelijk nooit bij haar opgekomen dat Billy Blake ten onrechte voor haar verdwenen echtgenoot zou kunnen worden aangezien.
Maar Deacon had hem ook niet verteld dat ze diezelfde theorie donderdagavond al had gehoord.

Deacon legde de hoorn neer met een glinstering van plezier in zijn donkere ogen. 'Harrison is kwaad omdat hij steeds maar op vruchteloze missies wordt uitgestuurd,' zei hij. 'Mevrouw Powell keek kennelijk alsof ze het in Keulen hoorde donderen toen hij haar de foto's liet zien.'
'Dat verbaast me niks,' zei Terry. 'Het is zoals Barry zegt: als je het leeftijdsverschil vergeet, heb je een computer nodig om het verschil te zien. Misschien schijt ze nu op dit moment wel bagger omdat ze ineens denkt dat het misschien toch James is geweest.'
'Nee,' zei Deacon langzaam, 'ze gaf geen krimp toen ik haar die suggestie aan de hand deed. Ze heeft steeds geweten dat hij het niet was, dus waarom ze nou tegenover Harrison zo'n toer bouwt, begrijp ik niet.' Hij keek op zijn horloge. 'Ik ga de deur uit,' zei hij kort. 'Wat mij betreft kunnen jullie naar een nachtfilm kijken totdat ik terug ben.'
'Waar ga je heen?' wilde Terry weten.
'Gaat je niks aan.'
'Je gaat vast ook staan gluren, net als Barry, hè? Je wilt natuurlijk stiekem bij haar tuin gaan kijken en je afrukken terwijl zij gepaald wordt door Nigel de Vries.'
Deacon keek hem aan. 'Wat heb jij een vunzige gedachten, Terry. Die Nigel de Vries is allang weg, dat zou Harrison toch ook moeten begrijpen.' Hij hief zijn wijsvinger naar de jongen. 'Ik ben binnen een paar uur weer terug, dus gedraag je. Ik vil je levend als je iets uithaalt terwijl ik weg ben.'
Terry wierp een nadenkende blik in Deacons richting. 'Míj kan je wel vertrouwen, Mike.'

Er was niet veel verkeer, zo laat 's nachts, dus het kostte hem maar

een halfuur om de City door te rijden en vervolgens oostwaarts langs de Theems naar het Isle of Dogs. Hij had er spijt van dat hij nog een tweede fles wijn had opengemaakt en hield zijn achteruitkijkspiegel goed in de gaten. Amanda's huis leek wel een lichtpaleis, en even speelde hij met de gedachte te doen wat Terry had gezegd en stiekem achterom te lopen om door het raam van haar huiskamer naar binnen te gluren. Het idee sprak hem meer aan dan hij wel wilde toegeven, maar uit angst voor de mogelijke gevolgen gaf hij er geen gehoor aan. Hij herinnerde zich een van Billy's uitspraken. *'Je doet nooit iets wat je zelf wilt, want de wil van de stam is sterker dan de jouwe.'*
Hij belde aan en luisterde naar het geluid van haar voetstappen in de gang. Er viel een korte stilte terwijl zij haar oog voor het kijkgaatje hield. 'Ik doe de deur niet open, meneer Deacon,' zei ze vanachter de deur, 'dus u kunt maar beter weggaan, voordat ik de politie bel.'
'Ik denk niet dat ze zullen komen,' zei hij terwijl hij iets door zijn knieën zakte om voor het kijkgaatje een vriendelijke glimlach te laten zien. 'Ze hebben hun buik vol van ons. Op het moment weten ze niet wie van ons beiden de meeste leugens vertelt, al lijkt het dat u dat bent. Adjudant Harrison is ernstig teleurgesteld dat u weigert toe te geven dat Nigel de Vries hier vannacht geweest is.'
'Hij was er ook niet.'
'Barry heeft hem gezien.'
'Die vriend van u is ziek.'
Hij leunde met zijn schouder tegen de deur en pakte een sigaret. 'Ach, een beetje in de war misschien, net als ik. Ik had geen idee dat ik je donderdagavond zo aan het schrikken had gemaakt, Amanda. Zeker niet nadat je de volgende ochtend zo aardig tegen me was.' Hij zweeg en wachtte op antwoord. 'Adjudant Harrison heeft zich erover verbaasd dat je de politie niet hebt gebeld toen ik mijn roes lag uit te slapen op de bank. Dat zouden namelijk de meeste vrouwen gedaan hebben als ze een agressieve en gewelddadige indringer in huis hadden.'
'Wat wilt u, meneer Deacon?'
'Een babbeltje. En dan bij voorkeur binnen, waar het warm is. Ik ben erachter wie Billy was.'
Het duurde lang voordat de ketting rinkelde en ze de deur opendeed. Het licht in de gang was scherp. Hij schrok van haar uiterlijk. Het leek wel alsof ze ziek was. Haar gezicht stond gespannen en zag grauw en ze was geen schim meer van de stralende vrouw in de gele jurk die drie dagen eerder voor hem had gestaan.
Hij fronste zijn voorhoofd. 'Gaat het wel goed met je?'

'Jawel.' Ze keek hem aan met een vreemde blik, alsof ze een bepaalde reactie van hem verwachtte, en ze vermande zich duidelijk zichtbaar toen deze uitbleef. Ze deed een stap opzij. 'Kom maar binnen.'
Hij keek de gang door en zag onderaan de trap een koffer staan. 'Was je van plan om weg te gaan?'
'Nee. Ik kom net terug van mijn moeder.'
'Wat is er aan de hand?'
'Niets.'
Hij liep achter haar aan de huiskamer in en merkte meteen dat het niet naar rozen rook. Het raam stond open en in plaats van rozengeur rook hij nu een geur van verrotting die kennelijk in de nachtlucht van de oevers van de rivier naar binnen werd gevoerd. 'Het zal wel eb zijn,' zei hij. 'Je had beter een van die appartementen in Teddington kunnen houden, Amanda. Voorbij de sluizen heb je geen last van eb en vloed.'
Het kleine beetje kleur dat ze nog in haar gezicht had, trok weg. 'Waar hebt u het over?'
'Over de lucht die hier hangt. Die is niet erg aangenaam. Je moet je raam dichtdoen.' Hij liet zich op de bank zakken, stak een sigaret op en keek toe hoe ze met een spuitbus luchtverfrisser de kamer in spoot en vervolgens met haar vingers door de rozenblaadjes streek om de geur daarvan te verspreiden.
'Is dat beter?' vroeg ze.
'Merk je het verschil zelf niet?'
'Nee, niet echt. Ik ben er zo aan gewend.' Ze ging in de stoel tegenover hem zitten. 'Wie was Billy dan?'
De tic bij haar mondhoek manifesteerde zich. Hij vroeg zich af waarom ze zo geagiteerd was en waarom ze zo doodsbleek zag. Wat hij en Harrison er ook van mochten denken, er was meer nodig dan het feit dat Barry toevallig Nigel de Vries had gezien om de samenzweringstheorie van de familie Streeter aannemelijk te maken. Ze had indruk op hem gemaakt als een beheerste vrouw, die koel was en zichzelf in de hand had, en hij vroeg zich af waarom ze dat nu niet deed. Het paradoxale was dat hij haar in haar gekweldheid veel minder aantrekkelijk vond – zozeer zelfs dat hij zich afvroeg waarom hij haar ooit had begeerd – maar wel een heel stuk aardiger. Kwetsbaarheid was een eigenschap die hij herkende en waarvoor hij begrip had.
'Zijn naam was Peter Fenton. Je herinnert je het verhaal waarschijnlijk wel. Hij was een diplomaat, en volgens zeggen ook een spion, die in 1988 verdwenen is en van wie sindsdien nooit meer iets is vernomen. Tenminste, niet onder de naam Peter Fenton.'

Ze zei niets.
'Je lijkt niet erg onder de indruk.'
Ze drukte even haar vingers op haar lippen. Hij besefte dat haar zwijgen meer een gevolg was van het feit dat ze geen woord kon uitbrengen dan dat ze niets wilde zeggen. 'Waarom is hij hiernaartoe gekomen?' wist ze ten slotte uit te brengen.
'Weet ik niet. Ik had gehoopt dat jíj dat aan míj zou kunnen vertellen. Kenden James of jij hem?'
Ze schudde haar hoofd.
'Weet je dat wel zeker? Kende jij iedereen die James kende?'
'Ja.'
Deacon haalde het krantenknipsel over De Vries uit de *Daily Mail* uit zijn zak en reikte het haar aan. 'Drie weken voordat Billy in jouw garage aan zijn eind kwam, las hij dit artikel. Het zou kunnen dat hij toen naar Halcombe House is gegaan met de bedoeling te proberen Amanda Streeters adres los te krijgen van Nigel de Vries, want hij wist niet dat jij jezelf Amanda Powell was gaan noemen en ook niet dat je vlak bij de plek waar hij sliep woonde en werkte.' Hij dacht even na en tikte de as toen in zijn handpalm omdat er geen asbak in de buurt was. 'Dat hij hiernaartoe is gekomen, betekent dat Nigel hem gezegd moet hebben waar hij jou kon vinden, wat op zich weer betekent dat jouw minnaar een beetje een rotzak is, Amanda. Ten eerste omdat hij jouw adres geeft aan de eerste de beste dronken zwerver die erom vraagt, en ten tweede omdat hij jou niet vertelt dat je bezoek kunt verwachten. Want dat heeft hij niet gedaan, is het wel?'
Ze likte aan haar lippen. 'Hoe weet je dat Billy dit gelezen heeft?'
'Een van de mannen in het pakhuis heeft me dat verteld,' loog Deacon. 'Maar hoe zit het nou allemaal? Waarom zou Peter Fenton zo'n moeite doen om Amanda Streeter te pakken te krijgen? En waarom zou Nigel hem helpen? Kenden zíj elkaar misschien?'
Met trillende vingers streek ze langs haar slapen. 'Ik weet het niet.'
'Oké, laten we verder gaan. Wat zou Peter over jou hebben kunnen weten dat hij vond dat hij je moest opzoeken toen hij je naam in de krant had zien staan? Misschien wist hij iets over jou én Nigel, en heeft Nigel zich eruit weten te werken door hem ervan te overtuigen dat jij degene was die hij moest hebben?'
Ze leunde achterover in haar stoel en sloot haar ogen. 'Billy heeft geen woord tegen me gezegd. Ik wist niet dat hij hier was totdat hij dood was. Ik weet niet wie hij was en waarom hij naar mijn huis is gekomen. En waarom..?' Ze zweeg.

‘Ga verder.’
‘Ik voel me niet lekker.’
Deacon keek naar het raam. ‘Vertel eens iets over Nigel de Vries,’ vroeg hij haar. ‘Waarom zou hij jouw adres aan Peter geven zonder je dat te vertellen?’
‘Dat weet ik niet.’ Ze schudde bezorgd haar hoofd. ‘Waarom denk je dat ik hem gekend heb onder de naam Peter Fenton? De man die in mijn garage is overleden heette Billy Blake.’
‘Oké. Waarom zou hij jouw adres aan Billy Blake hebben gegeven?’
‘Ik weet het niet,’ herhaalde ze. ‘Wat voor soort man was hij?’ Ze sperde haar ogen open, en even was Deacon bang dat ze zou gaan overgeven.
‘Als je Billy bedoelt, hij was een prima kerel.’ Hij haalde een zakdoek uit zijn zak. ‘Ik vind het altijd het beste om me ertegen te verzetten,’ zei hij met een vage glimlach, ‘maar je weet waar het toilet is als het nodig is.’ Hij wachtte tot ze ophield met kokhalzen. ‘Een psychiater die hem drie keer heeft gesproken heeft hem beschreven als half heilige en half fanaticus. Ik heb de transcriptie van een deel van het gesprek gelezen. Billy geloofde in de verlossing van zielen en in versterving, maar hij meende dat hij persoonlijk verdoemd was.’ Hij bestudeerde haar gezicht even. ‘Uit mijn eigen ervaring met hem, via de tussenpersoon Terry Dalton, een jonge knaap met wie hij bevriend was en voor wie hij zorgde, zou ik zeggen dat Billy een integer man en een man van eer was, ondanks het feit dat hij ook een dronkelap en een dief was.’
‘Maar dat betekent toch niet dat hij hiernaartoe moest komen?’
Deacon stond op en liep naar het raam om zijn peuk naar buiten te gooien. De lucht die naar binnen woei was schoon en rook een beetje naar de zee. Hij draaide zich weer om naar haar spaarzaam gemeubileerde, minimalistische interieur en begon te begrijpen waarom haar auto altijd op de oprit geparkeerd stond, waarom ze in haar huiskamer zo’n bedwelmende rozengeur had hangen en ook waarom ze zes maanden na Billy’s dood zo wanhopig graag wilde weten wie haar ongenode gast was geweest. Het was hem al eerder door het hoofd geschoten, maar hij had er toen niet aan gewild. Hij hield de rug van zijn hand tegen zijn neus en zag een blik van herkenning in haar ogen omdat hij reageerde zoals ze verwacht had toen hij voor het eerst haar huis betrad. ‘Wat heb je met hem gedaan, Amanda?’
‘Niets. Als ik had geweten dat hij hier was, zou ik hem hebben geholpen. Zoals ik jou ook heb geholpen.’
Ze had eerder die avond een formidabele acteerprestatie neergezet

voor Harrison, maar acteerde ze nu ook? Deacon dacht van niet, maar hij kon het niet goed beoordelen. 'Waarom heb je tegen Harrison gelogen over Barry en mij?' vroeg hij terwijl hij alle ramen openzette om de frisse, ijskoude lucht binnen te laten. Alles was beter dan die zoete, misselijkmakende geur van bederf en dood.
Ze schudde haar hoofd, niet in staat om te reageren op de plotselinge wending van het gesprek.
'Heeft de familie Streeter dan gelijk? Hebben jij en Nigel die fraude samen op touw gezet en toen James vermoord?'
Ze deed de zakdoek naar beneden. 'Die oplichting was het werk van James. Daarvan is iedereen overtuigd, behalve zijn familie. Ze waren zo trots op zijn maatschappelijke succes dat ze vergaten wie hij werkelijk was. Hij verachtte ze en bleef uit hun buurt uit angst dat hun armoede op hem zou overslaan.' Ze klonk erg bitter. 'Hij was altijd op geld uit. Altijd bezig uit te zoeken welke aandelen misschien van de ene dag op de andere in waarde zouden verdubbelen. Ik was absoluut niet verbaasd toen de politie mij kwam vertellen dat hij tien miljoen pond had verduisterd.'
'Waar had hij de kennis vandaan om het computersysteem te manipuleren? Heeft Marianne Filbert hem daarbij geholpen?'
Amanda haalde haar schouders op. 'Dat moet haast wel. Wie anders had dat kunnen doen?'
'Nigel de Vries?' opperde hij. 'Het was wel erg toevallig dat hij Softworks kocht nadat James en Marianne verdwenen waren.'
Ze leunde met haar hoofd tegen de rugleuning van haar stoel. 'Als Nigel er iets mee te maken had,' zei ze, 'dan heeft hij zich uitstekend weten af te schermen. Zijn gangen zijn ook nagegaan, net als die van alle anderen, maar alle verdenking ging in de richting van James. Het is jammer dat de familie Streeter dat niet wil zien, maar zo is het wel.'
'Als je zo'n hekel aan James hebt, waarom ben je dan nog steeds met hem getrouwd?'
'Ik wilde geen verdere publiciteit. En waarom zou je scheiden als je toch niet opnieuw wilt trouwen?' Onverwachts glimlachte ze. 'Voor alles bestaat een eenvoudige verklaring, hoor. Zelfs voor dit huis. De firma Lowndes, die de appartementen in Teddington heeft ontwikkeld, was ook de aannemer die deze wijk heeft gebouwd. Ik heb gewoon geruild. Ik heb aan hen alle rechten op de appartementen in Teddington overgedragen in ruil voor alle rechten op dit huis. En zij hebben meer garen gesponnen bij die ruil dan ik. Het verbouwen van de school was niet al te problematisch, want ik had de tekeningen al en ik had de vergunningen. Die appartementen waren al verkocht

voordat ze afgebouwd waren. Lowndes had veel meer problemen met de verkoop van deze huizen, want die hadden ze te hoog geprijsd en bovendien was de huizenmarkt in 1991 ingezakt. Je mag me geloven of niet, maar ik heb hun een plezier gedaan door er een van hen over te nemen.' Er klonk weer iets bitters door in haar stem. 'Als de bank me niet had gedreigd alle kredieten stop te zetten vanwege de onzekere toestand met James, zou ik veel meer hebben verdiend door gewoon door te gaan met dat project dan door in plaats daarvan dit huis te accepteren.'
Waren verklaringen ooit zo eenvoudig? Waarom had ze niet harder gevochten om haar project door te zetten? Ze was toch beslist geen doetje. *En toen ze zichzelf eenmaal van elke betrokkenheid bij de fraude had gevrijwaard...* 'Je hebt me verteld dat Billy het liefst zo dicht mogelijk bij de rivier verbleef,' zei hij, 'maar hetzelfde geldt voor jou. Teddington ligt aan de rivier. Dit huis ligt aan de rivier. Je kantoor ligt aan de rivier. Is de rivier misschien dat wat jullie bindt?'
Ze hield de zakdoek voor haar mond. In haar gezicht was nog steeds geen kleur te zien, behalve het blauw van haar ogen, die elke beweging volgden die hij maakte. 'Als ik het antwoord daarop wist...' Ze zweeg even. 'Ik dacht... nou ja, ik hoop dat het voldoende is om zeker te weten wie hij was. Als ik zijn naam op de plaquette kan zetten...' Ze zweeg.
'Dan kan hij in vrede rusten?'
Ze knikte. 'Het is niet altijd zo erg, weet u.' Ze gebaarde naar het raam. 'Het is erger geworden sinds u hier voor het eerst was.'
'Heeft hij ooit iets tegen je gezegd?'
'Nee.'
'Ik heb het idee dat ik hem wel eens heb gehoord,' zei Deacon, 'maar misschien was het ook wel een droom. "Verzwelger van uw ouders, thans begint uw onuitsprekelijke kwelling opnieuw." Dat hoorde ik.'
'Waarom zou Billy dat gezegd hebben?'
'Weet ik niet. Hij was geobsedeerd door religie. Ik denk dat hij misschien iemand vermoord had en dat hij geloofde dat hij verdoemd was. Zowel hij als zijn vrouw zagen de hel als hun onontkoombare lot.' *'Mijn eigen verlossing interesseert me niet...' Wiens verlossing dan wel? Die van Verity? Van Amanda?* Hij bekeek haar met een nieuwsgierige blik. 'Tegenover anderen predikte hij boetedoening, maar voor zichzelf zag hij de verlossing meer als een goddelijke hand die hem uit een bodemloze put zou moeten trekken. Hij zei dat er geen uitweg uit de hel is behalve door Gods barmhartigheid.'
Haar vingers klemden zich om de zakdoek, waardoor hij samenge-

drukt werd tot een klein balletje. 'Maar wat heeft dat met mij te maken?'
Of met mij, dacht Deacon. *Waarom heb ik het gevoel dat mijn lot onlosmakelijk verbonden is met dat van Billy...? Hij zei dat Londen een grote troep was... Ik heb mensen een gewelddadige dood zien sterven... De stront drijft de rivier af om stroomafwaarts onschuldige mensen te bevuilen...*
'Ik moet Nigel de Vries spreken,' zei hij ineens. 'Als hij Billy jouw adres heeft gegeven, dan heeft Billy hem misschien uitgelegd waarom hij dat wilde hebben.' Hij zweeg even en dacht na. 'Al verklaart dat niet waarom Nigel jou niet heeft gewaarschuwd dat je bezoek van hem kon verwachten.' Hij glimlachte even. 'Ik zou haast zeggen dat hij je niet mocht, Amanda, als Barry geen getuige was geweest van wat jullie vannacht aan het doen waren.'
Onverschillig haalde ze haar schouders op. 'Die vriend van u is in staat om de meest ziekelijke fantasieën te bedenken over wat hij allemaal door mijn raam gezien heeft. Ik word onpasselijk als ik denk aan wat hij met mijn foto heeft gedaan. Zelfs u zou moeten erkennen dat hij een onbetrouwbare getuige is.'
Deacon trok zijn jas dicht. Het was erg koud, al leek Amanda het niet te voelen. 'Nee, hoor. Hij is uiterst betrouwbaar als het om visuele dingen gaat. Gaat de samenzweringstheorie van de Streeters dan toch op? Is dat de reden waarom het zo belangrijk is om te blijven ontkennen dat Nigel hier is geweest?'
'Dat hebt u al eens gevraagd, en ik heb u mijn antwoord ook al gegeven.'
'Heb jij het telefoonnummer van De Vries?'
'Natuurlijk niet. Ik heb hem in geen jaren gezien.'
Hij lachte zachtjes. 'Dan hoop ik voor jou dat hij net zo goed kan liegen als jij. Je bent veel te mooi om als jokkebrok te kijk te staan.' Hij hief zijn hand ten afscheid. 'Ik wens je prettige kerstdagen, Amanda.'
'Ja, ik u ook, meneer Deacon.' Ze stak hem zijn zakdoek toe.
'Hou maar,' zei hij. 'Ik heb zo het idee dat jij hem meer nodig zult hebben dan ik.'

Terry Dalton (14)
Woonde met Billy
vanaf 1993

Cadogan Square
Huis van
Geoffrey Standish?

Parijs
Ambassade? Peter Fenton

Tom Beale (68)
Woonde met Billy vanaf...?

m. (1956)

m. (1980)

Verity
(1937 – 1988)

Anthony & Marilyn

Het pakhuis
(Hoe lang in vervallen staat?)

DE HEL

ZELFMOORD

Peter Fenton/Billy Blake (46)
(Winchester, Cambridge, Buitenlandse Zaken)
(1949 – 1995)
(Verdwenen 3 juli 1988)
Geoffrey Standish overleden 10-3-1971 – 30 km van Cambridge

IDENTITEIT

De Theems

MOORD

Nigel de Vries (48)
(Softworks/DVS/verliet
Lowenstein – 1980)

Amanda Streeter-Powell (36)
m. (1986)
James Streeter (44)
(Verdwenen 27 april 1990)

GELD

W.F. Meredith (architecten)
Teddington
appartementen (c. 1900)
Thamesbank
(Amanda verhuisd 1990)
(waar vandaan?)

Lowensteins Bank

Marianne Filbert
(Verliet GB, naar USA – 1989)
(Verdwenen april 1990)

Waar was Billy in april 1990?

18

'MIKE EN JIJ DENKEN ZEKER DAT IK NIET GOED WIJS BEN,' ZEI TERRY terwijl hij nog een blikje bier opentrok en weer languit op de bank ging liggen. 'Ik geloof geen reet van wat jullie me proberen wijs te maken; dat jij wilde weten hoe Amanda eruitziet. Ik heb gezien hoe jij naar Mike kijkt, en ik heb gezien hoe hij naar jou kijkt. Volgens mij zit jij ernaar te smachten dat hij je keukentje komt witten, en heeft hij daar geen zin in.'

Barry weigerde hem aan te kijken. 'Ik begrijp niet wat je bedoelt,' zei hij.

'O, jawel, dat begrijp je best. Jij bent een mietje, Barry. Waar was je eigenlijk naar op zoek toen je bij Amanda in de tuin rondliep? En waarvoor ben je gearresteerd?' Hij stak een sigaret tussen zijn lippen en rolde die met het puntje van zijn tong heen en weer in zijn mond. 'Weet je wat ik denk? Ik denk dat je heel opgewonden was geraakt door al dat gezuip, en dat je toen hebt besloten je concurrentie een beetje te beschadigen. Ik durf te wedden dat het je flink dwarszit dat Mike meer oog heeft voor Amanda dan voor jou. Heb ik gelijk of heb ik geen ongelijk?'

Barry stak zijn hand uit om de televisie wat harder te zetten. 'Met jou praat ik niet meer,' zei hij.

'Daar kan ik inkomen. Dan zou je iets te horen kunnen krijgen wat je liever niet hoort. Bijvoorbeeld dat Mike niet zo onbereikbaar is als het wel lijkt.' Zijn lippen versmalden zich tot een gemene, dunne streep terwijl hij zijn sigaret aanstak. 'Mij wil hij wel, dat is duidelijk.'

Barry zei niets.

'En hoe zit dat met jou? Jij geilt toch ook wel op mij, is het niet? Je had het niet meer, hè, laatst, toen we die foto's aan het bekijken waren?' Hij leunde op een elleboog en nam luidruchtig een paar slokken bier.

'Dat soort dingen moet je niet zeggen.'

'Waarom niet?' vroeg de jongen sarrend. 'Je raakt er opgewonden van, hè?'

Barry betwijfelde of hij ooit in zijn leven nog wel eens ergens opgewonden van zou raken. Angst was de enige emotie die hem op dat moment vertrouwd was. Hij had beter op zijn eerste indruk kunnen vertrouwen: dat Terry een kaalgeschoren stuk schorriemorrie was. Dan had hij zichzelf deze enorme teleurstelling kunnen besparen. Hij deed zijn bril af en staarde met nietsziende ogen naar het televisiescherm. 'Als ik wat flinker was, dan zou ik je een afstraffing geven. Niet om mezelf, maar voor Mike. Wat je over mij zegt kan me niet schelen, de mensen praten al mijn hele leven achter mijn rug over me. Maar Mike verdient beter. En het droevige is dat hij denkt dat jij een fatsoenlijke knaap bent.' Hij kneep in de brug van zijn neus om zijn tranen terug te dringen. 'Mijn god, wat heeft hij zich vergist!'
'Nou, volgens mij ben jij niet degene die mij de les mag lezen over fatsoen, want ik heb begrepen dat jij juist bent gearresteerd vanwege je onfatsoen.'
'Heb je van Billy's affectie net zo'n misbruik gemaakt als bij Mike?'
'Als ik wist wat het betekende, zou ik het je misschien kunnen vertellen.'
'O ja, dat vergat ik haast: je bent niet alleen onfatsoenlijk, je weet ook niks.'
Terry grijnsde. 'Kijk een beetje uit met wat je tegen me zegt, Barry. Van flikkers ben ik niet bang.' Hij blies een grote rookwolk in Barry's richting.
'Wil je dat laten?' zei de kleine man met afgeknepen stem. 'Ik heb last van astma.'
'Ach, god! Als je niet zo'n verwijfd type was, zou je me een pak slaag gegeven hebben. Heb je dan helemaal geen lef?'
Hij was volstrekt onvoorbereid op de snelheid waarmee Barry opsprong en op hem af vloog, en net zo verrast door het gewicht en de kracht van de kleine man. Terwijl zijn longen hun werk probeerden te doen onder de gecombineerde druk van Barry's knellende vingers om zijn keel en diens stevig op zijn borst geplante knie, schoot het door hem heen dat hij in dit geval de verkeerde had uitgekozen voor zijn verkrachtingstruc. Doodsbang keek hij in Barry's nietsziende ogen, waarin slechts waanzin te lezen was.

'Waar is Terry?' vroeg Deacon toen hij zijn appartement weer binnen stapte.
'In zijn kamer.'
'Slaapt hij?'
'Dat zal wel. Hij is er een halfuur geleden heen gegaan. Kan ik iets

voor je halen, Mike? Wil je koffie, of iets anders?'
Deacon liet zijn blik door de kamer gaan. Hij zag Terry's sigaretten op de grond liggen, met daarnaast de vlek op het tapijt op de plek waar het bierblikje was omgevallen. 'Wat is er hier gebeurd?'
Barry volgde zijn blik. 'O, dat. Hij heeft per ongeluk zijn bier om laten vallen. Hij was moe, Mike. Hij is pas veertien, moet je niet vergeten.'
'Heeft hij geprobeerd wat uit te halen?'
'Vraag hem dat liever zelf maar.'
'Oké. Wat dacht je van koffie? Ik ga wel even naar hem kijken terwijl jij met de koffie bezig bent.' Hij keek hoe de ander de keuken in ging, liep toen het gangetje in en klopte zachtjes op de deur van de logeerkamer.
'Als jij dat bent, vieze vuile moordenaar,' hoorde hij Terry's stem vanachter de deur, 'sodemieter dan maar gauw op. Ik kom pas naar buiten als Mike terug is.'
'Ik ben het, Mike.'
'Jezus,' zei de jongen terwijl hij de deur opendeed, 'wat ben ik blij om je te zien. Barry is helemaal gek geworden. Hij heeft geprobeerd me te vermoorden.' Hij wees op zijn keel. 'Kijk eens! Helemaal paars, verdomme!'
'Ziet er beroerd uit,' zei Deacon, de vlekken aan de keel van de jongen inspecterend. 'Waarom heeft hij dat gedaan?'
'Omdat hij niet goed bij zijn hoofd is, daarom.' Terry stak zijn hoofd zenuwachtig om de hoek van de deur. 'Eigenlijk zou je de politie op hem af moeten sturen. Hij is levensgevaarlijk, die vent.'
'Nou, je gaat je gang maar,' zei Deacon met toegeknepen ogen. 'Zo voorzichtig was je ook niet toen Denning door het lint ging.'
'Dat was iets anders.'
'Je bedoelt zeker dat Denning geen reden had om Walt te grazen te nemen, maar dat Barry een verdomd goede reden had om jou aan te vallen. Je bent een stomme zak, Terry. Ik had je nog gewaarschuwd dat je je moest gedragen terwijl ik weg was. En eerlijk gezegd vind ik dat je hier maar weg moet als je het niet kunt opbrengen Barry met respect te behandelen.'
'Hoe weet je dat hij niet degene was die begonnen is?'
'Ik ken de wet van de jungle. Konijnen vallen nooit wezels aan, tenzij ze in een hoek gedreven worden. En bovendien leef je nog, wat niet het geval zou zijn als Barry een krankzinnige was.' Hij liep van de jongen weg. 'Je biedt je verontschuldigingen aan of je gaat hier weg.'

'Ik ga me niet verontschuldigen bij een vieze flikker. Híj heeft geprobeerd míj te vermoorden.'
Deacon draaide zich om. 'Je hebt ook helemaal niks geleerd van Billy, hè?' zei hij vermoeid. 'Billy heeft zijn hand in het vuur gestoken om jou het gevaar van een onbeheerste woede te leren kennen, en het maakt niet uit of het jouw woede is of die van iemand anders. Maar jij was te stom om te begrijpen wat hij bedoelde. Ik begin te geloven dat ik mijn tijd aan het verspillen ben met jou, net als Billy. Hoepel maar op.'

Het was een uiterst timide Terry die tien minuten later bij hen in de keuken kwam staan. Zijn ogen waren rood en zijn manier van lopen was minder zelfverzekerd dan anders. Deacon, die zijn notities aan het bijwerken was, keek even op, gaf geen krimp en ging toen weer door met hetgeen waarmee hij bezig was. Terry stak zijn magere hand uit naar Barry. 'Het spijt me, maat,' zei hij. 'Ik heb me naar tegen je gedragen. Hoop dat je niet boos op me bent.'
Barry, die er ongemakkelijk en stilletjes bij had gezeten terwijl Deacon zich met zijn eigen bezigheden bemoeide, nam de uitgestoken hand verrast aan. Hij keek naar de vlekken op Terry's hals en zei: 'Hm, ik geloof dat ik degene ben die zijn verontschuldigingen moet aanbieden.'
'Nee, hoor. Mike heeft gelijk. Ik was degene die jou ertoe gedwongen heeft. Je bent flinker dan je denkt. Je zei dat je me een afstraffing wilde geven, en dat heb je gedaan ook. Het was mijn schuld.'
Barry keek alsof hij op het punt stond hem gelijk te geven, maar toen zag hij Deacon kijken en bedacht hij zich. Het enige wat Deacon tegen hem had gezegd sinds hij naar de keuken was gekomen, was: 'Het kan me niet schelen wat hij tegen je heeft gezegd, Barry, als je ooit weer een kind mishandelt, sloop ik je.'
Deacon wees op een lege stoel terwijl hij zijn schema opzij schoof. 'Ga zitten,' zei hij terwijl hij luisterde naar de kerstklokken die in de verte luidden. 'Misschien hadden we naar de nachtmis moeten gaan,' zei hij, in de richting van het raam knikkend. 'Als kind ging ik altijd met mijn familie naar de nachtmis. Dat waren de enige keren dat we als gezin een beetje normaal functioneerden.'
Terry, die aanvoelde dat er sprake was van een wapenstilstand, herstelde zich. 'Was je naar de nachtmis geweest in de nacht dat je vader zich van kant maakte?'
Deacon moest even lachen om Barry's verschrikte uitdrukking, die, dacht hij, meer Terry's ongevoeligheid gold dan de afschuwelijke ma-

nier waarop zijn vader aan zijn eind was gekomen. 'Nee. Als we dat wel hadden gedaan, was het niet gebeurd. We zijn opgehouden met naar de kerk gaan toen hij en mijn moeder niet meer met elkaar spraken.'
'Billy zei wel eens dat een gezin dat samen bidt niet uit elkaar valt.'
Deacon gaf geen antwoord omdat hij de jongen zijn illusies niet wilde ontnemen. Hij dacht regelmatig dat het aan de opeenstapeling van teleurstellingen van duizenden onbeantwoorde gebeden had gelegen dat het gezin waar hij uit kwam uiteen was gevallen. *Alstublieft, God, laat pa aardig zijn tegen mijn vrienden... Alstublieft, God, laat pa zo ziek zijn dat hij niet naar de sportdag kan komen... Alstublieft, God, laat pa sterven...*
'Mijn vader was een atheïst,' zei Barry verontschuldigend, alsof ook hij de jongen geen desillusies wilde bezorgen.
'En hoe is het met hem afgelopen?' vroeg Terry.
'Hij is overleden aan een hartaanval toen ik tien was.' Barry zuchtte. 'Het was heel triest. Mijn moeder is daarna heel erg veranderd. Ze was vroeger altijd heel vrolijk, maar nu... De moeilijkheid is dat ik zo op mijn vader lijk... dat vindt ze naar, geloof ik.'
Het gesprek stokte, en samen luisterden ze naar de beierende klokken. Deacon had er spijt van dat hij allerlei herinneringen had opgeroepen, hoe goed hij het ook had bedoeld. Twintig jaren waren er voorbijgegaan, en nog steeds kon hij zich niet losmaken van de herinnering aan de afschuwelijke aanblik van de met bloed besmeurde studeerkamer van zijn vader en de vormeloze hoop die ooit Francis Deacon was geweest. Zelfmoord, bedacht hij, was de minst acceptabele dood omdat er geen tijd was om je op de schok van het verlies voor te bereiden. De rouw was bij hem steeds gemengd geweest met de walging die hij had gevoeld toen hij het bloed en de hersenen van zijn vader van de muren, de schilderijen en de boeken veegde.
Het was voor hem aanleiding om weer te denken aan die andere zelfmoord. 'Ik vraag me af waarom Verity zichzelf heeft verhangen,' mompelde hij.
'Volgens mij heeft ze dat niet gedaan,' zei Terry. 'Volgens mij heeft Billy haar vermoord.' Hij maakte een gebaar alsof hij de lucht voor zijn voorhoofd vastgreep. 'Dat was voor hem meer dan genoeg om hem gek te maken.'
Deacon schudde zijn hoofd. 'Dat moet de politie heel goed onderzocht hebben. Het moet heel duidelijk zelfmoord zijn geweest als zij daarvan overtuigd waren.'
'Ik denk dat Anne Cattrell gelijk heeft,' zei Barry. 'Als Verity er per

ongeluk achter gekomen is dat ze met de moordenaar van haar echtgenoot getrouwd was, zou dat dan geen reden genoeg zijn geweest om zelfmoord te plegen?'
'Ik zou niet weten waarom. Ze haatte Geoffrey toch.' Deacon tikte met zijn potlood tegen zijn tanden. 'Volgens het boek van Roger Hyde dacht haar zoon dat zij een buitenechtelijke relatie had.' Hij trok een cirkel om Verity's naam en verbond die via een lijn met de naam van James Streeter. 'Wat dachten jullie daarvan? Denk er eens aan hoeveel James en Peter op elkaar leken. Alleen al om zijn uiterlijk zou ze zich aangetrokken hebben moeten voelen tot James. Dat is mogelijk de reden dat Billy het adres van Amanda wilde weten.'
'Bedoel je dat hij uit was op wraak?' vroeg Terry twijfelachtig. 'Dat zie ik niet in, Mike. Ten eerste zou hij dan wraak nemen op de verkeerde persoon, en ten tweede zou die schotel dan niet koud worden opgediend maar regelrecht uit de diepvries komen.'
Deacon grinnikte. Hij zou nooit tegen de jongen zeggen hoeveel bewondering hij had voor de manier waarop hij op Barry was afgestapt en hem de hand had geschud, maar dat betekende niet dat hij die bewondering niet voelde. *Een afspiegeling van zijn relatie met zijn moeder? Uiteindelijk was de liefde misschien sterker omdat hij verborgen was gehouden. Clara was altijd blijven zeggen dat ze van hem hield, zelfs nog vlak voordat ze bij hem wegging.* 'Oké dan, slimmerik, doe me dan eens een beter idee aan de hand.'
'Ik heb geen beter idee. Volgens mij heeft het allemaal te maken met het lot. Amanda had natuurlijk met elke journalist kunnen gaan praten, maar ze heeft precies diegene uitgezocht die er zo diep in zou duiken dat hij de zaak niet meer kon loslaten. Je hebt zelf ook gezegd dat jij en Billy met elkaar verbonden zijn door het lot.'
'Zij heeft mij niet uitgekozen,' zei Deacon. 'Ik heb haar uitgekozen, of liever gezegd, mijn hoofdredacteur heeft mij tegen mijn wil op haar af gestuurd om haar te interviewen. Het hangt ervan af wat ze wilde bereiken of je kunt zeggen dat het haar geluk dan wel haar ongeluk was dat Billy's leven in het mijne resoneert.'
Maar Terry liet zich niet zo makkelijk van zijn stuk brengen. 'En dan ben ik er ook nog. Ik ben nooit van plan geweest jou te bellen om over Billy te praten, maar op een gegeven moment moest het wel, vanwege Walt. En als Harrison Tom niet had herkend, zou ik me geen zorgen hebben gemaakt dat hij me zou laten vallen, en als jij ouwe Lawrence niet was tegengekomen en hem niet had weten over te halen je handje vast te komen houden, dan zou hij geen gedachten hebben gehad over verstandig ouderschap...' – hij zweeg even om

adem te kunnen halen – 'en dan zou ik hier nu niet zijn. En bovendien, dan zou Barry niet dronken zijn geworden en zou hij Amanda niet zijn gaan begluren en dan zouden we geen van allen weten dat Nigel haar nog neukt. Dat is nou het lot,' besloot hij triomfantelijk. 'Nietwaar, Barry?'

Barry boog zijn hoofd voorover om zijn bril af te zetten. Hij was zo moe na alle emoties van de voorgaande vierentwintig uur dat hij steeds meer moeite had het gesprek te volgen. 'Volgens mij hangt het ervan af of je, zoals mijn vader, denkt dat alles toeval is,' zei hij langzaam. 'Hij geloofde dat er in het leven geen ander doel bestond dan de voortzetting van de soort, en dat je kon kiezen tussen lijden aan je doelloze bestaan of ervan genieten. Alleen als je ervan wilde genieten, dan moest je het leven goed plannen om de onprettige kanten van het toeval zoveel mogelijk uit te sluiten.' Hij glimlachte triest. 'En toen overleed hij aan een hartaanval.'

'Denk jij er ook zo over?' vroeg Deacon nieuwsgierig.

'Nee, hoor. Ik ben het met Terry eens. Ik denk dat het lot een grote rol speelt in wat ons overkomt.' Zenuwachtig zette hij zijn bril weer op; het leek wel alsof hij zich achter zijn brillenglazen verschool als een onervaren ridder die zich voorbereidde op de veldslag. 'Ik kan er niks aan doen, maar ik heb steeds het gevoel dat het niet echt uitmaakt waarom Verity zich heeft verhangen of niet heeft verhangen. Voor wat Amanda Powell betreft, in ieder geval.' Hij plaatste zijn dikke wijsvinger op Deacons schema, op de plaats waar stond: *Waar was Billy in april 1990?* 'Dit is Billy Blakes lot, niet dat van Peter Fenton. Peter Fenton is in 1988 overleden.'

In de verte begonnen de kerstklokken te luiden. Het was Kerstmis.

Deacon werd die nacht geplaagd door allerlei vreemde dromen, die hij weet aan het feit dat hij ervoor had gekozen op de bank te gaan slapen, zodat Barry en Terry ieder een eigen slaapkamer hadden en hijzelf zo nodig een fysieke barrière tussen hen vormde. Naderhand dacht hij wel dat het te makkelijk was om maar gewoon te zeggen dat hij een slechte nacht had gehad. Ertussendoor speelden bij hem de onderbewuste angst om te worden aangezien voor een homoseksuele verkrachter en allerlei herinneringen aan zijn vader, die er aanleiding toe waren dat hij van een bebloede James Streeter droomde.

Om vier uur in de ochtend werd hij gespannen wakker en was hij ervan overtuigd dat híj James Streeter was en dat hij wakker was geworden enkele ogenblikken voordat de laatste en dodelijk slag hem zou treffen. Zijn hoofd droop van het zweet – *of was het bloed?* – en zijn hart bonsde in de nachtelijke stilte.

Het werd al snel duidelijk dat er maar één de baas kon zijn in de keuken. Barry was aanvankelijk heel geduldig, maar geconfronteerd met de onhandigheid van Deacon en Terry nam zijn irritatie snel toe, om in betrekkelijk korte tijd zelfs om te slaan in regelrechte tirannie. 'Mijn moeder zou je hiervoor vermoord hebben,' zei hij ijzig terwijl hij Deacon wegduwde bij een kom kletsnat vulsel voor de kalkoen, die hij vervolgens in de gootsteen plaatste.
'Hoe moet ik dat nou goed krijgen zonder maatbeker?' vroeg Deacon mokkend.
'Gebruik je verstand en voeg het water er een beetje langzamer aan toe,' zei Barry, die de natte klomp in een zeef legde en het overtollige vocht eruit perste. 'Je zal er misschien van opkijken, Mike, maar het vulsel hoort niet in de kalkoen gegóten te worden. Dan hadden ze het wel gietsel genoemd, en geen vulsel.'
'Oké, oké, ik begrijp wel wat je bedoelt. Ik ben niet helemaal gek.'
'Ik zei toch al dat hij niet kan koken,' zei Terry eigenwijs.
Barry's verontwaardiging richtte zich nu op de jongen. Hij pakte een klein spruitje uit het vergiet. 'Wat is dit?' vroeg hij streng.
'Een spruitje.'
'Herstel: het wás een spruitje. Nu is het een erwt. Toen ik tegen je zei dat je de buitenste blaadjes eraf moest halen, bedoelde ik de buitenste laag, niet twee centimeter van de buitenste lagen. Het is de bedoeling dat we ze gaan opeten, niet doorslikken met een glaasje water.'
'Je bent aan een borrel toe,' zei Deacons kaalgeschoren beschermeling droog. 'Je bent niet om uit te staan als je nuchter bent.'
'Een borrel?' piepte Barry stampvoetend. 'Het is negen uur in de ochtend, en we hebben die kalkoen nog niet eens in de oven.' Met een dramatisch gebaar wees hij in de richting van de keukendeur. 'Eruit, jullie allebei,' commandeerde hij. 'Anders krijgen we helemaal niks te eten.'
Deacon schudde zijn hoofd. 'Dat kan niet, hoor. Ik heb Lawrence Greenhill uitgenodigd, en hij zal heel teleurgesteld zijn als er niets te eten is.' Hij zag Barry rood worden van woede en hield zijn handen afwerend voor zich terwijl hij achteruit begon te lopen. 'Geen paniek. Het is zo'n kerel, hoor. Je zal hem best aardig vinden. En ik weet zeker dat hij het geen ramp vindt als de maaltijd niet precies om één uur klaar is. Weet je wat?' vroeg hij alsof híj op het idee gekomen was. 'Terry en ik gaan de keuken uit; dan kan jij lekker doorwerken. Dan zijn we straks op tijd terug om de tafel te dekken.'
'Ja, goed idee,' zei Terry, zijn twee duimen opheffend. 'Oké, Barry.

Zorg maar dat je lekker veel gebakken aardappels hebt, want daar houd ik van, weet je.'
Deacon pakte hem bij zijn kraag om te zorgen dat hij de keuken uit was voordat de kok spontaan uit elkaar zou ploffen.

'Waar gaan we heen?' vroeg Terry toen ze in de auto stapten. 'We hebben drie uur zoek te brengen.'
'We gaan eerst maar eens even in troebel water vissen,' zei Deacon terwijl hij zijn zaktelefoon pakte en de inlichtingen belde. 'Ja, hallo. Ik wilde graag het nummer van de heer N. de Vries; hij woont in Halcombe House in de buurt van Andover. Dank u.' Hij haalde een pen uit zijn binnenzak en noteerde het nummer op het manchet van zijn overhemd, waarna hij de telefoon weer uitschakelde.
'Wat ga je doen?'
'Hem bellen en vragen wat hij zaterdagnacht bij Amanda Powell deed.'
'En als zijn vrouw nou opneemt?'
'Dan wordt het gesprek nog interessanter.'
'Je bent wel gemeen, hoor. Het is Kerstmis.'
Deacon grinnikte. 'Ik denk niet dat iemand de telefoon zal opnemen. Het is natuurlijk het nummer van zijn secretaresse. Types als De Vries hebben altijd een geheim privé-nummer.' Hij keek op zijn manchet terwijl hij het nummer intoetste. 'Maar ik zal wel ophangen als ik Fiona aan de lijn krijg,' beloofde hij terwijl hij de telefoon tegen zijn oor hield. 'Hallo?' Hij klonk verbaasd. 'Spreek ik met Nigel de Vries...? Is hij in de buurt...? O, hij is weg. Ja, het is belangrijk. Ik probeer hem al sinds vrijdag te bereiken. Het gaat over een zakelijke aangelegenheid... Mijn naam is Michael Deacon... Nee, ik bel met een mobiele telefoon...' Er volgde een lange stilte. 'Zou ik zijn vrouw kunnen spreken...? Zou u me dan een nummer kunnen geven waar ik hem wel kan bereiken...? Kunt u me dan zeggen wanneer hij terug verwacht wordt...? Mijn nummer thuis? Ja, hoor. Vanaf het begin van de middag ben ik daar weer te bereiken. Dank u wel.' Hij gaf zijn telefoonnummer thuis, zette het toestel uit en keek Terry met een gefronst voorhoofd aan. 'Nigel de Vries is een paar dagen weg, en zijn vrouw voelt zich niet lekker en wil niemand spreken.'
'Jezus, wat een schoft! Hij heeft natuurlijk dat arme mens ingeruild voor Amanda.'
Deacon trommelde op het stuur. 'Nou, ik zou er al mijn geld op in willen zetten dat het een politieman was die ik aan de lijn had. En de politie haal je niet in huis omdat je man een andere vrouw naait.'

'Waarom denk je dat het een smeris was?'
'Omdat hij het heel efficiënt aanpakte. Hij onderbrak me toen ik gezegd had wie ik was om te kijken of mijn naam degenen die bij hem waren iets zei.'
'Het zou de butler geweest kunnen zijn. Als je in zo'n huis woont heb je meestal ook wel een butler.'
Deacon startte de auto. 'Butlers melden zich altijd het eerst,' zei hij, 'maar deze man bleef zwijgen totdat ik naar Nigel de Vries vroeg.' Hij reed weg. 'Hij zal toch niet verdwenen zijn, hè?'
'Zoals James?'
'Ja.'
'Waarom zou hij dat doen?'
'Omdat Amanda hem heeft gewaarschuwd dat Barry hem in haar huis heeft gezien en hij toen heeft besloten ervandoor te gaan.'
'Maar waarom is zij dan niet ook verdwenen?'
Deacon dacht ineens weer aan de koffer die hij in de hal had zien staan. 'Misschien is ze dat wel,' zei hij enigszins korzelig. 'Dat gaan we nu uitzoeken.'

Ze reden naar de wijk Thamesbank en parkeerden de auto tegenover Amanda's huis. Het zag er verlaten uit. De gordijnen waren open, maar hoewel het een sombere, grijze ochtend was, brandde er binnen geen licht en stond haar auto niet voor de garage.
'Misschien is ze wel naar de kerk,' zei Terry met weinig overtuiging.
'Blijf jij maar even zitten,' zei Deacon. 'Dan ga ik eens even door het raam van haar huiskamer kijken.'
'Nou, kijk jij maar uit,' zei de jongen stuurs. 'Denk aan wat er met Barry gebeurd is. Als de buren je zien, moeten we weer naar het bureau om daar allemaal stomme vragen te gaan beantwoorden, en ik ben niet van plan twee keer achter elkaar mijn middagmaal mis te lopen.'
'Ik ben zo terug.' En hij hield woord: binnen vijf minuten was hij er weer. 'Geen spoor van haar te bekennen,' zei hij terwijl hij weer achter het stuur ging zitten en zijn sigaretten te voorschijn haalde. 'Dus wat doen we nou?'
'Niks,' zei Terry vastberaden. 'Laat de politie het maar uitzoeken. Ik bedoel, je slaat toch een modderfiguur als je gaat zitten vertellen dat Amanda en Nigel verdwenen zijn, terwijl ze gewoon ergens in een hotelletje zitten om lekker te gaan naaien. Ze houdt je echt bezig, hè? Ik kan er alleen niet achter komen of je iets met haar wil of dat je haar een stomme trut vindt. Alles bij elkaar genomen denk ik dat je wel wat in haar ziet; anders zou je er nooit zo de pest aan hebben dat ze

het nog steeds met Nigel doet.' Hij keek Deacon met een ondeugende blik van opzij aan. 'Iedere keer als iemand erover begint, lijkt het wel alsof je op citroenen zit te kauwen.'
Deacon negeerde zijn opmerkingen. 'Al deze huizen hier zijn hetzelfde, en zij woont op nummer tien. Waarom heeft Billy juist haar huis uitgekozen?'
'Omdat de garagedeur open was.'
'Bij nummer acht staat hij nu ook open.'
'En wat dan nog? Toen Billy hier was, stond hij niet open.'
Deacon keek hem aan. 'Hoe weet jij dat?'
Er viel een korte stilte voordat Terry antwoordde. 'O, dat lijkt me zo. Luister eens, ben je van plan hier de hele dag te blijven, of hoe zit het? Barry zal niet blij zijn als Lawrence aan de deur is voordat wij terug zijn.'

Ondanks Terry's protesten stopte Deacon bij het politiebureau om binnen te gaan vragen of ze hem adjudant Harrisons telefoonnummer thuis zouden willen geven. Meneer maakte natuurlijk een grapje. Dacht hij soms dat privé-nummers van politiemannen zomaar aan iedereen meegedeeld werden? Was meneer vergeten dat het Kerstmis was, en dat politiemannen, net als gewone mensen, ook wel eens naar een paar dagen rust te midden van hun gezin verlangden? Deacon bleef echter aandringen, en ten slotte kwamen ze overeen dat de dienstdoende agent Harrison 'op een acceptabel tijdstip' zou bellen en hem de boodschap door zou geven dat Michael Deacon hem dringend wilde spreken over een aangelegenheid die te maken had met Amanda Powell en Nigel de Vries.
'Het is half elf,' zei Deacon op zijn horloge tikkend. 'Waarom is dit geen acceptabel tijdstip?'
'Sommige mensen gaan naar de kerk op de geboortedag van de Heer,' was het scherpe antwoord.
'Maar de meeste mensen niet,' mompelde Deacon.
'Helaas is dat waar, ja. Want in een godvrezende samenleving heb je een stuk minder criminelen.'
'Maar wel zo veel hypocrieten dat je geen mens op zijn woord kunt geloven.'
'Wilt u nog dat ik dat telefoontje voor u pleeg, meneer?'
'Ja, alstublieft,' zei Deacon gedwee.

Toen ze ongeveer een kilometer van Deacons appartement verwijderd waren, parkeerde hij de auto tegen de stoeprand en zette de mo-

tor af. 'Je hebt tegen mij gelogen, hè?' zei hij op vriendelijke toon. 'Nu wil ik graag de waarheid horen.'
Terry was diep beledigd. 'Ik heb niet tegen je gelogen.'
'Ik draag je over aan de kinderbescherming als je niet verdomd snel je mond opendoet.'
'Dat is chantage, weet je dat wel?'
'Precies.'
'Ik dacht dat je op me gesteld was.'
'Ben ik ook.'
'Nou dan?'
'Hoezo, nou dan?' vroeg Deacon geduldig.
'Ik wil bij jou blijven.'
'Ik wil niet onder één dak wonen met een leugenaar.'
'Maar als ik de waarheid zeg, mag ik blijven?'
Het klonk als een echo van wat Barry gisteren gezegd had... 'Laten ze me gaan als ik de waarheid zeg...?' Maar wat was waarheid...? Verity...?
'Je bedoelt zeker: als het kop is, win jij, en als het staart is, verlies ik.'
'Ik begrijp niet wat je bedoelt.'
'Nou, dat je de afgelopen drie dagen alle mogelijke moeite hebt gedaan bij mij in het gevlij te komen zonder me de waarheid te zeggen.'
Deacon speelde even met de gedachte terug te komen op Terry's gedrag van de vorige avond, maar bedacht dat hij uit eigen ervaring wist dat gepraat achteraf altijd op bitterheid uitliep en er nooit wat mee te bereiken viel, behalve een voortdurende staat van oorlog.
'Ach, ik ging ervan uit dat jij tijd nodig had om mij te leren kennen. Het heeft Billy een paar maanden gekost om te beseffen dat ik een lot uit de loterij was. Maar in ieder geval kan je me niet op straat zetten. Nog niet, tenminste. Ik heb nog niet leren lezen, en ik wil ook dat geld verdienen dat je me beloofd hebt.'
'Je hebt me al een fortuin gekost.'
'Ja, maar jij bent rijk. Alleen dat huis van je moeder is al een aardig bedrag waard, dus je kan het je best veroorloven mij ook de kost te geven.'
'Ik heb tegen haar gezegd dat ze het moest verkopen.'
'Maar dat doet ze niet. Ze heeft er veel spijt van dat ze dat testament van je vader heeft verscheurd en je geld aan je zuster heeft gegeven. Als het haar tijd is – en ze geeft zichzelf nog een paar maanden – dan gaat ze als een nachtkaars uit. Dat heeft ze al besloten, en er is niets wat je daaraan kan doen, tenzij je het voor haar de moeite waard maakt om nog wat langer te blijven leven.'

'En hoe moet ik dat doen?'
De lichte ogen van de jongen straalden een soort oerwijsheid uit. 'Billy zei dat nieuwsgierigheid de mensen in leven houdt, dat we allemaal graag willen weten wat er verder gaat gebeuren. En dat degenen die zichzelf van kant maken of het bijltje erbij neergooien en doodgaan voordat het hun tijd is, denken dat niets nog de moeite loont om nieuwsgierig naar te zijn.' Hij meende het serieus. 'Jij en je moeder hebben niks om over te praten, behalve datgene waar je zo boos om bent geworden dat je bij haar bent weggelopen, dus dan moet je haar iets anders geven waar ze over na kan denken. Mij bijvoorbeeld. Ze zou het heel spannend vinden als jij zou zeggen dat je mij bij je houdt. Dan gaat ze voortdurend zitten bellen en gaat ze zich met ons bemoeien.'
'Nou, dat lijkt me dus helemaal geen goed idee.'
'Maar als je haar niet een reden geeft om met je te praten, gaan er weer vijf jaar op die manier voorbij. En dat wil jij net zomin als zij.'
'Zeg, weet jij wel zeker dat je pas veertien bent?' vroeg Deacon achterdochtig. 'Als ik je zo hoor praten, denk ik wel eens dat je veertig bent.'
Terry keek gekwetst. 'Ik ben geen kind meer. Ik ben trouwens al bijna vijftien.'
'De kinderbescherming vindt het nooit goed dat je bij mij blijft,' zei Deacon terwijl hij hem een sigaret gaf. 'Zodra ik zeg dat ik graag voor je wil zorgen, denken ze gelijk dat ik een pedofiel ben. Het is tegenwoordig een hachelijke zaak om als man iemand van onder de zestien aardig te vinden.' Hij stak de sigaret aan. 'En daarbij komt dat ik onverantwoorde dingen doe. Om te beginnen zou ik het niet goed moeten vinden dat je die rotzooi rookt.'
'Ach, hou toch op. Billy zeurde nooit zo tegen me. Hij accepteerde me gewoon alsof ik zijn verloren gewaande zoon was. Ik vraag je niet om mij te adopteren, want het kan best zijn dat ik over een paar maanden weer mijn stutten trek. Ik wil gewoon even wat langer blijven, leren lezen en je moeder nog een aantal keren spreken. We leven hier in een vrij land, en je doet er niks verkeerds mee. Als jij iemand onderdak geeft, wat heeft de kinderbescherming daar dan mee te maken?'
'Nou, ze worden ervoor betaald,' zei Deacon cynisch, en keek naar buiten. 'En wat zal het me allemaal niet kosten om een uit de kluiten gewassen tiener wekenlang te voeden, te kleden en van bier en sigaretten te voorzien?'
'Ik ga wel bedelen. Dat scheelt.'

'Absoluut niet. Ik wil geen bedelaar in mijn huis, en ook geen analfabeet die bovendien van niks weet. Je moet nog heel veel leren.' *Zeg het nou niet, Deacon...* 'Je zal me aan de bedelstaf brengen, ik kom waarschijnlijk in de gevangenis, en uiteindelijk verdwijn je en blijf ik zitten met de vraag waar ik in godsnaam aan begonnen was.'
'Nee, zo gaat het helemaal niet. Ik was toch ook Billy's vriend? En het was een stuk moeilijker om hém aardig te vinden dan jou.'
Deacon keek hem aan. 'Als je ook maar iets doet waardoor ik te maken krijg met de kinderbescherming of met de politie, dan kom ik zodra ze me uit de gevangenis ontslaan met een bijl achter je aan. Is dat een deal?' Hij stak zijn hand uit.
Terry pakte zijn uitgestoken hand gretig aan. 'Het is een deal. Mag ik nou even je moeder bellen en haar prettige kerstdagen wensen?' Hij pakte de telefoon. 'Wat is haar nummer?'
Deacon gaf het hem 'Je bent echt op haar gesteld, hè?' vroeg hij verwonderd.
'Zij is een soort oudere versie van jou,' zei Terry droog, 'en ik heb nooit eerder twee mensen ontmoet die me meteen met respect behandelden. Zelfs je zwager Hugh was geen kwaaie, dus misschien zijn jullie geen van allen zo slecht als jullie zelf graag geloven. Heb je daar wel eens aan gedacht?'

19

WAT TERRY HAD VERZWEGEN WAS DAT HIJ BILLY NOG WEL EEN KEER HAD gezien voordat hij overleed. Eén keer maar, bij het pakhuis. Het was 's morgens vroeg geweest en Terry had op het onbebouwde terrein achter het pakhuis over de rivier zitten staren. Er hing een soort ochtendmist over het water, waar de warmer wordende zon al doorheen aan het prikken was. Hij had zich 'zwaar klote' gevoeld.

'Het leven was anders toen Billy er niet meer was. Goed, een groot deel van de tijd was hij verdomd lastig, maar op den duur raakte je eraan gewend. Begrijp je wat ik bedoel? Lawrence heeft het goed gezien. Ik had een soort vader aan hem, of eigenlijk meer een soort grootvader. Maar goed, ik zat daar, en op een gegeven moment draaide ik me om, en daar zat hij naast me. Ik schrok me rot, want ik had hem niet horen aankomen. Ik verbaas me er zelfs over dat ik geen hartaanval heb gekregen.' Hij zweeg even en dacht na. 'Ik moet eerlijk zeggen dat ik in het begin dacht dat ik met een spook te maken had,' vervolgde hij. 'Hij zag er beroerder uit dan ik hem ooit had gezien. Hij was lijkbleek en zijn lippen zagen eruit alsof al het bloed eruit verdwenen was.' Hij rilde bij de herinnering. 'Toen vroeg ik hem wat hij had gedaan, zei hij: "Worm."'

Deacon wachtte. 'Zei hij verder nog iets?' vroeg hij toen Terry zweeg.

'Jawel, maar ik begreep er niks van. Hij zei: "De zonde die niet vergeven is, is de onzichtbare worm."'

Nadenkend streek Deacon over zijn kin. 'Blake heeft een gedicht geschreven,' zei hij na enige tijd, 'dat gaat over een prachtige roos die van binnen sterft omdat het hart ervan wordt weggevreten door een onzichtbare worm.' Hij staarde door de voorruit. 'Je kan de symboliek ervan opvatten zoals je wilt, maar Billy vatte de worm waarschijnlijk op als niet vergeven zonde. Hij kan het niet over zijn eigen zonden hebben gehad, want daarvoor kwelde hij zichzelf,' zei hij langzaam. 'Hij kan het dan alleen maar over Amanda gehad hebben. Begrijp je dat?'

'Natuurlijk wel. Ik ben niet op mijn achterhoofd gevallen, hoor. En

jij zei dat ze naar rozen rook. En bovendien was het haar huis waar ik hem heen moest brengen.'
'Hoe bedoel je, "moest"?'
'Hij liep gewoon weg. Ik kon niks anders doen dan achter hem aan lopen. De hele weg heeft hij geen woord gezegd, en toen liep hij gewoon de garage in en deed de deur achter zich dicht.'
Deacon bestudeerde hem met een nieuwsgierige blik. 'Wist je dat het haar huis was?'
'Nee, het was gewoon een huis als elk ander huis.'
'Hoe wist Billy dat de garagedeur niet op slot zou zijn?'
Terry haalde zijn schouders op. 'Mazzel?' opperde hij. 'De andere waren niet open.'
'Heeft hij nog wat gezegd voordat hij naar binnen ging?'
'Hij zei me alleen gedag.'
Deacon schudde verbaasd zijn hoofd om de manier waarop de jongen kennelijk Billy's bizarre gedrag aanvaard had. 'Heb je hem niet gevraagd wat hij aan het doen was? Waarom hij daarheen wilde? Wat het allemaal betekende?'
'Natuurlijk heb ik hem dat gevraagd. Maar hij gaf geen antwoord. En hij zag er zo ziek uit dat hij elk moment onderuit kon gaan, dus ik wilde alles niet nog erger maken door hem aan zijn kop te gaan zeuren. Als Billy iets wilde, kon je hem toch nooit tegenhouden.'
'Maar was je dan niet bezorgd toen hij niet terugkwam in het pakhuis? Waarom ben je toen niet naar hem toe gegaan om hem op te halen?'
Weer verscheen die gewonde uitdrukking op Terry's gezicht. 'Dat heb ik ook wel gedaan, min of meer. De volgende dag ben ik naar het huis toe gegaan, maar er was geen spoor van hem te bekennen, en ik was te bang om daar voor de tweede keer in twee dagen het terrein op te gaan, voor het geval de politie me te grazen zou nemen omdat ze zouden denken dat ik een inbraak aan het voorbereiden was. En ik was ook bang dat ik problemen voor Billy zou veroorzaken in het geval dat hij ergens lekker zou zitten. Ik heb het met Tom besproken, en we hadden al besloten dat we er de volgende avond langs zouden gaan om poolshoogte te gaan nemen, toen Tom in de krant las dat Billy de geest had gegeven in de garage van Amanda.' Hij haalde zijn schouders op. 'Einde verhaal.'
'Kan je je nog herinneren wat voor dag het was toen je Billy daarheen bracht?'
Terry keek ongemakkelijk. 'Ja, maar volgens Tom was ik toen de hele week hartstikke stoned en heb ik alles door elkaar gehaald. Het is

niet waar, maar dat zou wel de enige verklaring zijn. Hij en ik zijn nog helemaal naar het crematorium geweest toen Amanda ons had verteld dat ze zijn uitvaart geregeld had, alleen maar om te kijken of het wel waar was wat ze zei. Maar het stond er inderdaad zwart op wit: Billy Blake, overleden 12 juni 1995.'

Deacon bladerde zijn agenda door. 'Twaalf juni was een maandag, en de lijkschouwer dacht dat hij vijf dagen dood was toen hij op de daaropvolgende vrijdag gevonden werd. Op welke dag heb jij hem dan voor het laatst gezien?'

'Op dinsdag. En op woensdag heb ik daar nog voor de deur rondgehangen. Donderdag hebben Tom en ik erover gesproken, en vrijdag hadden we besloten dat we een kijkje zouden gaan nemen. Het was ongeveer acht uur 's avonds dat we op weg gingen, en toen haalde Tom ergens een *Evening Standard* uit een afvalbak, en daarin stond het bericht dat een dakloze van de honger was omgekomen, met een kop in koeienletters erboven. Nou, hij las het, en zei toen tegen mij: "Jezus, wat ben jij een klootzak, Terry. Die lul is al dagen dood, en jij neemt mij op sleeptouw om op zoek te gaan naar een lijk!"'

Deacon zweeg zo lang dat Terry op een gegeven moment maar weer doorpraatte. 'Nou, ja, misschien had Tom wel gelijk. Misschien was het wel de dinsdag daarvoor en was ik zo stoned dat ik een hele week voorbij heb laten gaan voordat ik iets ondernam.'

'Volgens de politie is hij op zaterdag de tiende de garage in gegaan.'

'De laatste keer dat ik hem zag was het geen zaterdag,' zei de jongen gedecideerd. 'Op zaterdag zijn er altijd veel toeristen in de stad; dan zou ik aan het bedelen zijn geweest.'

Deacon tastte naar het contactsleuteltje. 'Hoe lang na de dood van Billy was het dat Amanda bij jullie langskwam om informatie?'

'Een paar weken. Toen had ze al zijn crematie geregeld, want dat vertelde ze toen.'

Deacon startte de auto en schakelde hem in de eerste versnelling. 'Waarom heb je haar niet verteld dat Billy dinsdag nog leefde?'

Terry staarde somber uit het raam. 'Om dezelfde reden dat ik het jou niet heb verteld. Ik denk dat het waarschijnlijk niet het geval was. En bovendien denk ik er niet graag aan. Ik bedoel, geloof jij soms in spoken?'

Deacon dacht aan de doodsgeur die in Amanda's huis had gehangen en vroeg zich af hoe Billy's *deus ex machina* eruit zou hebben gezien.

... Ik geloof in de hel...

... Ik heb soms een nachtmerrie waarin ik in een inktzwarte ruimte zweef en onbereikbaar ben voor ieders liefde...

... Alleen door goddelijke tussenkomst kan een ziel gered worden die veroordeeld is om voor eeuwig voort te bestaan in de eenzaamheid van een bodemloze put...
... Blijf alsjeblieft, alsjeblieft niet langer weg dan nodig is...

Adjudant Harrison had slecht geslapen. De hele nacht was hij zich er vaag bewust van geweest dat hij iets over het hoofd had gezien. Kerstmis zorgde voor de nodige drukte in huis. De kinderen maakten opgewonden hun pakjes open en zijn vrouw begon vast met de voorbereidingen van de kerstmaaltijd. Kort na elf uur werd er door het bureau gebeld en kreeg hij de boodschap van Deacon door.
'Hij wilde niet zeggen wat er zo dringend was,' zei de agent van de wacht, 'en eerlijk gezegd nam ik hem niet al te serieus. Maar nou wil het toeval dat de naam die hij noemde, Nigel de Vries, in ander verband gevallen is. De politie van Hampshire en van Kent heeft een bericht doen uitgaan dat alle korpsen in het zuiden naar hem moeten uitkijken. Het schijnt dat zijn Rolls-Royce gisteravond onbeheerd is aangetroffen in een weiland in de buurt van Dover. Wat wil je dat ik eraan doe? Het nummer dat Deacon heeft genoemd doorgeven aan de hoofdinspecteur?'
'Nee, ik kom naar het bureau. Zeg maar tegen de hoofdinspecteur dat ik eraan kom.'

'Amanda moet wel iets heel ergs hebben gedaan, dat Billy zo over zijn toeren was,' zei Terry ineens. 'Ik bedoel, hij had geen hoge pet op van lui die in drugs deden, maar hij maakte zich er ook niet al te druk over. Begrijp je wat ik bedoel? Maar als het om moord ging, ging hij helemaal uit zijn dak en stak hij zijn hand in het vuur en had hij het over het brengen van offers en zo. Zoals die keer dat Tom die jas had ingepikt en die vent 's nachts doodgevroren is. Toen heeft Billy de hele nacht naakt rondgelopen om de schuld op zich te nemen. Hij is er ook bijna aan onderdoor gegaan, en het was alleen omdat Tom echt van de kaart was om wat hij had gedaan dat we erin zijn geslaagd Billy weer in de kleren te krijgen. Dus denk jij dat zij Billy eigenlijk heeft vermoord door hem van de honger dood te laten gaan?'
'Nee,' zei Deacon, die ongeveer hetzelfde had gedacht. 'Barry heeft gelijk. Ze zou mij Billy's verhaal niet hebben verteld als ze bang was dat ik iets zou ontdekken. En in ieder geval denk ik niet dat Billy zijn eigen dood heel erg zou vinden.'
... Mijn eigen verlossing interesseert me niet...
'Wiens verlossing dan wel?'

... Ik ben nog op zoek naar de waarheid... Er is geen uitweg uit de hel, behalve door de barmhartigheid van God... Ik ben nog op zoek naar de waarheid... Waarom zou je naar de hel gaan...? Ik ben op zoek naar Verity, naar de waarheid...
'Die van Verity?' opperde Deacon.
Terry schudde zijn hoofd. 'Verity heeft zichzelf om zeep gebracht.'
... Jij en ik zullen worden geoordeeld naar de moeite die we elk doen om de ziel van de ander te redden van de eeuwige verdoemenis... Geniet je van het lijden? Ja, als het medelijden losmaakt. Er is geen uitweg uit de hel, behalve door de barmhartigheid van God... Ik ben op zoek naar Verity, ik ben op zoek naar de waarheid...
'Die van James?'
'Ja.' Terry knikte. 'Ik denk dat dat wijf haar man heeft vermoord, en dat Billy dat gezien heeft. Hij heeft een keer verteld dat hij ergens ten westen van Londen heeft geslapen voordat hij naar het pakhuis kwam. Maar ik heb niet goed opgelet; het was toen niet belangrijk. Maar nu wel, hè?'
'Ja,' zei Deacon langzaam. Hij dacht aan de waterhoogte in de rivier ter hoogte van Teddington, dat achter de sluizen lag, waardoor daar geen verschil was tussen eb en vloed.

Harrison belde met een hoofdinspecteur van de politie in het graafschap Hampshire, Fortune geheten. 'Het kan zijn dat De Vries zaterdagavond door iemand in Londen is gesignaleerd,' deelde hij hem mee. 'Hij was in het gezelschap van een vrouw die Amanda Powell heet en die in het verleden bekend stond onder de naam Amanda Streeter. Zij is de vrouw van James Streeter, die in 1990 met tien miljoen pond is verdwenen. Volgens mijn informatie onderhouden zij en De Vries sinds het midden van de jaren tachtig een nauwe relatie.'
'Van wie hebt u die informatie?'
'Van een journalist die Michael Deacon heet. Hij houdt zich bezig met een onderzoek naar de verdwijning van Streeter.'
Er viel een korte stilte. 'Hij heeft vanmorgen naar het huis van De Vries gebeld en gezegd dat hij een zakenrelatie van hem was. We sturen iemand naar hem toe om hem te ondervragen. Wat is hij voor een man?'
'Ik denk dat hij zijn verhaal veilig wil stellen. Het lijkt me het beste dat de man die u hierheen stuurt eerst met mij overlegt. De situatie is nogal gecompliceerd en het is waarschijnlijk nuttig als ik erbij ben als u Deacon laat ondervragen. Er zijn namelijk nog anderen bij betrokken.' In het kort vertelde hij iets over het aandeel van Barry in de

gang van zaken. 'Hij heeft hem niet voor de volle honderd procent geïdentificeerd als Nigel de Vries,' waarschuwde hij, 'maar hij heeft gezegd dat hij een moedervlek op zijn rechterschouder heeft, en die staat in uw bericht als speciaal kenmerk genoemd.'
'Waar kunnen we die Grover vinden?'
'Hij logeert bij Deacon.'
'En Amanda Powell? U zei dat ze vannacht thuis was. Is ze daar nu nog?'
'Dat weten we niet. We hebben een halfuur lang zitten kijken vanuit een auto in de straat, maar binnen was alles stil.' We hebben de politie in Kent gevraagd om eens een kijkje te nemen in het huis van haar moeder in Easeby. Gisteren is ze daar een groot deel van de dag geweest. Ze is pas 's avonds laat teruggekomen naar Londen.'
'Hoe ver is Easeby van Dover?'
'Dertig kilometer.'
'Juist. We komen met twee man naar u toe.' Hij noemde een nummer. 'Die lijn houd ik open voor u. Het zal wel stil zijn op de weg, dus u kunt ons tussen één uur en half twee verwachten.'

Barry was in een opperbeste stemming toen Deacon en Terry weer thuis kwamen. Toen hij zijn eigen gang kon gaan had hij alles ordelijk aangepakt, en vanuit de oven verspreidden zich dan ook aangename geuren. Hij keek hen vrolijk aan toen ze binnenkwamen, en het viel Deacon op hoe anders hij eruitzag dan de ongelukkige man van vroeger, die niet was weg te slaan uit de redactielokalen van *The Street*.
'Je bent geniaal,' zei hij oprecht toen hij een glas koele witte wijn in zijn handen geduwd kreeg.
'Ach, zo moeilijk is het niet, Mike. Ik heb wel eens ergens gelezen dat je kalkoenen in een zeer hete oven moet braden, en dat ben ik nu aan het doen. Het is belangrijk dat het vlees goed vochtig gehouden wordt, dus heb ik wat bacon en champignons onder het vel gestopt.'
Hij sprak op dezelfde, enigszins pedante toon als wanneer hij het had over zijn talent voor het werken met plaatjes. Deacon had medelijden met hem want hij realiseerde zich dat Barry's gevoel van eigenwaarde zo gering was dat hij zich alleen prettig voelde als hij kon bewijzen dat hij beter was dan een ander. Maar over het geheel genomen gaf hij de voorkeur aan een pedante Barry boven een betraande Barry, dus hield hij maar voor zich dat Lawrence een jood was en misschien wel geen bacon at.
'En ik heb een paar extra gebakken aardappeltjes voor Terry.'

'Te gek,' zei de jongen bewonderend.
'En als je het me wilt vergeven, Mike, ik heb van je telefoon gebruik gemaakt om mijn moeder te bellen. Het schoot me ineens te binnen dat ze zich wel eens bezorgd zou kunnen maken.'
'En was dat ook zo?'
Barry was duidelijk tevreden. 'Ja,' zei hij. 'Ze was gek van bezorgdheid. Het verraste me een beetje, want ze toont nooit enige bezorgdheid als ik laat thuiskom van de redactie.'
Deacon wilde hem waarschuwen – *Wees objectief... Moederliefde is een jaloerse liefde... Wanneer de eenzaamheid voor jou een herinnering wordt, wordt die een realiteit voor haar... Ze gebruikt je...* – maar hij veronderstelde dat Barry's hernieuwde zelfvertrouwen voor een deel het resultaat was van het gesprek dat hij met zijn moeder had gehad, en besloot zijn mond te houden.
Terry, niet gehinderd door tact of gevoeligheid, sprong er meteen bovenop. 'Jezus, wat een vals wijf, zeg! Steekt geen vinger voor je uit als je in de problemen zit, en wordt sentimenteel als je maats je te hulp komen. Ze is zeker helemaal door het dolle heen omdat Mike je een slaapplaats heeft aangeboden. Ik hoop dat je tegen haar gezegd hebt dat ze op kan sodemieteren,' beëindigde hij zijn tirade.
'Ze is niet echt slecht,' mompelde Barry trouwhartig.
'Nee, de mijne waarschijnlijk ook niet,' zei Terry, 'maar dat zou je niet zeggen als je denkt aan de manier waarop ze me behandeld heeft. Mikes moeder vind ik wel heel erg aardig. Ze is wel een beetje een ouwe heks, maar ze is tenminste recht door zee.' Hij liep naar de badkamer.
Deacon keek toe hoe de kleine man wat ongelukkig kijkend met het bestek op de gedekte tafel zat te spelen. 'Bij hem is alles zwart-wit,' zei hij. 'Hij gaat alleen op het uiterlijk af en denkt dan dat hij de mensen begrijpt.'
En maar al te vaak blijkt dat te kloppen, dacht hij erbij. Terry's telefoongesprek met zijn moeder bleek een openbaring. (*'Hallo mevrouw Deacon, ik wou u even een goede kerst toewensen. Ik ga een tijdje bij Mike logeren, wat vindt u daarvan? Ik wist wel dat u dat leuk zou vinden. Ja, natuurlijk komen we u gauw weer eens opzoeken. Wat dacht u van volgend weekend? Natuurlijk. Dan gaan we leuk oud en nieuw vieren.'* En zijn moeder daarna tegen hem: *'Voor het eerst in je leven heb je een beslissing genomen waar ik het mee eens ben, Michael. Maar pas op: ik word heel boos als je beloftes doet die je niet waarmaakt. Die jongen verdient beter dan als oud vuil op straat gezet te worden als zich een aantrekkelijker alternatief aandient.'*)

'Denk jij dat hij gelijk heeft wat mijn moeder betreft?' vroeg Barry. Het was jaren geleden dat ze hem zo warm had toegesproken, en hij verlangde ernaar dat Deacon hem ook de hand zou reiken.
Maar Deacon kon alleen maar denken aan de ambivalentie die de kleine man op het politiebureau had getoond, toen hij in één zin zowel zijn angst voor als zijn haat tegen de vrouw had verwoord, om in de volgende zin in huilen uit te barsten. Harrison was zelfs zo bezorgd geraakt door Barry's merkwaardige gedrag dat hij een politieauto naar het adres van mevrouw Grover had gestuurd om te kijken of alles nog wel in orde was met haar.
'Ik weet het niet,' zei hij eerlijk terwijl hij vriendschappelijk een hand op Barry's schouder legde. 'Maar de natuur wil dat kinderen hun eigen weg in het leven zoeken, dus ik zou die moeder van jou maar een beetje aan zichzelf overlaten als ik jou was. En afgezien daarvan, als ze je zo vreselijk graag wil zien als je nog maar één nachtje weg bent geweest, dan is ze zo mak als een lammetje als je haar een week laat wachten.'
'Ik kan nergens anders heen.'
'Je kan hier wel blijven totdat we iets anders voor je hebben gevonden.'
Barry draaide zich om naar het fornuis en maakte zich los uit Deacons warmte. 'Als jij het zegt, lijkt het allemaal zo makkelijk,' zei hij met een trieste uitdrukking op zijn gezicht terwijl hij de deur van de oven opende en keek hoe het met de kalkoen was.
'Maar dat is het toch ook,' zei hij vrolijk. 'Verdomme, man, als ik het met Terry kan uithouden, kan ik het met jou zeker!'
Maar Barry wilde niet dat men het met hem uithield. Hij wilde dat men van hem hield.

'Eerlijk gezegd dachten wij meer in de richting van een ontvoering,' zei hoofdinspecteur Fortune. 'Noch mevrouw De Vries, noch zijn zakenpartners hebben gewag gemaakt van geldzorgen, hij is nooit depressief geweest en hoewel hij de naam heeft nogal vlot met de dames te zijn, is men over het algemeen van mening dat hij zijn vrouw niet ontrouw is geweest sinds zij in mei bij hem is teruggekeerd. We moeten natuurlijk niet al te veel op haar woorden afgaan, want haar man zou haar daar natuurlijk niet van op de hoogte gebracht hebben. Maar ze weet wel zeker dat hij de laatste zeven maanden geen contact heeft gehad met Amanda Powell.'
'Tot afgelopen vrijdag dan,' zei Harrison. 'Maar ik denk wel dat zijn vrouw gelijk heeft en dat hij haar zeven maanden lang niet gezien

heeft. Zo lang is dat ook niet als hij weer wilde proberen of het ging met zijn ex-vrouw.'
'Maar waarom is hij vrijdag dan wel naar haar toe gegaan?'
Harrison schudde zijn hoofd. 'Ik weet het niet, tenzij Michael Deacon misschien door zijn actie van donderdagavond voor paniek heeft gezorgd.'
'Mij zitten de tijden dwars,' zei Harrisons chef. 'Volgens de politie in Kent is de Rolls-Royce gisteren rond het middaguur voor het eerst in het weiland gesignaleerd, maar de boer heeft toen niets ondernomen omdat hij dacht dat er een vrijend stel in zat. Hij heeft er pas melding van gemaakt toen het al donker werd en de auto er nog stond en hij erheen was gelopen en had geconstateerd dat de portieren niet op slot zaten en de auto leeg was. Maar mevrouw Powell werd pas omstreeks vijf uur op de hoogte gesteld van Barry Grovers onzedelijke handeling bij haar huis, wat betekent dat de twee gebeurtenissen niets met elkaar te maken hebben. Met andere woorden, Nigel de Vries verdween een paar uur vóórdat duidelijk werd dat hij daar reden toe had.'
'Ervan uitgaande dat zij tweeën inderdaad in 1990 haar echtgenoot hebben vermoord?'
'Precies. Er is geen bewijs dat ze dat gedaan hebben.' Fortune dacht even na. 'Om eerlijk te zijn, heren, weet ik niet hoe we nu verder moeten. Voordat adjudant Harrison belde, zat ik met een man die sinds twee dagen verdwenen was en een Rolls-Royce in een weiland in Kent, en nu moet ik ervan uitgaan dat hij zesendertig uur geleden in het gezelschap van zijn ex-vriendin was en het enige motief waarom hij zijn snor zou hebben willen drukken – of waarom zij hem zou hebben willen lozen, wat natuurlijk ook altijd nog een mogelijkheid is – blijkt nu onbruikbaar te zijn omdat de auto te vroeg gevonden is. Ik kan me niet veroorloven om een duur onderzoek op te zetten als het zo'n onduidelijke en uitzichtloze zaak lijkt te zijn. Bij combinatie van de ons bekende feiten weten we zelfs niet eens zeker óf er wel een misdaad heeft plaatsgevonden.'
'Maar we hebben Michael Deacon nog,' zei Harrison.
'Ja,' zei zijn chef. 'En het huis van Amanda Powell. Ik denk dat wij het ons wel kunnen veroorloven om ons daar officieel toegang toe te verschaffen om de gemoederen te bedaren door vast te stellen dat meneer De Vries in ieder geval dáár, op de laatste plek waar hij nog in leven gesignaleerd is, niet te vinden is.'

Lawrence had kerstcadeautjes bij zich en moest de drie trappen op

geholpen worden, waarna hij buiten adem bleef staan op de drempel van het appartement. 'Sjonge, jonge,' zei hij terwijl hij Deacons hand stevig vastpakte en zich op de bank liet zakken. 'Ik kan wel merken dat ik een dagje ouder word. In mijn eentje had ik het niet gered.'
'Dat zei ik al tegen Mike,' zei Terry, die er niet bij vertelde dat hij zelf had geweigerd hem te gaan helpen. 'Stel je voor dat die ouwe miet de geest geeft onderweg. Mogen deze al opengemaakt worden?' vroeg hij gretig, op de cadeautjes wijzend. 'We hebben alleen niets voor jou.'
De oude man keek hem stralend aan. 'O, maar jullie geven me deze maaltijd. Wat zou ik meer kunnen wensen? Maar zou je me eerst niet eens aan Barry voorstellen? Ik heb me er zo op verheugd hem te ontmoeten.'
'O ja, goed.' Hij pakte de kleine man bij de arm en trok hem naar voren. 'Dit is mijn maat, Barry, en dit is mijn andere maat, Lawrence. Het zit er dik in dat jullie elkaar zullen mogen, want jullie zijn allebei makkers van Mike en mij.'
Lawrence had er geen moeite mee dit naïeve standpunt zonder meer te accepteren, pakte met beide handen Barry's hand en schudde die hartelijk. 'Dit vind ik nou ontzettend leuk, weet je. Ik heb van Mike gehoord dat je een expert bent op het terrein van fotografie. Ik benijd je, beste man. Een kunstenaarsoog is een kostbaar geschenk.'
Deacon draaide zich glimlachend om toen Barry een kleur kreeg van trots. Het geheim van Lawrence, bedacht hij, was dat het hem onmogelijk was om onoprecht te klinken, terwijl het onduidelijk bleef wat zijn gevoelens werkelijk waren. 'Whisky, Lawrence?' vroeg hij terwijl hij in de richting van de keuken liep.
'Graag.' Lawrence klopte op de plaats naast zich op de bank. 'Kom naast me zitten, Barry. Dan kan Terry me ondertussen vertellen wie die fraaie versiering hier heeft opgehangen.'
'Dat was ik,' zei Terry. 'Het is mooi, hè? Je had eens moeten zien hoe het er hier uitzag voordat ik kwam. Het was koud en ongezellig. Geen kleur, niets. Begrijp je wat ik bedoel?'
'Er was geen sfeer,' opperde de oude man.
'Ja, dat woord zocht ik.'
Lawrence keek naar de schoorsteenmantel, waar Terry een aantal *objets d'art* afkomstig van zijn slaapplaats in het pakhuis had opgesteld. Er stond een kleine, plastic replica van de Big Ben, een schelp en een fel gekleurde tuinkabouter op een paddestoel. Hij betwijfelde of deze versieringen aan Deacons smaak beantwoordden, dus hij ging er terecht van uit dat ze van Terry waren. 'Mijn felicitaties. Je

hebt het echt een stuk opgeknapt hier. Vooral die kabouter vind ik schitterend,' zei hij met een ondeugende glimlach naar Deacon, die net weer de kamer in kwam met de whisky.
'Ik ben blij dat je dat zegt,' zei Deacon, terwijl hij het glas op het tafeltje voor Lawrence neerzette en zijn eigen glas weer oppakte. 'Ik heb mijn hersens zitten pijnigen over de vraag wat ik jou zou kunnen geven, en die kabouter kunnen we eigenlijk wel missen, nietwaar, Terry?'
'Mike heeft er de pest aan,' zei de jongen op vertrouwelijke toon, 'waarschijnlijk omdat ik hem ergens uit een tuin heb gejat. Hier, jij mag hem hebben, Lawrence. Veel geluk ermee, maat.'
Deacon lachte vals. 'Als jij thuis ook een schoorsteenmantel hebt, moet je hem daar zeker neerzetten. Het is zoals Terry zegt, met een kleurrijk ding in je huiskamer zit je altijd goed.' Hij hief zijn glas naar de gast.
Lawrence zette de kabouter op tafel. 'Ik ben overrompeld door zoveel vrijgevigheid,' zei hij. 'Eerst word ik op een partijtje uitgenodigd, en dan krijg ik nog een cadeau ook. Ik heb het gevoel dat ik ze geen van beide heb verdiend. Mijn cadeautjes voor jullie zijn heel bescheiden in vergelijking daarmee.'
Deacon grijnsde. Hij had het onaangename gevoel dat de oude man op het punt stond hen beschaamd te maken.
'Mogen we ze nu openmaken?' vroeg Terry.
'Natuurlijk. Die van jou is de grootste, die van Barry is die in het rode papier, en die van Michael is in groen papier verpakt.'
Terry reikte Deacon en Barry hun cadeaus aan en scheurde het papier van het zijne af. 'Shit!' zei hij verbouwereerd. 'Moet je toch eens kijken, Mike!' Hij hield een gedragen bomberjack met een schapenbontje op de kraag en het wapen van de Royal Air Force op het borstzakje omhoog. 'Dit kost wel een aardige cent in Covent Garden, weet je dat?'
Deacon fronste zijn voorhoofd toen de jongen zijn armen in de mouwen stak en vervolgens vragend naar de oude man keek, alsof hij wilde vragen of het wel mocht. Lawrence knikte.
'Die vind je niet in Covent Garden, hoor,' zei Deacon. 'Dit is een echte. In wat voor vliegtuig heb jij gevlogen?' vroeg hij. 'In een Spitfire?'
Lawrence knikte. 'Maar dat is heel lang geleden, hoor. En dit jack is al jaren op zoek naar een nieuwe eigenaar.' Hij keek naar Barry, die het pakket op zijn schoot aan het bevoelen was. 'Maak je het jouwe niet open, Barry?'
'Ik had helemaal niks verwacht,' zei de kleine man verlegen.

'Dan is het dus een dubbele verrassing. Maak het open, alsjeblieft. De spanning wordt me te veel. Ik zit me steeds maar af te vragen of je het wel leuk zult vinden.'
Barry maakte zorgvuldig het plakband los, zoals je van hem verwachten kon, en pakte het cadeau voorzichtig uit. Het bleek een Brownie boxcamera te zijn, verpakt in een aantal lagen tissues. 'Die is van voor de oorlog,' zei hij verbijsterd terwijl hij hem behoedzaam van alle kanten bekeek. 'Maar die kan ik met geen mogelijkheid accepteren.'
Lawrence hief zijn magere handen op. 'Nee, nee, neem hem gerust aan. Hij hoort echt thuis bij iemand die zoveel van camera's weet dat hij ze op waarde kan schatten.' Hij wendde zich tot Deacon. 'En nou is het jouw beurt, Michael.'
'Ik voel me net zo opgelaten als Barry.'
'Maar ik ben echt dolblij met mijn kabouter.' Zijn ogen glinsterden ondeugend. 'Ik zal precies doen wat je zei en hem op de schoorsteenmantel in mijn zitkamer zetten. Daar staat hij vast heel goed naast mijn verzameling Meissen-porselein.'
Deacon onderdrukte een lach en verwijderde het papier van zijn cadeau. Hij wist niet of hij met opluchting of met ontzetting moest reageren; materiële waarde had het cadeau niet, maar de emotionele waarde was enorm. Hij bladerde door het in een klein handschrift volgeschreven dagboek dat een groot deel van Lawrence' leven bestreek. 'Ik voel me zeer vereerd,' zei hij alleen maar, 'maar ik had liever gehad dat je het mij bij testament had nagelaten, als een herinnering aan je.'
'Maar dan zou ik er zelf de lol niet van gehad hebben. Ik wil dat je het leest terwijl ik nog leef, Michael. Dan heb ik iemand met wie ik af en toe over het verleden kan praten. Wat jouw cadeau betreft ben ik echt heel egoïstisch geweest in mijn keuze.'
Deacon schudde zijn hoofd. 'Je hebt mijn ziel al helemaal ingepalmd, ouwe rotzak. Wat wil je in godsnaam nog meer?'
Lawrence stak zijn magere hand naar hem uit. 'Een zoon die kaddisj voor me kan zeggen.'

De geur van verrotting die de politiemannen als een stankbel tegemoet sloeg toen ze de deur van Amanda Powells huis openden deed hen terugdeinzen. De stank was zo zwaar en doordringend dat hij in hun ogen en neuzen prikte en hun magen dreigde om te draaien. Het huis zelf leek een etterend vocht van verrotting af te scheiden.
Hoofdinspecteur Fortune hield een zakdoek voor zijn mond en keek

boos in Harrisons richting. 'Wat is dit nou voor waanzin? Dat moet je gisteravond toch ook geroken hebben, toen je hier was?'
Harrison ging op zijn hurken zitten en moest moeite doen om niet over zijn nek te gaan. 'Er was ook een agente bij,' mompelde hij. 'Ik had haar gevraagd bij mevrouw Powell te blijven terwijl ik met Deacon ging praten. En zij heeft ook niks geroken, echt waar.'
'Het trekt een beetje op, meneer,' zei Fortunes collega, die behoedzaam doorliep. 'Er moet ergens een deur of een raam openstaan waardoor het tocht.' Voorzichtig keek hij de hal in. 'Het lijkt erop dat de tussendeur naar de garage openstaat.'
De andere politiemannen reageerden niet meteen. Ze vreesden allemaal wat ze te zien zouden krijgen; de natuur begiftigt immers zijn schoonste producten niet met de geur van de dood. Op zijn minst verwachtten ze stromen bloed te zullen zien, het resultaat van een brute slachtpartij.
Toen ze uiteindelijk echter alle moed bijeengeraapt hadden, het huis doorgelopen waren en in de garage keken, zagen ze daar één enkel ongekleed lijk dat tegen een aantal zakken cement in de hoek geleund zat en met wijd opengesperde ogen in hun richting keek. Niemand zei iets, maar iedereen vroeg zich af hoe iets dat zo koud was en er zo puur uitzag zo'n walgelijke lucht van verrotting kon verspreiden.

20

'IK BEGIN TE GELOVEN DAT IK JE BETER NOOIT HAD KUNNEN ONTMOETEN,' zei adjudant Harrison terwijl hij vermoeid bij Deacon over de drempel stapte en zijn collega aan hem voorstelde. 'Hoofdinspecteur Fortune van de politie van Hampshire.'
'Ik had een boodschap achtergelaten dat u me moest bellen.'
'Ja, maar dat is er niet van gekomen,' zei Harrison laconiek.
Deacon keek naar hun sombere gezichten en deed toen eindelijk de papieren muts die hij op zijn hoofd had af en stopte hem in zijn zak. De simpele geneugten van het langzaam dronken worden onder het genot van Barry's maaltijd en het voorlezen van de vieze moppen uit de crackers werden volkomen naar de achtergrond gedrongen door de ernstige gezichten van de wetsdienaren. 'Is er iets mis?'
De hoofdinspecteur, een magere, in zijn optreden enigszins intimiderende figuur met ogen die erop getraind waren meer te zien dan ze verraadden, gebaarde naar hem. 'Na u, meneer Deacon, alstublieft.'
Met een schouderophalen ging hij de anderen voor naar boven, waar hij hen voorstelde aan zijn andere gasten. 'Als u uit Hampshire komt,' zei hij tegen Fortune terwijl hij weer op zijn stoel plaatsnam, 'moet het met Nigel de Vries te maken hebben.'
'Wat weet u inmiddels al over hem?' vroeg de hoofdinspecteur.
'Heel weinig.'
'Waarom hebt u dan vanmorgen naar zijn huis gebeld?'
Deacon keek even naar Terry en vroeg zich af of hij ervan op aan kon dat de jongen zijn mond zou houden. *Mij kan je wel vertrouwen* was de houding die hij in zijn ontwapenende onschuld uitstraalde. 'Ik had bedacht dat de man die de buren van mevrouw Powell gisteren aan haar garagedeur hadden zien morrelen wel eens Nigel de Vries geweest kon zijn, en toen wilde ik controleren of hij eigenlijk wel naar huis was gegaan.' Hij wreef over zijn neus. 'Maar kennelijk is dat niet het geval.'
'En daarna heb je op het bureau de boodschap achtergelaten dat ik dringend verzocht werd contact met je op te nemen over Amanda en

Nigel,' zei Harrison. 'Waarom was dat?'
Deacon raadpleegde zijn horloge. 'Het is al drie uur geweest. Zo dringend is het nu waarschijnlijk niet meer.' Hij zag aan Harrisons gezicht dat hij geïrriteerd was, en met een glimlach ontvouwde hij zijn theorie dat Amanda en Nigel hem gesmeerd waren nadat ze te weten waren gekomen dat Barry hen samen had gezien. 'Terry en ik zijn vanmorgen bij het huis gaan kijken,' verklaarde hij. 'Zo te zien was er niemand, en ook haar auto stond er niet. Ik dacht dat u dat wel zou willen weten, maar de dienstdoende agent wilde u liever niet storen.'
'Het is een hele epidemie waar we mee te maken hebben,' zei Harrison. 'Eerst verdwijnt James, en dan Amanda en Nigel. Meent u dat serieus, die theorie van u, meneer Deacon?'
Terry grijnsde. 'Ik zei toch al dat ze zouden denken dat je niet goed wijs was.'
Deacon bood de twee politiemannen iets te drinken aan, maar ze weigerden. 'Het spijt me dat ik beslag heb gelegd op uw tijd,' zei hij terwijl hij de glazen van de anderen bijvulde. 'Wijt het maar aan het feit dat ik me al wekenlang bezighoud met mensen die verdwenen zijn.'
'U bedoelt James Streeter?'
'Onder anderen.'
Lawrence ging overeind zitten. 'Heren, ik betwijfel of u hier zou zijn als u wist waar Amanda en Nigel waren, dus krijgen we nog een verklaring te horen voor uw komst, of moeten we daar maar naar gissen? Ik moet er trouwens bij zeggen dat ik het wel een beetje onredelijk van u vind om Michaels theorie zo de grond in te boren als u er zelf geen heeft.'
De twee politiemannen keken elkaar aan. 'Ik denk dat ik dat aanbod van u toch maar aanneem en iets wil drinken,' zei de hoofdinspecteur onverwachts. 'Ik heb een zwaar etmaal achter de rug.'
Harrison keek opgelucht, maar het was Deacon niet duidelijk of dat kwam omdat hij zelf aan een glas toe was of omdat zijn collega een zwakte bleek te hebben. 'Ik spuug er ook niet in,' zei hij.
Ze namen allebei een biertje, en terwijl Terry de glazen volschonk gaf Fortune een kort verslag van de gebeurtenissen die hem naar Londen hadden gevoerd en hem in contact hadden gebracht met adjudant Harrison. 'Een paar uur geleden hadden we besloten eens een kijkje te nemen in het huis van Amanda Powell.' Hij zweeg even om een slok te nemen uit het glas dat Terry hem aangereikt had. 'In een hoek van de garage hebben we Nigel de Vries dood aangetroffen,' zei hij

zonder omhaal. 'Hij was naakt en is waarschijnlijk overleden als gevolg van een slag op zijn achterhoofd. Het is een ruwe schatting, maar we denken dat de dood zo'n zesendertig uur geleden moet zijn ingetreden, waarschijnlijk kort nadat meneer Grover hem in de huiskamer had gesignaleerd.'

Er viel een lange stilte.

Deacon vroeg zich af hoe de reactie zou zijn als hij zou bekennen dat hij de avond daarvoor nog bij Amanda op bezoek was geweest. Hij dacht dat theorieën over de onafwendbaarheid van het lot niet zo goed zouden vallen bij deze speurneuzen, zeker niet als je bedacht dat Harrison toch al zijn twijfels had over de betrokkenheid van Barry en hemzelf bij die vrouw. Hij dacht eraan hoe bleek ze was geweest en hoe ze met haar ogen al zijn bewegingen had gevolgd. Was ze bang geweest dat hij bij toeval het lijk zou ontdekken? Het had verdorie ook maar weinig gescheeld! *En hoe had ze het verdomme kunnen opbrengen om zo kalm en beheerst te blijven terwijl het lijk van haar dode minnaar daar in haar garage lag en ze toch last moest hebben gehad van haar geweten?*

Hij rolde de steel van zijn wijnglas heen en weer tussen duim en wijsvinger en beschreef er langzaam een cirkel mee op het tafellaken. 'Als er een lijk in huis was, dan begrijp ik niet waarom ze tegen jou geklaagd heeft over Barry,' zei hij tegen Harrison. 'Ze is ofwel uiterst koel, ofwel uiterst dom.'

'Koel, zou ik zeggen,' zei Harrison, die weer voor zich zag hoe de vrouw rustig de politie binnen had gelaten terwijl er een dode in haar garage lag. 'Ik veronderstel dat ze te weten wilde komen wat hij ons precies had verteld, om op basis daarvan te bepalen wat haar verder te doen stond. Waarschijnlijk was het plan oorspronkelijk om zijn auto in Dover achter te laten en het lijk dan ergens anders te dumpen, maar ze realiseerde zich dat ze zelf ook moest verdwijnen toen bleek dat ze Barry's getuigenverklaring niet kon bestrijden.' Hij zweeg even. 'Maar logistiek gezien klopt het toch nog niet. Wie heeft die Rolls-Royce naar Kent gereden als de eigenaar al dood was en in een Londense garage lag?'

Niemand antwoordde.

'Als Amanda de auto erheen heeft gereden,' vervolgde hij, 'hoe heeft ze het dan voor elkaar gekregen om om negen uur terug te zijn? Op dat tijdstip hebben haar buren met haar gesproken, waarna ze haar weg hebben zien rijden om Kerstmis bij haar moeder te gaan doorbrengen. Daarna kan ze het niet gedaan hebben, want omstreeks het middaguur was ze in het huis van haar moeder; de politie was toen bij haar om haar op de hoogte te brengen van Barry's arrestatie. Ze had dus geen tijd om van auto te wisselen, de Rolls naar Dover te rijden en de BMW op te halen.'

'Misschien is ze om drie uur 's ochtends van huis gegaan en heeft ze vanuit Dover een van de eerste treinen naar Londen genomen,' opperde Deacon. 'Dan zou ze toch wel om negen uur terug hebben kunnen zijn?'

De adjudant schudde zijn hoofd. 'Op zondag komt de eerste trein vanuit het zuiden pas na negenen aan.'

'Misschien heeft ze wel gelift.'

'Op de vroege ochtend van de dag voor Kerstmis? In het donker? En dan tot aan haar voordeur, zodat ze gewassen en gekamd met haar buren een babbeltje heeft kunnen maken?'

Lawrence bestudeerde hem aandachtig. 'Wat is uw theorie, adjudant?'

'Wij denken dat er nog een ander bij betrokken was, meneer. Toegegeven, het is pure speculatie, maar het zou kunnen dat De Vries een klap op zijn hoofd heeft gekregen terwijl hij met Amanda aan het vrijen was, wat ook de meest voor de hand liggende verklaring is voor het feit dat hij naakt was. Dan zou deze handlanger de Rolls van De Vries hebben kunnen ophalen van de plek waar hij hem had laten staan – wat niet voor de deur van haar huis geweest kan zijn, want dat zou de buren dan zeker zijn opgevallen – en hem naar Dover hebben gereden. Ik denk dat u zult moeten toegeven dat dat op basis van wat we nu weten een voor de hand liggende gang van zaken is.'

Lawrence glimlachte. 'Ik ben jurist, beste man, en u kunt niet van mij verwachten dat ik daar zomaar mee instem. Een even waarschijnlijke opeenvolging van gebeurtenissen is dat De Vries zo opgewonden was over Amanda dat hij vergeten was zijn auto op slot te doen, waarna die door joyriders meegenomen is. Ondertussen is hij na afloop van hun genoeglijke onderonsje op het tapijt onder de douche uitgegleden en doodgevallen. Amanda, helemaal overstuur door wat er gebeurd is, legt het lijk in de garage en vlucht haar huis uit om goed na te kunnen denken over de zaak. Hebt u enig bewijsmateriaal dat mijn versie van de gebeurtenissen zou kunnen ontzenuwen?'

De beide politiemannen keken Barry aan. 'Misschien kan meneer Grover ons helpen,' opperde hoofdinspecteur Fortune. 'Hoe lang hebt u staan kijken naar wat er in die huiskamer gebeurde?'

Barry keek naar zijn handen. 'Niet lang.'

'Bent u weggegaan voordat ze klaar waren?'

Hij knikte.

'Weet u dat zeker? De meeste mannen zouden in die situatie tot het einde zijn gebleven. Niemand zag u. U was er helemaal toevallig. U zei zelf dat u het opwindend vond. Zozeer zelfs,' – hij keek even naar de andere drie mannen, alsof hij zich afvroeg hoe expliciet hij kon zijn – 'dat u er een paar uur later weer heen bent gegaan voor een tweede ronde. Waarom ging u zo gauw weg, als dat niet hoefde?'

Barry bevochtigde zijn lippen. 'Ik dacht dat ze me gezien had. Hij moest van haar opstaan om de gordijnen dicht te gaan doen.'

Fortune toonde hem een foto van Nigel de Vries. 'Was dit de man?'

'Ja.'

'Waarom dacht u dat Amanda u gezien had?'

'Omdat hij pas opstond nadat zij naar het raam had gekeken.'

'Was er nog iemand anders in de kamer?'

Barry schudde zijn hoofd.

'Hebt u nog door andere ramen naar binnen gekeken?'

'Nee, ik was bang dat ik betrapt zou worden. Ik ben meteen teruggelopen naar de hoofdstraat en heb daar een taxi naar huis genomen.'

'Heel erg bang kunt u niet geweest zijn,' zei Harrison. 'Nog geen acht uur later was u weer terug.'

'Hij had zijn map met foto's daar laten liggen,' zei Deacon ter verklaring. 'Daarom is hij teruggegaan.' Hij keek meevoelend naar Barry. 'Ze heeft een zwarte BMW, die ze altijd op de oprit laat staan. Stond die daar toen?'

Barry schudde weer zijn hoofd.

'Dan was het moord met voorbedachten rade en heeft ze geen hulp gehad,' zei hij zakelijk.

'Ze heeft twee reisjes naar Dover gemaakt. De eerste op zaterdag in haar eigen auto, die ze daar toen heeft laten staan, waarna ze per trein terug naar Londen is gegaan, en de tweede zondagochtend vroeg in de Rolls, waarna ze met haar BMW is teruggereden.' Hij pulkte een sigaret uit het pakje op tafel en vroeg zich af of ze die zelfde tocht zes jaar geleden ook had gemaakt. 'De interessante vraag is wat ze van plan was met het lijk van Nigel.' Hij hield de aansteker onder het uiteinde van zijn sigaret. 'Ze moet wel heel zeker zijn geweest van de plaats waar ze het wilde gaan verbergen, want anders zou ze de moeite niet hebben genomen zijn auto in de buurt van een zeehaven neer te zetten.'

De hoofdinspecteur keek hem aandachtig aan. 'Het enige probleem bij dat scenario is dat de buren zeker weten dat haar auto zaterdag de hele dag bij haar huis heeft gestaan.'

Deacon haalde zijn schouders op. 'Als Barry zegt dat hij er niet stond, dan stond hij er niet.'

'Het lijkt wel alsof ze hem de moord in de schoenen proberen te schuiven,' zei Terry agressief. 'Ik bedoel, als ze ervan uitgaan dat ze een handlanger had, is het heel makkelijk hem ervan te beschuldigen.' Hij porde Lawrence tussen zijn ribben. 'Je moet niet toestaan dat ze hem op deze manier ondervragen. Ze hebben hem ook niet gewaarschuwd dat hij niks hoeft te zeggen als hij dat niet wil.'
'Ach, ik denk dat je daarmee onze vrienden van de politie onrecht doet, Terry. Zij weten net zo goed als jij en ik dat Barry hun niet verteld zou hebben dat hij een man in Amanda's huis had gezien als hij hem vermoord zou hebben.' Hij fronste zijn voorhoofd enigszins. 'Het is een heel probleem, hè? Als we ervan uitgaan dat Nigel vermoord is, dan moet Amanda daar mee te maken hebben gehad. En toch is ze zo'n prachtige jonge vrouw.'
'Kent u haar?'
'Ik heb haar wel een paar keer gezien. We wonen bij elkaar in de buurt, zoals Michael zal kunnen bevestigen. Ik zit regelmatig bij de rivier op een bankje een beetje te kijken.'
'Gaat u verder,' zei Fortune toen Lawrence zweeg.
'Neemt u me niet kwalijk. Ik zat er net aan te denken hoe ver de mens kan zakken zonder dat het meteen zichtbaar is. Weet u, als het is zoals Michael zegt, dan heeft mevrouw Powell Nigel waarschijnlijk aangemoedigd om met haar te gaan vrijen om hem des te gemakkelijker te kunnen vermoorden, en dat zou betekenen dat ze heel diep gezonken is.' Hij glimlachte enigszins melancholiek. 'Maar over het algemeen denk ik graag positief over de mensen, hoor.'
De hoofdinspecteur glimlachte beleefd en deed alsof hij zich niet ergerde aan het geklets van de oude man. 'Volgens mij bestaat er geen overeenkomst tussen het uiterlijk van een mens en zijn gedrag.'
'Normaal gesproken zou ik het met u eens zijn.' Hij pakte de foto van Nigel de Vries van Barry aan en bekeek die met belangstelling. 'Een hard gezicht, vindt u niet? Maar hij stond natuurlijk ook bekend als een arrogant man, en arrogantie is een gevaarlijke eigenschap. Ik moet eerlijk zeggen dat ik Nigel de Vries een van de negatieve bijproducten van onze huidige maatschappij vind.'
'Kent u hem?'
'In zekere zin wel, ja. Een van mijn jongere kantoorgenoten heeft een aantal jaren zijn zaken behartigd.' Hij tikte op de foto. 'Maar ze weigerde namens De Vries op te treden toen hij haar opdroeg een jonge vrouw die hij bijna dood had geslagen toen hij geslachtsgemeenschap met haar had, een schadevergoeding te geven. De Vries waardeerde haar leven en gezondheid kennelijk op een bedrag van tienduizend

pond, maar mijn collega was zo geschokt door de verwondingen die hij haar had aangedaan dat ze de relatie van ons kantoor met hem heeft verbroken. Ze zei dat De Vries een psychopaat was, en ik heb sindsdien nooit iets over hem gehoord of gelezen waardoor ik anders over hem ben gaan denken. De maatschappij zou niet moeten toestaan dat zo'n soort man rijkdom vergaart. Als de verkeerde mensen over geld kunnen beschikken, is het altijd mogelijk dat het rechtssysteem, waarop onze democratie is gegrondvest, gecorrumpeerd raakt.'

Deacon keek met sympathie naar zijn oude vriend.

'Ik geloof niet dat ik helemaal begrijp wat u bedoelt,' zei Fortune.

Lawrence keek verbaasd op. 'Dat spijt me dan heel erg. Ik dacht dat het wel duidelijk was. Ziet u, ik vind het veel makkelijker om in de verdorvenheid van De Vries te geloven dan in die van mevrouw Powell.'

'Maar De Vries is wel dood, meneer, en zijn vriendin niet.'

Barry schraapte zenuwachtig zijn keel. 'Ze keek helemaal niet blij toen het gebeurde,' zei hij aarzelend. 'Op een gegeven moment sleepte hij haar aan haar haren door de kamer, en toen moest ze zich van hem over een klein tafeltje buigen zodat hij... eh, nou ja...' Hij zweeg. 'Ik denk dat het misschien wel een verkrachting was,' voegde hij er fluisterend aan toe.

Vijf paar ogen draaiden zich in zijn richting.

'Waarom hebt u dat gisteren niet gezegd?' vroeg Harrison.

Barry keek geschrokken.

'Je hebt het hem niet gevraagd,' zei Deacon. Maar het verklaarde wel voor een groot deel waarom Barry zich de afgelopen vierentwintig uur zo verward had gedragen. Geen wonder dat hij die dominerende man zo exact had weten te beschrijven...

Daily Express

27-12-1995

Laatste nieuws:
De politie heeft vanmiddag de ongebruikelijke maatregel genomen de naam en een portretfoto vrij te geven van een vrouw die men graag wil verhoren met betrekking tot de verdwijning van de ondernemer Nigel de Vries, wiens Rolls-Royce onbeheerd is aangetroffen in Dover. De vrouw heet Amanda Powell en noemde zich vroeger Amanda Streeter. Ze woont in Thamesbank, Londen EC14. Aangenomen wordt dat zij zich ergens in het land schuilhoudt.

Daily Express

30-12-1995

Laatste nieuws:
Afgaande op een getuigenverklaring heeft de politie Amanda Streeter-Powell in staat van beschuldiging gesteld wegens moord op haar voormalige minnaar, Nigel de Vries. Ze is gisteravond aangetroffen in een huis in de bosrijke omgeving van Sway, op een afstand van slechts zeventig kilometer van het huis van De Vries in Andover. Omwonenden hebben verklaard dat zij daar regelmatig het weekend doorbrengt. Buren van de vrouw in Thamesbank en collega's van het werk zijn naar eigen zeggen verbijsterd door haar arrestatie. 'Ze is een zeer sympathieke vrouw,' verklaarde een van hen. 'Ik kan niet geloven dat zij een moordenares is.'

Telefonisch bericht

Van: Adj. Greg Harrison   Aan: Michael Deacon (kamer 104)

Datum: 3-1-1996   Genoteerd door: Mary Petty

Greg Harrison heeft genoeg van uw telefoontjes. Hij beweert dat hij meer tijd besteedt aan gesprekken met u dan met zijn vrouw, en van haar houdt hij.
Amanda Powell is inderdaad beschuldigd van moord en verblijft op het ogenblik in de gevangenis van Holloway. Het is inderdaad juist dat hij u niet kan toestaan haar te bezoeken aangezien u waarschijnlijk zult worden opgeroepen om te getuigen in de rechtszaak tegen haar, tezamen met Barry Grover. In ieder geval zou een gesprek van u met haar tijdverspilling zijn omdat ze niets heeft toe te voegen aan wat ze de politie zes jaar geleden heeft verteld aangaande de verdwijning van James Streeter. Ze heeft het weekend van 27-29 april bij haar moeder in Kent doorgebracht, hetgeen door haar moeder wordt bevestigd. Haar alibi wordt geaccepteerd door het onderzoekteam. Bij ontbreken van nader bewijsmateriaal is het niet gerechtvaardigd door te gaan met dreggen in de Theems in de buurt van Teddington.
Met betrekking tot de moord op De Vries (en citeert u Greg alstublieft niet, aangezien dit alles nog onder de rechter is en hij wellicht ontslagen zou kunnen worden omdat hij voor zijn beurt praat), stelt Fiona Grayson zich op hetzelfde standpunt als Amanda. Nigel en zij hebben elkaar maandenlang niet gezien. Amanda beweert dat ze Nigel zaterdagochtend bij toeval is tegengekomen in Knightsbridge, waar ze kennelijk beiden kerstinkopen aan het doen waren. Hij schijnt zeer opgewonden te zijn geraakt door het weerzien met haar, en heeft zich twaalf uur daarna met geweld toegang verschaft tot haar huis om haar te verkrachten, hetgeen door de getuigenverklaring van Barry Grover wordt bevestigd. Toen Nigel haar ten slotte los-

liet, heeft ze hem willen slaan, waarop hij achterover is gevallen en met zijn hoofd tegen een koperen deurknop is geslagen. Het uit het forensisch onderzoek verkregen bewijsmateriaal bevestigt dit (blauwe plekken op wang, bloedsporen op drempel). We zoeken nog getuigen die wellicht op zaterdag haar BMW in Dover gezien hebben, maar die hebben we tot op heden niet gevonden. De buren blijven bij hun verklaring dat het waar is dat zij haar auto op de oprit had staan, zoals zij beweert (al zijn ze er iets minder zeker van dan aanvankelijk omdat ze hem daar altijd neerzette).
De reden waarom Amanda niet het alarmnummer van de politie heeft gebeld, is dat zij in paniek geraakt was. Ze stelt dat ze er onmiddellijk van doordrongen was dat ze van Nigels Rolls-Royce af moest zien te komen, dus is ze ermee naar Dover gereden, waar ze goed de weg kent omdat haar moeder er in de buurt woont. Ze beaamt dat het belachelijk was om het belangrijker te vinden de Rolls kwijt te raken dan het lijk, maar ze was in de war en bang na de verkrachting. Vanuit Dover is ze met een Franse vrachtauto terug gelift naar Londen, en om halfnegen was ze weer thuis.
Op het ogenblik kan dit alles niet worden weerlegd, maar Harrison is ermee bezig.
Wij verzoeken u voortaan per fax met ons te communiceren. Hardwerkende politiemensen kunnen zich geen urenlange telefoongesprekken veroorloven.

21

DEACON DRAAIDE HET NUMMER IN EDINBURGH. 'JA, MET MICHAEL Deacon,' zei hij toen John Streeter aan de andere kant de hoorn opnam. 'Ik neem aan dat u gelezen hebt dat uw schoonzuster is gearresteerd wegens moord op Nigel de Vries?'
'Ja.'
'Hebt u enig idee waarom ze dat gedaan heeft, meneer Streeter?'
'Nee, eigenlijk niet. Ik heb de vrijdag voor Kerstmis met haar gebeld en een wapenstilstand aangeboden. Ze was verrassend meegaand.'
'Wat voor wapenstilstand?'
Er viel een korte stilte. 'Zoiets als wat u voorstelde,' zei hij ten slotte. 'Ik heb haar gezegd dat we tot de conclusie gekomen waren dat ze de waarheid had gesproken en ik heb haar gevraagd haar invloed bij De Vries aan te wenden om ons in staat te stellen de personeelsdossiers bij DVS na te gaan om te zien of we Marianne Filbert kunnen opsporen. Daarmee stemde ze in en ze heeft me gevraagd in het nieuwe jaar weer contact met haar op te nemen.'
'Maakte ze zich zorgen naar aanleiding van uw verzoek?'
'Ze vond het vreemd. Ze vroeg waarom we haar nu ineens wel geloofden en vroeger niet, en toen heb ik gezegd dat u belangstelling had opgevat voor het verhaal van James en ons had overgehaald om met haar samen te werken in plaats van haar te bestrijden.'
'Wat vond ze daarvan?'
'Voorzover ik me kan herinneren zei ze dat het jammer was dat we u zes jaar geleden niet voor de zaak hadden weten te interesseren, en dat er in die tijd zo veel water naar zee is gestroomd.'
'Wat bedoelde ze daarmee?'
'Volgens mij dat het voor iedereen een stuk makkelijker geweest zou zijn als de waarheid meteen na het verdwijnen van James aan het licht gekomen zou zijn.'
'Hebt u verder nog iets besproken?'
'Nee. We hebben elkaar prettige kerstdagen gewenst en toen afscheid genomen.' Streeter zweeg weer even. 'Weet u of de politie haar heeft

ondervraagd over James?'
'Jawel, maar haar verhaal is nog steeds hetzelfde. Ze beweert nog steeds dat ze niet weet wat hem is overkomen.'
Er klonk een zucht. 'U houdt ons op de hoogte, hoop ik?'
'Natuurlijk. Dag, meneer Streeter.'

Met ijzeren garanties dat haar aandeel in het verhaal nooit gepubliceerd zou worden, wist Deacon Lawrence te bewegen met zijn collega te gaan praten over de vrouw die zij tienduizend pond had moeten bieden om haar mond te houden. 'Het enige wat ik weten wil,' had hij tegen de oude man gezegd, 'is of ze het incident aan de politie heeft gemeld, en zo niet, waarom niet.'
Lawrence fronste zijn voorhoofd. 'Ik zou denken omdat de betaling van die tienduizend pond voorwaarde was om te zwijgen.'
'Hoe kan het dat geweest zijn als hij de tijd had om naar zijn advocaat te stappen? De meeste vrouwen die aangevallen zijn draaien onmiddellijk het alarmnummer van de politie zodra hun belager de deur uit is. Tijd om juridisch advies in te winnen is er dan niet bij. Die tienduizend pond lijken mij meer een afscheidscadeautje dan zwijggeld.'
Lawrence belde het antwoord een paar dagen later door. 'Je had gelijk, Michael. Het was inderdaad bedoeld als een soort eindafrekening, en ze heeft het gebeurde niet bij de politie gemeld. Die arme vrouw was ettelijke keren door hem mishandeld, en de laatste keer had ze de verwondingen opgelopen die mijn collega had geconstateerd. Ze heeft nog geprobeerd haar over te halen hem te vervolgen,' – hij grinnikte – 'wat niet erg ethisch was, moet ik zeggen, want ze trad op dat moment nog op namens De Vries, maar ze was te bang om dat te doen.'
'Voor De Vries?'
'Ja en nee. Ze wilde er verder niet op ingaan, maar mijn collega dacht dat De Vries haar chanteerde. Ze was effectenhandelaar, en ze veronderstelde dat ze had gehandeld met voorkennis en dat De Vries daar achter was gekomen.'
'Maar waarom dan ophouden? Waarom haar geld geven?'
'De Vries beweerde dat het een incident was, dat hij zich had misdragen omdat hij dronken was, maar de vrouw zei dat er een hele reeks incidenten aan voorafgegaan was. Mijn collega geloofde haar en heeft onmiddellijk de banden van ons kantoor met deze man, die zij als extreem gevaarlijk beschouwde, doorgesneden. Zij denkt dat De Vries beseft heeft dat hij te ver was gegaan – hij had haar arm en haar

kaak gebroken – en had besloten haar geld te geven en haar te laten gaan. Hij had ons geïnstrueerd de vrouw een bedrag van tienduizend pond te bieden met de bepaling dat er verder geen contacten zouden zijn tussen de twee partijen.'
'Heeft ze het geld ooit ontvangen?'
Weer grinnikte Lawrence. 'O, jazeker. Mijn collega heeft De Vries voor vijfentwintigduizend pond een poot weten uit te draaien voordat ze weigerde nog verder zaken met hem te doen.'
'Besef je wel dat dit Amanda's positie aanzienlijk zou versterken? Het bewijst dat Nigel graag vrouwen verkrachtte.'
'Nee hoor, dat geloof ik helemaal niet. Het zou haar volstrekt niet goed uitkomen als zou blijken dat Nigel vrouwen chanteerde om ze des te gemakkelijker te kunnen verkrachten. Zoals ik het begrepen heb, is haar verdediging dat dit nooit eerder gebeurd is, dat Nigel in een staat van opwinding met geweld haar huis is binnengedrongen en dat zijn dood een ongeluk was toen ze naar hem uithaalde nadat ze zich van hem los had weten te rukken.'
'Ze liegt.'
'Ja, daar ben ik ook van overtuigd, maar ze vecht voor haar leven, het arme mens.'
'En slaagt ze daarin, denk je?'
'Vast en zeker. Alleen Barry's getuigenis is waarschijnlijk al voldoende om de jury tot vrijspraak te laten concluderen.'
'Als hij er niet geweest was, zou ze helemaal niet gearresteerd zijn,' zei Deacon, 'en nu hangt haar vrijspraak van hem af. Dat is toch te gek ironisch, zou Terry zeggen?'
Lawrence grinnikte. 'Hoe is het trouwens met zijn leeslessen?'
'Hij gaat sneller dan ik had gedacht,' zei Deacon droog. 'En hij heeft ook al ontdekt hoe leuk het is om vieze woorden in het woordenboek op te zoeken. Hij maakt me gek met het hardop voorlezen van de omschrijvingen.'
'En hoe is het met Barry?'
Er viel een lange stilte. 'Barry heeft besloten om eerlijk voor zijn gevoelens uit te komen,' zei Deacon nog droger. 'En als hij niet heel gauw zijn mond houdt, ben ik in staat om zijn ballen af te snijden en in zijn mond te stoppen zodat hij niks meer kan zeggen. Je weet, ik ben een tolerant man, maar ik word hels als ik het voorwerp ben van de fantasieën van een ander.'

FAXBERICHT **DATUM: 4-1-1996**

The Street, Fleet Street, London EC4

Van: Michael Deacon
Aan: Adjudant Greg Harrison

N.B.: Jij bent niet de enige die ik heb opgebeld!

1. John Streeter heeft (op mijn advies) in de week voor Kerstmis Amanda opgebeld, aangeboden om vrede te sluiten en gezegd dat de Vereniging van Vrienden van James Streeter van plan was in het nieuwe jaar Nigel de Vries te benaderen om in de personeelsdossiers van DVS iets meer te weten te zien te komen omtrent Marianne Filbert.
2. Word wakker! Dat Amanda Nigel bij toeval op de zaterdag voor kerst in Knightsbridge zou zijn tegengekomen is ongeveer even waarschijnlijk als dat jij of ik de staatsloterij winnen. De kans dat dat gebeurt is werkelijk minimaal. Denk toch eens na, iedereen liep daar rond, op de valreep nog op zoek naar een cadeautje. Ze heeft gewoon bij haar thuis met hem afgesproken voor een beetje lol met Kerstmis. Zie hieronder.
3. Van wie is het huis in Sway? Van Amanda of van Nigel? Als het van Nigel is, dan wist zijn vrouw daar niets van en houdt haar bewering dat Nigel en Amanda geen contact met elkaar hadden geen stand. Ik wed dat Amanda daar naartoe moest als Nigel dat verordonneerde. (Hij wist dat zij James had vermoord, en hij gebruikte de wetenschap als chantagemiddel als hij zin had in seks. Lawrence heeft je verteld wat een schoft Nigel was, en Barry heeft gezien hoe hij haar verkrachtte; wat wil je nou nog meer aan bewijzen dat hij haar in zijn macht had?)
4. Hoe wist zij waar Nigel zijn Rolls had staan als die niet voor haar deur stond? Is hij soms even opgehouden om haar te vertellen waar hij hem had geparkeerd?
5. Als de auto bij haar op de oprit stond, waarom is ze dan niet even achteruit de garage in gereden om het lijk in de kofferbak te leggen en hem ergens te dumpen voordat ze de auto ergens achterliet? Het feit dat ze dat niet heeft gedaan is het beste bewijs dat de BMW er niet gestaan heeft.

6. Hoe verklaart ze de aanwezigheid van de zakken cement in haar garage? We hebben foto's van begin december waarop te zien is dat de garage toen leeg was.
7. Waarom zouden ze in Londen van bil zijn gegaan als ze naar Sway hadden kunnen gaan? Ze zou er toch naartoe zijn gegaan, en het is maar zeventig kilometer van Halcombe House. De reden is natuurlijk dat de verdwijntruc vanuit Sway een stuk moeilijker te realiseren zou zijn! Die truc moest vanuit Londen gebeuren, omdat ze dan sneller in Dover zou zijn, en het moest een plek zijn waar niemand hem kende. Toen heeft zij hem opgebeld en hem ertoe overgehaald voor de verandering eens een keer naar Londen te komen!

Het was moord met voorbedachten rade, en niemand zou erachter gekomen zijn als Barry geen roet in het eten was komen gooien. Terwijl de politiekorpsen van Hampshire en Kent als kippen zonder kop rondrenden, op zoek naar een gekidnapte of verdwenen ondernemer, kon zij lekker de kerst doorbrengen bij haar moeder (die haar een prachtig alibi zou verschaffen!). Het enige risico was dat ze het lijk tijdens de feestdagen in haar garage moest laten liggen, maar ze had geen tijd om Nigel en de auto in één nacht te lozen, dus heeft ze waarschijnlijk gedacht dat ze het risico maar moest nemen. Even makkelijk als het dumpen van James was het niet. Als ze Nigel over de muur om haar tuin heen had gegooid, zou hij bij laag water op de oever gevonden worden, en dan zouden er maar vragen gesteld worden over de inhoud van het stuk beton dat daar lag. Je moet echt doorgaan met dreggen in de rivier bij Teddington. Ik garandeer je dat je daar een met betonblokken verzwaard skelet zult vinden, en dan moet je het DNA daarvan maar eens vergelijken met dat van John Streeter. Ik heb trouwens de moeder van Amanda ontmoet, en dat alibi van haar deugt niet. Het oude mens heeft al jaren last van artritis en ze is iedere nacht bewusteloos door de zware slaapmiddelen die ze gebruikt. Amanda zou half Engeland hebben kunnen vermoorden zonder dat mevrouw Powell senior daar ook maar iets van zou hebben hoeven weten.

De groeten,

Mike

POLITIE VAN LONDEN ISLE OF DOGS FAXBERICHT 10-1-1996 09.43

Van: Greg Harrison
Aan: Michael Deacon

1. Van horen zeggen. Amanda ontkent dat John Streeter iets dergelijks heeft gezegd. Haar verhaal is dat hij haar heeft uitgescholden, zoals hij dat elke keer met Kerstmis heeft gedaan sinds James verdween.
2. We kunnen niet bewijzen dat ze hem niet is tegengekomen in Knightsbridge.
3. Het huis in Sway is eigendom van een mevrouw Agnes Broadbent. De afgelopen zes jaar was het verhuurd aan Amanda Powell.
4. Ze heeft tegen Nigel gezegd dat ze hem niet wilde zien en dat ze een taxi ging bellen. Hij zei: 'Doe geen moeite, ik ga al. Ik heb de Rolls op Harbour Lane staan.' En toen heeft hij haar aangevallen. Een getuige herinnert zich dat hij die avond een Rolls-Royce op Harbour Lane heeft zien staan. (Barry's verklaring dat hij getuige is geweest van een verkrachting kan in twee seconden door een advocaat onderuit worden gehaald op grond van het feit dat hij niet begrijpt dat seks tussen man en vrouw aangenaam kan zijn!)
5. Ze heeft erover gedacht Nigel achter in haar auto te leggen, maar hij was te zwaar voor haar. Ze is er uiteindelijk maar net in geslaagd hem naar de garage te slepen.
6. Ze is van plan haar terras in de tuin anders te gaan inrichten. De stenen zijn hier en daar losgeraakt.
7. Sway staat er los van. De Vries had niets anders in de zin dan haar te verkrachten, en hij heeft zich met geweld toegang verschaft tot haar huis om dat te doen. Zijn dood was een ongeluk. (Je zal begrijpen dat ik dat niet per se hoef te geloven. Ik citeer haar alleen maar.)

Heb je er enig idee van hoeveel het kost om te gaan dreggen? We hebben geen reden om bij Teddington in de Theems te gaan dreggen, net zomin als op enige andere plaats. We hebben aanwijzingen nodig dat zich daar een lijk bevindt. Het lijkt wel alsof je Amanda erbij wilt lappen. Waarom?

Groeten,

Greg.

PS: Je stelt wel veel vertrouwen in Barry en Lawrence. Hun bewijsmateriaal voor Nigels gewelddadigheid tegenover vrouwen is heel magertjes. Wil je soms graag dat zijn familie je een proces aandoet wegens smaad?

FAXBERICHT **DATUM: 15-01-1996**

The Street, Fleet Street, London EC4

Van: Michael Deacon
Aan: Adj. Greg Harrison

Lawrence en Barry hebben, anders dan de familie van Nigel, geen reden om te liegen. Het is ver van mij om Amanda 'erbij te willen lappen'. Ik probeer haar juist te helpen, dus ik vind het jammer dat ik jou heb geholpen haar te vinden. Ik had haar verhaal voor mezelf moeten houden, net zoals ik met dat van Billy heb gedaan; dan had ik haar gewoon kunnen spreken. Waarom heb je haar niet aangeklaagd wegens doodslag als reactie op een provocatie? Waarom heb je haar niet op borgtocht vrijgelaten in plaats van haar daar in de lik te laten zitten? Dan had ik een toevallige ontmoeting kunnen ensceneren. Ik garandeer je dat ik dan meer van haar los zou hebben gekregen dan jullie daar ooit zal lukken. Trouwens, heb ik het aan jou te danken dat ik word aangemerkt als potentiële getuige? Denk nou toch eens na! Wat heb ik nou echt gezien? Oké, ik ben op de avond voor Kerstmis in dat huis geweest, maar wat mij betreft zat het arme mens vreselijk in over die geur die volgens jullie van Nigel afkomstig was. Zelfs ik, een eenvoudige journalist, weet dat het verrottingsproces van lichamen in een koude winter binnen zesendertig uur niet zo erg snel gaat. Dat was Billy Blake, die sinds juni haar voortdurende metgezel is geweest in een tot dusver niet geslaagde poging haar een bekentenis van moord te ontlokken. Oké, ik weet dat het krankzinnig klinkt, maar 'er is meer tussen hemel en aarde dan waarvan jij kunt dromen', vriend!
Doe jezelf een lol: ga dreggen bij Teddington, dan zul je James vinden. Dat is de misdaad die ze echt heeft gepleegd: ze heeft haar zelfbeheersing verloren en een berekenende schoft een oplawaai gegeven, een man die op het punt stond zijn vrouw in de steek te laten en verder met zijn maîtresse en met tien miljoen pond op een Zwitserse bankrekening een lekker leventje te gaan leiden. Niet dat ik het haar nou zo kwalijk neem, hoor. Hoe meer ik van James te weten kom, des te minder mag ik hem. En nu heeft ze ook met

Nigel de Vries afgerekend voor de periode van zes jaar waarin ze zijn speeltje heeft mogen zijn.
En wat betreft de onzin die je me vorige week stuurde:
De vrouw van John Streeter heeft gehoord wat hij tijdens dat telefoongesprek zei, dus wat hij heeft gezegd is te bewijzen; ga Nigels bankrekening na om te kijken of er huur is betaald voor het huis in Sway; Amanda zal wel tegen Nigel hebben gezegd dat hij zijn auto op Harbour Lane moest neerzetten; als Amanda Nigel boven op die zakken cement neer heeft kunnen leggen, moet ze hem ook in de kofferbak hebben kunnen tillen (ze is bovendien architect, dus ze zal wel iets weten over de mechanica van het tillen); geen mens gaat midden in de winter zijn terras opnieuw inrichten – cement kan niet tegen vorst; het maakt niet uit hoe slecht Barry als getuige zou zijn: ga op je GEVOEL af. Nigel heeft haar verkracht omdat hij wel wist dat ze hem toch niet zou aangeven. HETGEEN BETEKENT DAT DE SCHOFT HAAR IN ZIJN MACHT HAD.

Volgens mij is de kwestie met James als volgt in zijn werk gegaan:

- James Streeter was een dief en een leugenaar. In 1985 heeft hij de zaak een beetje opgelicht om zijn beleggersdromen waar te helpen maken. Toen hij in 1988 Marianne Filbert ontmoette, heeft hij geleerd hoe je miljoenen kunt verduisteren en zijn zijn oplichterspraktijken steeds verfijnder geworden.
- Ondertussen was hij met Amanda getrouwd, die hij had leren kennen via Nigel de Vries. Ik kan dit huwelijk van haar alleen verklaren als een ontsnappingspoging, want ze moet toen al ontdekt hebben wat voor vlees ze in de kuip had met Nigel. Wat de motieven van James waren is moeilijker te zeggen. Sociale status is misschien een van de achtergronden (als Amanda goed genoeg was voor de baas, dan moest ze de moeite waard zijn, bijvoorbeeld). Volgens zijn vader vond hij status heel belangrijk.
- Het huwelijk was stormachtig, en James ging al snel op zoek naar een wat gezeglijker iemand. Hij stimuleerde Amanda om door te gaan met het project in Teddington, mogelijk om een deel van zijn besmette geld wit te wassen. Alle eigendomsakten stonden uitsluitend op haar naam – om fiscale redenen? – waardoor ze zonder moeite de flats kon ruilen tegen het huis in Thamesbank.
- Zodra de fraude ontdekt werd, had Nigel door zijn positie bij

Lowensteins Bank al in de gaten dat James ervoor verantwoordelijk was. Misschien wist hij het zelfs al via Marianne Filbert of via Softworks/DVS. Bij het interne onderzoek van de bank is misschien ook het veiligheidsrapport van Softworks boven tafel gekomen. Maar hoe dan ook, er is een goede kans dat hij James tegen betaling op tijd heeft gewaarschuwd dat hij weg moest.

- Ik denk dat hij ook Amanda heeft gewaarschuwd, maar dan waarschijnlijk om haar een hak te zetten. Zij moet hebben geweten dat James op het punt stond om te verdwijnen en haar aan haar lot over te laten.
- Ze heeft James uit woede vermoord, en zich toen verscholen achter het feit dat alle aanwijzingen erop duidden dat hij verdwenen was. Haar probleem was dat Nigel wist wat ze had gedaan en die kennis ook tegen haar gebruikte. Ik veronderstel dat hij Amanda inderdaad heeft gewaarschuwd en inderdaad geld heeft aangenomen van Marianne en James. Toen Marianne contact met hem opnam om hem te zeggen dat James niet was aangekomen, realiseerde hij zich dat James het land nooit had verlaten. Toen was het niet moeilijk om te concluderen dat Amanda James met zakken cement had verzwaard en in de rivier bij het bouwproject had gedumpt, en heeft hij haar gedreigd naar de politie te stappen. (De methode was zo effectief gebleken dat ze hem met Nigel wilde herhalen.)
- Dat het zo gegaan is, blijkt uit de manier waarop Nigel Amanda behandelde, waar Barry getuige van is geweest. Hoe kon een man als De Vries het zich veroorloven te doen wat hij deed zonder zeker te weten dat ze niet naar de politie zou stappen? Hij had toch verdomme alles te verliezen als ze hem van verkrachting zou beschuldigen nadat hij het huis had verlaten.

Het beste,

Mike

The Street, Fleet Street, London EC4

Aan Amanda Powell
Hare Majesteits Gevangenis
IX Parkhurst Road
Holloway
Londen N7 ONU

15 januari 1996,

Beste Amanda,
Ik heb geen idee of Billy's gedachten over hel en verdoemenis enige objectieve waarde hebben. Hij noemde het vagevuur een oord waar eeuwig wanhoop heerst en waar geen liefde is. Hij zag het niet als een eeuwigdurende onwetendheid maar als een eeuwigdurend verschrikkelijk bewustzijn. De daartoe veroordeelde ziel weet dat de liefde bestaat, maar is voor eeuwig veroordeeld om zonder liefde te leven. Ik geloof dat hij dat denkbeeld zo vreselijk vond dat hij, onder het alias Billy Blake, zondaars wilde redden van de zonden die hen niet vergeven waren.
Voor anderen was hij bereid zijn hand in het vuur te steken of zichzelf bloot te stellen aan extreme koude. Voor jou is hij gestorven. Dat betekent niet dat jij je daarmee in geweten belast moet voelen, want de dood was wat hij wilde. Zonder de dood zou hij geen hoop gehad hebben zijn innig geliefde vrouw Verity te kunnen redden uit de bodemloze put waartoe zij als zelfmoordenares zou zijn veroordeeld. Hij geloofde dat er uit dat verschrikkelijke oord geen redding mogelijk was dan door de goddelijke barmhartigheid, en hij hoopte dat hij, als hij een leven van extreme boetvaardigheid zou leiden voor zijn vrijwillige dood als gevolg van zelfverwaarlozing, het wonder zou kunnen bewerkstelligen dat Verity door Gods barmhartige tussenkomst uit de hel gered zou worden.
Je zou natuurlijk kunnen beweren dat hij niet goed bij zijn hoofd

was als gevolg van de schrik, het verdriet, zijn alcoholmisbruik en langdurige ondervoeding, en een aantal van zijn vrienden denkt ook dat hij eigenlijk schizofreen was. Ik ben het echter eens met wat je zei toen ik je voor het eerst ontmoette. Je zei dat je vond dat de samenleving er heel slecht voor stond als de manier waarop iemand sterft het enige interessante aan hem is. Billy's waarde zat hem in de moeite die hij deed om jou te redden, want de enige reden waarom hij jou had uitgekozen, was om je ervan te overtuigen dat je in dit leven moest boeten voor de moord op James in plaats van je lijden uit te stellen tot de eeuwigheid.
De ironie is dat jij bereid was een zwerver voor wie niemand rouwde in diens dood een waardigheid te geven die je James onthouden hebt, maar misschien is dat steeds Billy's bedoeling geweest. Dat is ten slotte wat mij ertoe gebracht heeft jou op te komen zoeken. Billy moet geweten hebben dat de voettocht naar Andover om jouw adres aan Nigel de Vries te gaan vragen (al was Nigel op dat moment in het buitenland en heeft zijn vrouw Fiona hem verteld waar hij je kon vinden) zijn laatste krachten zou vergen. Dat betekende dat zijn dood in jouw garage de onvermijdelijke consequentie van zijn acties moest zijn. Zoals je zelf al hebt gezegd, had hij best moeite kunnen doen om je aandacht te trekken of had hij voedsel uit je vrieskist kunnen nemen, maar dat heeft hij nagelaten. Hij heeft zijn dorst gelest met ijsblokjes en is in stilte overleden. Hij wilde jou niet veroordelen – hij was tenslotte zelf een moordenaar – het enige dat hij wilde was jou herinneren aan die ander, die niet begraven was en om wie niemand had gerouwd.
Ik sluit hierbij een kopie in van een samenvatting van wat ik denk dat er gebeurd is, die ik aan adjudant Greg Harrison heb gestuurd. Billy's aandeel in de gebeurtenissen heb ik niet vermeld omdat hij die destijds niet heeft gemeld en ik denk dat de politie geen getuigenverklaringen van doden accepteert. Ik ben er echter van overtuigd dat hij gezien heeft dat jij James vermoordde. Buren van je in Teddington herinneren zich een kraker in de oude school, en Tom Beale uit het pakhuis heeft me verteld dat Billy hem wel eens had gezegd dat hij 'stroomopwaarts van Richmond' had geslapen voordat hij verkaste naar het Isle of Dogs.
Je zal je misschien afvragen waarom hij niet eerder naar je op zoek is gegaan. Het antwoord is eenvoudig dat hij je alleen kende onder de naam Amanda Streeter, de vrouw die de school had gekocht die hij had gekraakt. Toen je je meisjesnaam weer had aangenomen en

verhuisd was, is hij je uit het oog verloren tot de dag dat hij in de krant las dat jouw naam in verband werd gebracht met Nigel de Vries. Maar de werkelijke reden is dat hij er niet klaar voor was. Een oude vrouw heeft me eens iets gezegd over zelfmoordenaars. Ze zei: ‘Heb je er wel eens aan gedacht dat je aan gene zijde iets te wachten staat, en dat je misschien nog niet klaar bent voor die confrontatie?’ Billy begreep beter dan wie ook, denk ik, dat hij moest zorgen dat hij daar klaar voor was, en hij kon zich daar op voorbereiden door te lijden. Hij zei altijd dat hij nog niet voldoende geleden had.
Ik ben niet van plan meer te ondernemen dan ik tot nu toe heb gedaan – wat betekent dat ik de rechtvaardigheid aan de autoriteiten overlaat – behalve dan dat ik tegen de familie Streeter zal zeggen dat hun zoon inderdaad vermoord is. Geen van ons is door en door slecht, Amanda, en we verdienen het allemaal dat er iemand om ons rouwt. Billy's redding laat ik aan jou over. Ik ben van mening dat het geen verschil maakt of hij krankzinnig was of niet. Hij geloofde dat hij Gods barmhartigheid zou verdienen door een ander uit de hel te redden.
Je hebt me gevraagd de waarde van Billy's leven aan te tonen, maar ik denk dat je er nu wel van overtuigd zal zijn dat jij de enige bent die dat kan. Het is helemaal aan jou om, door je eigen verlossing, ook hem en Verity te verlossen.

Ik wens je het allerbeste,

Michael Deacon

Michael Deacon

PS: Denk alsjeblieft niet dat ik je vijandig gezind ben. Ik heb je altijd graag gemogen.

POLITIE VAN LONDEN   ISLE OF DOGS   FAXBERICHT   19-1-1996   16. 18

Van: Adjudant Greg Harrison
Aan: Michael Deacon

Amanda Powell heeft een volledige bekentenis afgelegd wat James betreft. Morgenochtend om halfnegen beginnen we met dreggen. Tot ziens in Teddington.

Groeten,

Greg.

22

Toen Deacon de hoek van het tot appartementenblok verbouwde schoolgebouw omsloeg, moest hij terugdenken aan de eerste keer dat hij in het pakhuis in de Docklands was geweest. Ook dit gebouw bood een treurige aanblik, slechts verlevendigd door enkele mensen in vormeloze, donkere overjassen. Enkele passen van de waterkant stond een groepje mannen bij elkaar over het water uit te kijken. Ze hadden hun kragen opgezet om zich te beschermen tegen de snijdende wind. Ze waren jonger en leken wat kleding betreft meer op elkaar, maar hun gezichten waren op precies dezelfde manier vertrokken van de kou als die van de zwervers in het pakhuis. Achter het groepje dreef een aantal politiemannen in duikerpakken naast een roeibootje, dat op enkele meters van een schuin aflopend gazon dat overging in een wandelpad, in het snel stromende water op dezelfde plek trachtte te blijven. In het gazon waren struiken geplant en bloembedden aangelegd. Deacon vroeg zich af of dit Amanda's idee was geweest bij het ontwerp van de verbouwing.
Ineens zag hij haar. Ze was in het zwart gekleed en stond een beetje opzij in het gezelschap van een gevangenbewaarder en ze keek even gespannen als de politiemannen over het water uit. Toen Deacon over het gras op haar afliep draaide ze zich naar hem toe en keek hem met een flauwe glimlach van herkenning aan, waarbij ze alleen haar mondhoeken ietsje liet omkrullen. Ze hief een hand op ter begroeting maar liet die weer snel vallen, misschien omdat ze het gevoel had dat ze het verbruid had bij de mensheid als geheel. Hij zwaaide.
Adjudant Harrison maakte zich los van de groep om te verhinderen dat hij met Amanda zou gaan praten. Hij keek naar het fototoestel dat Deacon bij zich had en schudde zijn hoofd. 'Geen foto's deze keer, ouwe jongen,' zei hij.
'Eentje maar,' zei Deacon met een hoofdknikje in de richting van de vrouw. 'Voor mijn eigen verzameling, niet voor publicatie. Ze ziet er fantastisch uit in het zwart.'
'Dat verbaast me ook niks,' zei de adjudant. 'Na de geslachtsdaad maakt ze haar minnaars af.'

'Bedoel je nou ja, of bedoel je nee?'
Hij haalde zijn schouders op. 'Het is meer een "je moet het zelf weten". Je krijgt er problemen mee, Mike, met dat mens.'
Deacon grijnsde. 'Jij bent toch ook niet van steen, verdomme. Jij wilt toch ook wel eens wat? Denk jij niet dat het mannetje als tegenprestatie voor het feit dat hij opgepeuzeld wordt de meest fantastische seksuele ervaring van zijn hele leven mag meemaken?'
'De énige seksuele ervaring die hij mag meemaken,' zei Harrison zuur. 'En bovendien: tegen de tijd dat ze haar levenslange gevangenisstraf heeft uitgezeten is het een oude vrouw.'
Een agent in een duikerpak stak zijn glimmende hoofd, dat Deacon aan dat van een zeeleeuw deed denken, uit het water en deed ten behoeve van de kijkers aan de wal zijn duim naar omlaag. Het was een kleurloos beeld dat tegelijkertijd van een grote schoonheid was. Een grijze lucht boven een grijs wateroppervlak, met de zwarte aftekening van het bootje tegen het winterse zonnetje. Voordat Harrison hem had kunnen tegenhouden, had Deacon zijn camera gepakt en het ogenblik vastgelegd voor het nageslacht. 'Niets in het leven is echt lelijk,' zei hij terwijl hij zijn fototoestel in de richting van Amanda liet zwenken en op haar inzoomde om haar naderbij te brengen, 'tenzij je het zo wilt zien.'
'Wacht maar tot we James eruit halen. Dan denk je er wel anders over.' Harrison bood Deacon een sigaret aan. 'Je had gelijk met je opmerking dat De Vries haar had gewaarschuwd,' zei hij terwijl hij zijn handen beschermend om de lucifer hield. 'Alleen wist ze op dat moment niet waar de informatie vandaan kwam. Hij had haar een fotokopie gestuurd van de opdracht tot het instellen van een eigen onderzoek bij de bank, waarin James genoemd werd als verdachte. Die brief is op de ochtend van vrijdag 27 april aangekomen en ze is toen de hele dag in paniek geweest.' Hij onderbrak zichzelf om zijn sigaret aan te steken. 'Ze werd die avond bij haar moeder verwacht, maar ze heeft James op kantoor gebeld en met hem afgesproken dat ze elkaar hier om zes uur bij de school zouden treffen, zogenaamd om een paar problemen in verband met de verbouwing te bespreken. Ze zegt dat ze alleen de bedoeling had om de waarheid te achterhalen, maar ze kregen ruzie toen James begon op te scheppen over zijn slimheid. Ze stonden binnen en op een gegeven moment heeft ze hem de trap af geduwd. Volgens haar heeft hij bij die val zijn nek gebroken.'
Hij zweeg toen een tweede duiker boven water kwam. 'Ze zegt dat het lijk zich onder het voetpad moet bevinden. Dat pad was ze, in ruil

voor het recht daar appartementen te bouwen, verplicht geweest aan te leggen als eerste fase van de verbouwing. Er waren palen de grond in geslagen ter versteviging, en daartussen heeft ze James toen gedumpt.'

'Om zes uur op een avond in april?' vroeg Deacon ongelovig. 'Maar dan is het nog klaarlichte dag!'

'Ze heeft het ook niet op dat moment gedaan.' Harrison zoog aan zijn sigaret en schermde hem tegen de wind af met zijn revers. 'Ze heeft James onderaan de trap achtergelaten en is in een shocktoestand naar Kent gereden, waar ze al dacht dat de politie haar zou staan opwachten. Toen dat niet het geval bleek, is ze gekalmeerd en heeft ze zich gerealiseerd dat ze ofwel de moord zou moeten gaan bekennen ofwel zich van het lijk ontdoen. Om twee uur 's nachts, terwijl haar moeder sliep, is ze teruggegaan en heeft ze hem geloosd.'

Deacon keek naar Amanda terwijl Harrison sprak. 'Hoe dan? Ze is bepaald geen Arnold Schwarzenegger, en ze moet het in het donker gedaan hebben.'

'Ze is heel vindingrijk,' zei Harrison, 'en ze heeft uit het huis van haar moeder een zaklantaarn meegenomen. Voorzover ik het begrepen heb, heeft ze hem in een kruiwagen weten te sjorren en was ze eerst van plan hem gewoon in de rivier gooien, in de hoop dat hij dan een eind verder aan zou spoelen en men zou denken dat hij door een tragisch ongeluk om het leven zou zijn gekomen. Maar ze was moe en slaagde er niet in de kruiwagen overeind te houden. Het hele ding is omgevallen.' Hij wees naar de bosjes aan de linkerkant. 'Zes jaar geleden liep het hier steil naar beneden en was er een soort inhammetje. Ze heeft toen maar besloten hem naar beneden te gooien, in de veronderstelling dat hij door de stroming wel weggevoerd zou worden naar de rivier.'

'Maar dat gebeurde niet?' vroeg Deacon toen hij niet verder sprak.

Harrison haalde zijn schouders op. 'Hij is niet meer boven komen drijven, dus ze denkt dat hij vast is komen te zitten aan een van de palen en vervolgens bedolven is geraakt onder de stenen en het cement dat de bouwvakkers eroverheen hebben gegooid.'

'Zouden die het lijk dan niet hebben moeten zien?'

'Ze zegt dat ze er maandagochtend weer heen is gegaan om te kijken hoe de situatie was, maar dat er geen spoor van hem te bekennen was. Daarna heeft ze gedacht dat het niet meer dan een kwestie van tijd zou zijn voordat een van ons bij haar aan zou kloppen om haar te vertellen dat James niet was ondergedoken maar allang dood was.'

'En dat is nooit gebeurd?'

'Nee, nooit.'
'Maar als hij onder zo'n hoop ballast ligt, wat verwachten de duikers dan te vinden?'
'Maakt niet uit. Als het maar iets is wat bewijst dat ze de waarheid spreekt. Ze zijn op zoek naar metalen voorwerpen, zijn Rolex horloge, de gesp van zijn riem, knopen, zelfs de rits van zijn broek zou al heel wat zijn. Als ze die gevonden hebben, gaan we de stenen verwijderen en kijken of we het skelet van die stakker kunnen vinden.'
Deacon keek weer even naar Amanda. 'Waarom zou ze de waarheid niet zeggen?'
'Niemand begrijpt waarom ze ineens heeft besloten een bekentenis af te leggen. Ze heeft grote kans vrijgesproken te worden van de moord op De Vries, want dat Barry verklaard heeft dat ze verkracht werd, betekent dat ze zich kan beroepen op noodweer. We proberen nog uit te vinden of het moord met voorbedachten rade geweest kan zijn, maar dat zit er waarschijnlijk niet in. Er zijn geen bewijzen van gevoerde telefoongesprekken en niemand heeft haar auto in Dover gezien. Als Nigel ooit in Sway is geweest, dan heeft niemand hem daar gezien.' Hij knikte in de richting van de rivier. 'Dus waarom zou ze ons deze informatie zomaar gegeven hebben? Wat hoopt ze daarmee te bereiken?'
'Een goed geweten?' opperde Deacon.
Harrison gooide zijn peuk in het gras en drukte hem uit met de punt van zijn schoen. 'Jij bent een romanticus, Mike. We leven in de twintigste eeuw, en tegenwoordig hebben de mensen geen geweten meer. In plaats daarvan hebben ze slimme advocaten. Denk je echt dat Amanda ons het verhaal van James zou hebben verteld als ze niet beschuldigd was van de moord op Nigel?' Hij schudde zijn hoofd. 'Ze is steeds meer onder druk komen staan om een verklaring te geven voor de verdwijning van James en ze kan zich niet twee afzonderlijke processen voor twee afzonderlijke moorden veroorloven. Ze kan misschien in één geval vrijgesproken worden, maar niet in allebei de gevallen, en het laatste wat ze zou willen is dat we James vinden nadat ze vrijgesproken is van moord op De Vries. Ik denk trouwens dat er maar zo weinig van hem teruggevonden zal worden dat niet aangetoond kan worden hoe hij is gestorven, en vóór de rechtszitting zal ze graag de verzekering willen hebben dat er niet nog meer aanklachten aan zitten te komen. Dus wat praten we dan nog over geweten?'
Deacon antwoordde niet meteen. Zwijgend keken ze naar de activiteiten van de politie in het water. 'Hoe is ze erachter gekomen dat het Nigel was die haar de fotokopie van Lowensteins notitie heeft gestuurd?' vroeg hij.

'Toen James was verdwenen heeft hij opgebeld om zijn medeleven te betuigen, en bij die gelegenheid heeft hij het gezegd. Hij zei dat hij haar wilde waarschuwen dat James gearresteerd zou kunnen worden, maar dat hij dat in het geheim moest doen vanwege zijn positie in de raad van bestuur. Ze ontkent jouw theorie dat hij haar in zijn macht had,' ging hij verder. 'Ze zegt dat Nigel niets wist over de dood van James en beweert dat hun relatie altijd vriendschappelijk is geweest totdat hij haar huis binnendrong en haar verkrachtte.'
Deacon lachte zachtjes, maar het geluid werd weggevaagd door de wind. 'Iets anders kan ze natuurlijk niet zeggen, tenminste niet als ze haar verdediging wil baseren op noodweer.'
Harrison keek hem nieuwsgierig aan. 'Waarom ben je er zo op gespitst aan te tonen dat dat niet het geval was?'
'Dat ben ik niet meer.'
'Dat begrijp ik niet.'
Deacon maakte ook zijn peuk uit op de grond. 'Ik ben alleen geïnteresseerd in haar bekentenis dat zij James heeft vermoord. Wat Nigel betreft, ben ik geneigd om te denken dat het zijn eigen schuld was, of hij haar nu één keer of honderd keer verkracht heeft.'
'Maar je bent ervan overtuigd dat het honderd keer geweest is.'
'Ja.' Hij stak zijn handen in zijn zakken om ze te verwarmen. 'Ik denk dat hij haar volkomen in zijn macht had omdat hij wist dat ze James had vermoord. Ik heb een gesprek gehad met die collega van Lawrence, en zij zegt dat De Vries een beest was. Ze zegt dat Nigel niet geaarzeld zou hebben een vrouw te verkrachten die hij in zijn macht had.' Hij keek geamuseerd. 'Luister, er moet toch een reden zijn geweest om die schoft te vermoorden. Jij denkt misschien dat ze twee mannen heeft vermoord uit noodweer, maar ik geloof dat niet. Ik denk dat ze misschien al zes jaar bezig is geweest te bedenken hoe ze Nigel zou kunnen lozen, en toen John Streeter belde om te zeggen dat de familie zich anders opstelde, was dat het laatste duwtje dat ze nodig had. Het voorwerp te zijn van lasterlijke persberichten die toch door geen enkele fatsoenlijke journalist serieus worden genomen, is nog wel te verdragen, maar anders wordt het wanneer mensen voor wie je bang bent zich op advies van een journalist gaan verenigen.'
Harrison keek nors voor zich uit. 'Maar waar is het bewijs? Wilde veronderstellingen helpen niet bij het vinden van de waarheid.'
'In dit geval wel, hoor,' antwoordde Deacon vriendelijk. 'De waarheid is aan het licht gekomen toen ze bekende dat ze James had vermoord, en dat is aan Billy Blake te danken. Hij was degene die haar heeft gestimuleerd om te praten.'

'Je gaat me toch niet vertellen dat ze hem ook heeft vermoord?'
'Nee, Billy is overleden als gevolg van zelfverwaarlozing.'
'En waarom heeft Nigel volgens jou haar adres aan Billy gegeven?'
'Dat heeft hij niet gedaan. Nigel was de laatste twee weken van mei in het buitenland.' Hij dacht terug aan de verbitterde vrouw die een paar dagen daarvoor haar hart bij hem uit had gestort. 'Het was Fiona die Billy heeft verteld waar hij Amanda kon vinden.'
God, wat haat ik haar... Ze heeft mijn leven vernietigd... Nigel en ik waren vanwege haar uit elkaar gegaan, en nu heeft ze hem vermoord... Ja, ik heb die oude zwerver verteld waar ze woonde... Hij was volslagen geschift... Hij zei dat hij een werktuig in Gods handen was... En toen vroeg hij haar adres... Of het me niet dwarszat dat ik een gek op haar af had gestuurd...? Absoluut niet. Ik vond het zelfs wel grappig... Ik heb altijd geweten wie en wat ze was... Ik zou stom zijn geweest als ik dat niet had geweten...
Er was ineens een verhoogde activiteit merkbaar in het water. Een van de duikers kwam boven en gebaarde opgewonden naar de toekijkenden op de wal. Harrison liep naar voren met een paar andere politiemensen. Nu was er niets meer wat Deacon verhinderde de twintig meter die hem van haar scheidde te overbruggen. Ze keek naar hem, niet naar de rivier. Net als de eerste keer dat hij haar had gezien, voelde hij ook nu haar aantrekkingskracht.
Hij vroeg zich later vaak af waarom hij niet gewoon naar haar toe was gegaan.
In plaats daarvan was hij zonder nog om te kijken terug naar boven gelopen.

The Street, Fleet Street, London EC4

Lawrence Greenhill
23 Wharf Way
Londen E14

22 januari 1996,

Beste Lawrence,
Kan je me wat meer vertellen over het volgende? Ik kwam deze passage gisteravond tegen in je dagboek.

Londen, 19 december 1949: Een nieuwe cliënte, mevrouw P, een oorlogsweduwe, is vandaag bij me geweest om advies te vragen over de zwangerschap van haar dertienjarige dochter. Moet ze de man in kwestie voor de rechter slepen of moet ze de zaak stilhouden in het belang van het kind? De dochter is al in de zevende maand, dus abortus is niet meer aan de orde. Het arme mens dacht dat haar dochter te veel at; heb medelijden met haar. Ze heeft GS als een vriend thuis ontvangen. Hij is 27, maar vijf jaar jonger dan zij, en ze voelde zich gevleid door zijn attenties. Haar verwarring is des te groter omdat ze de hoop had gehad zelf met hem te trouwen. Ze was verbijsterd toen ze merkte dat hij meer belangstelling had voor haar dochter, V. Ik heb geadviseerd de zaak stil te houden en het kind te laten adopteren en heb haar het adres gegeven van een klooster in Colchester, waar haar dochter terecht kan zodra haar toestand ook voor vriendinnen en leraren zichtbaar is. De nonnen zullen dan te zijner tijd goede ouders voor het kind zoeken. Maar vanavond lig ik met mezelf overhoop. In wat voor wereld leven we, waar onschuldige, door de oorlog verweesde kinderen het slachtoffer kunnen worden van dergelijke monsters? Zo iemand moet toch vervolgd worden, ook al gaat dat ten koste van de reputatie van het armzalige slachtoffer?

Terry zegt dat het een speling van het lot is. Is dat zo? Doet God dat? Ik had jou in het midden van mijn schema moeten zetten, niet Billy Blake, want de sleutel tot de beide verhalen lag bij jou. Billy was 'nog op zoek naar de waarheid', terwijl jij die allang kende.

Geheel de jouwe,

Mike

PS: Ik heb je advies opgevolgd en Barry naar huis en naar zijn moeder gestuurd nadat hij voor de derde opeenvolgende avond dronken was. Het is eigenlijk Terry's schuld. Hij plaagt de arme man vreselijk. En ik kan geen liefdesbetuiging meer horen!

Woensdag 7 februari 1996 – 21.00 uur –
Kaapstad, Zuid-Afrika

De jeugdige kelner haalde nadrukkelijk zijn schouders op en knikte in de richting van de figuur aan het tafeltje bij het raam. 'Ze huilt al vanaf het moment dat ze hier binnenkwam,' zei hij. 'Ik weet niet wat ik moet doen. Ze wil niks bestellen en ze wil ook niet weg.'

De oude man liep naar het tafeltje. 'Is alles in orde met u, mevrouw Metcalfe? Kan ik misschien iets voor u doen?'

Ze hief haar betraande gezicht naar hem op en stond toen wankelend op. 'Nee,' zei ze. 'Niets aan de hand.'

Toen ze wegliep keek hij naar de Engelse krant die ze uit het leesrek had gepakt toen ze binnenkwam. Maar de krantenkop zei hem niets.

DNA-test bewijst: beenderen in rivier van James Streeter

Een moderne gelijkenis

door Michael Deacon

Het tragische verhaal van Verity Fentons zelfmoord en de daaropvolgende verdwijning van Peter Fenton is bekend. Onbekend was tot voor kort wat er met Peter Fenton is gebeurd, omdat een zelfmoordenaar het geheim met zich mee in het graf had genomen.

BILLY BLAKE, op 12 juni 1995 overleden ten gevolge van ondervoeding. Zo luidt de tekst op een plaquette in een Londens crematorium ter herinnering aan de dood van een dakloze man. Eigenlijk had er moeten staan: *PETER FENTON, OBE, geboren 5 maart 1950, op 13 juni 1995 overleden ten gevolge van versterving.*

Het is moeilijk te begrijpen hoe Peter Fenton, die zo'n vooraanstaande positie genoot, zowel in Knightsbridge als op het ministerie van Buitenlandse Zaken, zomaar zijn huis kon verlaten en spoorloos verdwijnen, tenzij men de achtergronden kent. Toen het gebeurde werd aangenomen dat hij ervandoor was, dus beperkte men het onderzoek tot het buitenland. Wat nooit bij iemand was opgekomen, was dat hij het leven van een boeteling was gaan leiden en in Londen in de goot leefde.

Het is ook niet verbazingwekkend dat hij er zo goed in geslaagd is te verdwijnen als men bedenkt hoe weinig wij allen geneigd zijn ons bezig te houden met daklozen en zwervers en zelfs bang zijn dat oogcontact met hen gevaarlijk kan zijn of aanleiding kan geven tot schaamte.

Zo'n transformatie kost echter wel tijd, en Peter, een knappe, donkere man van 38, moet toch wekenlang herkenbaar zijn geweest voordat de slechte hygiënische omstandigheden en het slechte eten hem het skeletachtige uiterlijk hadden bezorgd van Billy Blake, die bij de politie bekend was als 60-jarige zwerver en boeteprediker. Hoe kon hij in zo'n korte tijd zo ingrijpend veranderd zijn? Het antwoord moet, denk ik, luiden dat hij echt kapot was van de zelfmoord van Verity en dat hij er al jaren ouder uitzag toen hij deel ging uitmaken van de wereld van de daklozen.

Het zou niet onwaar zijn als men zou zeggen dat Peter Fenton overleden is op 3 juli 1988, toen hij het huis van het gezin aan Cadogan Square verliet. Hij wilde die man niet langer zijn. Peter Fenton had in de diplomatie carrière gemaakt en was een zelfverzekerd man met een benijdenswaardig intellect en zonder aanwijsbare ondeugden. Billy Blake, daarentegen, was een gekweld mens die zich verlustigde in door hemzelf opgelegde pijnigingen en die hel en verdoemenis predikte tegen ieder die maar wilde luisteren. Hij was een onverbeterlijke alcoholist, een dief en een bedelaar, maar hij streefde er, vaak tegen een hoge prijs, naar om anderen te behoeden voor het kwaad dat hij zelf had aangericht. De ironie was dat de zwerver Billy een goed mens was, en Peter Fenton, die zo veel mee had, niet.

Peter was een moordenaar, die trouwde met de vrouw van zijn slachtoffer, Geoffrey Standish. Er is geen twijfel over mogelijk dat hij precies wist wie Verity was toen hij voor het eerst met haar naar bed ging, want zelfs al zou Geoffrey Standish een onbekende voor hem geweest zijn toen hij hem vermoordde, Peter moet naderhand uit de kranten begrepen hebben wie de man geweest was. Het is mogelijk dat deze kennis heeft bijgedragen tot de spanning van het verleiden van Verity, maar het is natuurlijk ook mogelijk dat het liefde op het eerste gezicht was voor deze tere en kwetsbare vrouw, wier lijden in haar huwelijk met de kwelgeest die haar eerste man was, onuitwisbare sporen op haar had nagelaten.

Ze was een kleine, fijngebouwde vrouw met grote reebruine ogen, en Peter was geenszins de eerste man die haar in bescherming wilde nemen. Hij was echter wel de jongste, en Verity, die jarenlang mishandeld was geweest door Geoffrey, die veertien jaar ouder dan zij was geweest, meende dat zij veiliger zou zijn in een relatie met een jongere man. Aan de andere kant wilde ze echter ook niet te koop lopen met haar liefde voor een jongetje, en er zijn aanwijzingen dat ze de verhouding niet wilde formaliseren uit angst voor wat de mensen er van zouden zeggen. Wellicht is ze dus tegen beter weten in met Peter getrouwd, maar haar angst dat het ongepast zou zijn, raakte al snel op de achtergrond. Het huwelijk werd door vrienden beschreven als 'een idylle', 'de grootste liefde sinds Abélard en Héloïse', 'een feest om te zien', etcetera.

Des te tragischer was het dan ook dat ze, in haar obsessie voor Peter, de twee kinderen die ze samen met Geoffrey had gekregen, begon te verwaarlozen. Het is niet moeilijk te begrijpen waarom ze dat deed. Toen ze met Peter trouwde, zat haar twintigjarige dochter Marilyn al op de universiteit en haar zoon van veertien, Anthony, op kostschool. Ze was niet meer zo heel belangrijk voor hen, en bovendien voerde haar rol als echtgenote van Peter haar naar het buitenland.

'Ze gaven ons altijd geld om in de vakanties naar hen toe te komen als we dat wilden,' aldus Marilyn, 'maar we hadden geen zin om ons wekenlang te gaan vervelen. Voor Anthony was het moeilijker omdat hij jonger was. Niet dat hij het Peter ooit verweet, hoor. Hij had veel meer de pik op mama, omdat zij er nooit een geheim van had gemaakt hoe ze onze vader had gehaat. Toen Anthony ten slotte depressief werd omdat zijn vriendin het met hem had uitgemaakt, werd hij helemaal kwaad op haar en heeft hij een advertentie in *The Times* laten zetten. Hij wist dat mama die zou lezen en hij wilde haar ermee losrukken uit haar zelfgenoegzaamheid. We hadden allebei wel geruchten gehoord dat papa vermoord was, en

Anthony wilde haar daaraan herinneren. Hij was namelijk nog maar vijf jaar in 1971, en hij heeft nooit geloofd dat Geoffrey zo slecht was als iedereen beweerde.'

Anthony Standish was 22 jaar in 1988. Hij was een ongelukkige jongeman, die zijn teleurstelling over een verloren liefde niet goed wist te scheiden van een al sinds lang bestaande woede jegens zijn moeder, die zich tegenover hem uiterst koel opstelde. Zijn bitterheid uitte hij door middel van een advertentie met de volgende tekst:

Geoffrey Standish. *Wil eenieder die inlichtingen kan verschaffen omtrent de moord op Geoffrey Standish op de A11 in de buurt van Newmarket op 10-3-1971 reageren onder nummer 431.*

Anne Cattrell heeft voor het eerst in haar artikel *De waarheid omtrent Verity Fenton* (*Sunday Times*, 17 juni 1990) de theorie geopperd dat Peter Geoffrey vermoord had. Ze stelde dat Peter en Verity elkaar veel eerder hadden ontmoet dan ze gezegd hadden, en dat Peter was opgetreden als een soort straffende hand van Verity. Daarvoor bestaan geen bewijzen, maar er is een overdaad aan materiaal waarmee aangetoond kan worden dat Peter en Geoffrey in 1971 iets anders gemeen hadden, en dat was gokken.

In de persoon van Billy Blake heeft Peter bekend dat hij iemand had vermoord, en het is niet onredelijk om te veronderstellen dat dat Geoffrey Standish geweest is. Billy's boetedoening is te lang en te gekweld geweest om niet ook in verband gebracht te worden met Verity's zelfmoord. Maar in de persoon van Billy Blake predikte hij ook tegen de gevaren van plotselinge en onbeheersbare woedeaanvallen, die mensen ertoe kunnen brengen elkaar geweld aan te doen waar ze later spijt van krijgen.

Dit zou kunnen betekenen dat de moord op Geoffrey het resultaat was van een zo'n soort woedeaanval, waardoor het geen vooropgezette afrekening is geweest, maar een spontane actie.

Vijfentwintig jaar na dato kunnen we nog slechts gissen naar de toedracht, maar studievrienden van Peter hebben gesproken over illegale gokavonden in een gesloten huis in Cambridge, waar hij op vrijdagavonden vaak heen ging om zijn idealen van 'geld en een goed leven' te trachten te realiseren. Het is zeker mogelijk dat Geoffrey, die op vrijdagavond 9 maart 1971 op weg was naar Huntingdon, op de hoogte was van die gokavonden en daar, na zijn gastheer gebeld te hebben om te zeggen dat hij verlaat was, ook naartoe is gegaan. Het is ook mogelijk dat er ruzie ontstaan is over geld, en dat die ruzie per ongeluk tot zijn dood heeft geleid.

Er moeten anderen aanwezig zijn geweest die getuige waren van wat er gebeurde. Het kan zelfs zijn dat Peter niet als enige betrokken was bij de moord, hetgeen de geslaagde aankleding van het incident als auto-ongeluk zou kunnen verklaren. Waarschijnlijker is dat Geoffrey, wiens opvliegendheid bekend was, begonnen is, wat tot verontschuldiging kan dienen voor de andere betrokkenen, althans in hun eigen ogen. Hoe dan ook, er werd besloten het lijk zo ver mogelijk van het illegale gokhuis te dumpen en het te laten doorgaan voor een ongeluk.

Er zijn geen bewijzen waardoor deze theorie de voorkeur zou hebben boven andere (behalve dan misschien Peters plotselinge besluit op te houden met gokken, ergens in 1971, volgens zijn vrienden), maar het maakt het wel makkelijker te geloven dat Verity met Peter trouwde zonder te weten van de misdaad die hij gepleegd had. Want is het zoals Anne Cattrell in haar artikel schrijft, dat Verity zelfmoord pleegde omdat ze per ongeluk te weten kwam dat ze getrouwd was met de moordenaar van haar eerste man?

Het antwoord is dat dat niet per ongeluk was. Peter heeft het haar zelf verteld, tijdens een ruzie van Verity met Anthony nadat diens advertentie in *The Times* was verschenen. 'Ik heb haar ervan beschuldigd dat ze mijn vader had vermoord, en toen ze daarop in tranen uitbarstte, zei Peter dat hij het had gedaan. Ik weet dat het belachelijk klinkt,' aldus Anthony nu, 'maar ik geloofde hem niet. Ik dacht dat hij alleen maar probeerde de ruzie op te laten houden; dat deed hij namelijk altijd. Iedere keer als zij en ik elkaar in de haren zaten, nam Peter de schuld op zich. Ik werd er altijd hels van.

Mijn moeder was in veel opzichten nog erg kinderlijk. Het leek wel alsof ze nergens de verantwoording voor wilde nemen.

Ik leef nu al acht jaar met een groot schuldgevoel om die ruzie. Ik wou dat ik gewacht had tot Peter terug was uit de Verenigde Staten in plaats van haar aan te vallen op de dag voordat hij vertrok. Het is ook zo'n waarheid als een koe dat je je pas realiseert hoeveel je van iemand houdt als die persoon er niet meer is. Ik had het zelf heel moeilijk omdat mijn vriendin het net had uitgemaakt, maar dat is geen excuus voor wat ik gedaan heb. Ik had nooit echt geloofd dat mijn moeder mijn vader had vermoord, maar toen ze zich opgehangen had, heb ik gedacht dat het dan toch waarschijnlijk waar was en dat Peter haar daarom had afgewezen. Ik heb altijd gehoopt dat hij toch nog een keer terug zou komen. Daarom heb ik hier ook nooit eerder over gesproken.'

Maar als Verity zichzelf niet uit schuldgevoel heeft opgehangen, waarom dan wel? Was het vanwege een plotselinge afkeer van de man die ze bewonderde? Was het uit paniek omdat ze bang was dat de misdaad van haar man aan het licht zou komen nu Anthony het wist? Elk van beide verklaringen kan waar zijn, maar geen van beide bevredigt echt. Verity was wel een heel teer vrouwtje, maar ze was ook sterk. Ze had jarenlang de mishandelingen van Geoffrey verdragen, en het lijkt niet erg waarschijnlijk dat afkeer of paniek haar tot zelfmoord gebracht zouden kunnen hebben. Mijn eigen mening is dat iets veel ergers Verity uiteindelijk tot die stap heeft gebracht. Een geheim dat ze

veertig jaar voor zich gehouden had, en dat ik bij toeval te weten ben gekomen via een advocaat die Verity's moeder, mevrouw Isobel Parnell, in 1949 heeft geraadpleegd naar aanleiding van het feit dat Geoffrey haar dertienjarige dochter had verleid.
'Het was een verschrikkelijk verhaal,' aldus Lawrence Greenhill. 'Isobel had gehoopt zelf te kunnen trouwen met Geoffrey, en ze haatte Verity vanwege het feit dat ze haar zo gekwetst had. De baby, een jongetje, werd door onbekenden geadopteerd en Verity werd naar een kostschool gestuurd. De tragedie was dat niemand zich bekommerde om de pijn die Verity voelde. In één klap had Isobel haar beroofd van haar kind, haar minnaar en haar moeder, en je kunt alleen maar gissen naar de mate van eenzaamheid die het meisje gekweld moet hebben. Achteraf bezien is het duidelijk dat ze het Isobel betaald heeft willen zetten door juist met die man te trouwen die hun levens had verwoest. Hoe kon een gekwelde puber ook onderscheid maken tussen liefde en geilheid als de vrouw die van haar hield haar afwees en de man die haar had verleid haar bleef achtervolgen?'
Het verhaal heeft echter geen fraaie, allesomvattende verklaring. Peter was niet Verity's verloren gewaande zoon, en dat hoefde zij ook geen moment te geloven. Het is de taak van de ambtenaar van de burgerlijke stand om bij het in ondertrouw gaan te onderzoeken of er sprake zou kunnen zijn van dit soort toevalligheden, en daarvan is in het geval van Peter en Verity niets gebleken.
Rationeel nadenkend moet Verity wel geweten hebben dat er niets onwelvoeglijks was aan hun relatie, ondanks de intensiteit van haar liefde voor Peter. Maar een mens is niet helemaal rationeel. Misschien is ze, helemaal alleen in dat grote huis terwijl Peter naar Amerika was, gaan nadenken over de onnatuurlijke liefde die ze voelde voor de moordenaar van haar eerste man en misschien is ze ook gaan twijfelen aan de geldigheid van de adoptiepapieren van Peter.
In haar afscheidsbriefje is sprake van 'verraad', en het is verleidelijk om te veronderstellen dat ze daarmee 'in de steek laten' bedoelde en aan haar moeder en haar geadopteerde zoon dacht toen ze dat opschreef. Maar een waarschijnlijker verklaring is misschien dat ze zich uiteindelijk heeft gerealiseerd dat ze tegenover iedereen ontrouw was geweest, zelfs tegenover Peter, door haar onvermogen om haar liefde op een natuurlijke manier te uiten. Het is immers onwaarschijnlijk dat Peter gedwongen zou zijn geweest zichzelf tegenover Anthony bloot te geven als Verity minder van hem en meer van Anthony had gehouden.
Zoals Lawrence Greenhill heeft geopperd, is Verity Fentons werkelijke tragedie haar onvermogen liefde en verlangen uit elkaar te houden. Ze kon haar liefde voor Anthony niet goed uitdrukken omdat verlangen naar een zoon niet mag, dus koos ze ervoor

haar surrogaatzoon Peter naar zich toe te trekken, met alle passie die ze in zich had. Maar was het misschien zo dat het haar, daar in haar eentje in het huis aan Cadogan Square, ineens is gaan dagen dat haar adoratie voor de man die de vader van ál haar kinderen had omgebracht een al te grote ontrouw was?
En heeft ze toen besloten zich van het leven te beroven omdat ze besefte dat het geen verschil maakte, dat ze evengoed wilde dat deze man haar zijn hele leven lang zou bezitten, of hij nu een vadermoordenaar of een zoon was?

(Uittreksel uit *Oedipus* van Michael Deacon, te verschijnen in november 1996)

Epiloog

Er was niemand in het appartement toen Deacon thuiskwam, en daar was hij blij om. Hij was niet in de stemming voor Terry's door de cannabis veroorzaakte indolentie nu hij al voor de derde achtereenvolgende dag een knallende ruzie had gehad met de nieuwe hoofdredacteur van *The Street*.

Wie zou ooit hebben kunnen geloven dat hij het vertrek van JP zou betreuren?

'Andere tijden, andere zeden, Michael,' had JP bij zijn afscheid gezegd. 'Brave jongens, zo zou ik de nieuwe bazen willen betitelen. Het is afgelopen met het najagen van prostituees en zo; alleen door de wol geverfde politici komen nog aan het woord.'

'Daar kan ik wel mee leven,' had Mike gezegd.

'Ik zou daar maar niet al te zeker van zijn,' had JP geantwoord. 'Je was het misschien niet eens met mijn ideeën over wat de moeite waard was om over te schrijven, maar je had altijd wel de vrijheid om het zo op te schrijven als je zelf wilde.' Hij pakte Deacons kopij over Peter Fenton, die op zijn bureau lag, en sloeg de laatste twee bladzijden op, waar hij inging op het waarom van het overlijden van Billy Blake in Amanda's garage. 'Ik kan je op een briefje geven dat je deze laatste zevenhonderd woorden niet in druk zult zien verschijnen. Ik weet wel dat je graag in de krant wil hebben waarom die arme sloeber gestorven is, maar die nieuwe luitjes willen onder geen beding het risico lopen dat hun een proces wordt aangedaan, zeker niet door iemand die in het huis van bewaring zit. Het stuk is veel te controversieel, het is bijna zeker in strijd met de regels voor zaken die nog onder de rechter zijn en het is schadelijk voor Amanda's positie in de rechtszaak tegen haar wegens de moord op De Vries. En dan heb ik het nog niet eens over het proces dat de familie De Vries jou zal aandoen omdat je hem een veelvoudig verkrachter noemt.'

'Zou jij het wel hebben geriskeerd?'

'Natuurlijk wel. Ik zou zeggen dat de zaak niet onder de rechter is omdat Amanda niet beschuldigd wordt van moord op James.' Hij

keek cynisch voor zich uit. 'En zo ver komt het ook niet, tenzij de heren doktoren nog een doodsoorzaak weten vast te stellen. Is het waar dat ze haar bekentenis heeft ingetrokken?'
Deacon knikte.
'Een reden te meer om het stuk wel te plaatsen en dan maar te zien wat ervan komt. En als we dan zoveel drukte zouden hebben veroorzaakt dat het tot een vervolging kwam, zou ik er de nadruk op leggen dat onze inspanningen ertoe hebben geleid dat ze gearresteerd is op beschuldiging van beide moorden, zodat ze niet met een onschuldig gezichtje de deur uit kan lopen, zoals het er nu naar uitziet.'
'En als we dan een aanklacht wegens smaad aan onze broek zouden krijgen?'
'Dan zouden we toch hebben bijgedragen aan een rechtvaardige gang van zaken, zowel ten aanzien van haar als van die schoft van een De Vries.' JP grinnikte. 'Dat is natuurlijk ook de reden dat ze mij eruit hebben gegooid. Het draait allemaal om winst, tegenwoordig, en een sociaal geweten als het mijne is ze te duur.'
Deacon drukte op de knop 'berichten' op zijn antwoordapparaat. 'Barry is weer gearresteerd,' hoorde hij Greg Harrisons droge stem klinken. 'Wegens dronkenschap en wanordelijk gedrag. Bij ons voor de deur, deze keer. Zijn moeder wil hem onder geen beding terug, dus nu wil hij opgeven dat zijn tijdelijk adres het jouwe is. Je moet hier iets aan doen, Mike. Hij zegt dat hij alleen dronken wordt omdat hij verliefd is op jou.' Hij zweeg even. *Omdat hij moest lachen? vroeg Deacon zich geërgerd af.* 'Nou ja, je weet dat je me altijd kan bellen.'
De volgende inspreker was Lawrence. 'Jammer voor je, ouwe jongen: ik zie dat ze je artikel gemaltraiteerd hebben. Dat moet een enorme teleurstelling voor je zijn. Ik weet hoe graag je wilde aantonen dat Billy wel degelijk een doel in zijn leven had. Misschien is het een troost voor je om te bedenken dat hij voor Terry een goede leermeester is geweest. Daarin ligt, denk ik, toch zijn grootste waarde.'
Toen het antwoordapparaat zweeg, drong het tot hem door dat hij allerlei dingen in huis miste. De *Vrouw in chemise* van Picasso was verdwenen, evenals het televisietoestel en de geluidsinstallatie. De Big Ben en de schelp stonden niet meer op de schoorsteenmantel, en waar Turners *De Téméraire in de strijd* had gehangen was nu nog slechts een lege plek te zien. Deacon liep naar de keuken en inspecteerde de koektrommel. Er zat een opgevouwen blaadje papier in.

Hoi maatje. Ik dacht dat ik de spullen die ik heb meegenomen wel had verdiend door te leren lezen en schrijven. Het is in ieder geval een stuk minder waard dan die vijfhonderd ballen die ik je in het begin afhandig had kunnen maken. Doe mijn hartelijke groeten aan Lawrence en aan je moeder. Dat zijn aardige mensen. Jij ook, trouwens. Ik kom je wel weer eens een keer opzoeken. Je vriend Terry.

PS: Zeg maar tegen die hoofdredacteur dat hij de boom in kan en concentreer je op het schrijven van boeken. Doe wat je zelf het beste vindt, makker. Ik bedoel, Billy zei altijd: iedereen die geketend sterft, verdient dat waarschijnlijk ook.